Dod 'n' Bunty

TOWARDS 2000

Collected adventures from the 90s

by *Buff Hardie*

Cartoons by *Helen Hepburn*

Published by the Evening Express

ISBN No: 1 901300 07 2

HEN future historians come to chronicle the last decade of the 20th Century, this is a book they will ignore at their peril. For it holds up a mirror to all the great events of that decade, reflecting them from the perspective of Dod and Bunty, the archetypal Aberdeen couple whose reactions to these events, local, national and international, are chronicled in this collection of the conversations they had throughout the 1990s, usually about tea-time.

The book contains much of a political nature. This was bound to be the case, given that Dod's closest friend is Frunkie Webster, the passionately left-wing trade union official, whom the percipient reader will identify as the main architect of the Labour landslide in the 1997 General Election. Within these pages are to be found many startling political revelations, among them the disclosure of the secret skill which Nicol Stephen shares with Benjamin Disraeli, and to which can be attributed the success of both.

The presence of Frunkie Webster's wife Dolly, sometime doyenne of the Aberdeen amateur stage, ensures that show business is featured frequently, though Dod and Bunty's hauntingly elegiac conversation after the death of Frank Sinatra owes nothing to third parties. And in the realm of sport — since at this point we are in sorrowful mode —

the dip in Aberdeen FC's fortunes in the 1990s leaves one to wonder what hope the new century holds out to Dod the sports fan, who peaked as a spectator at Gothenburg in 1983 and as a player at Nelson Street playing-field as a member of the Hilton School XI of the early 1940s, a team whose silky Brazil-like style of play is hinted at by the names of their two stars, Dunter Duncan and Basher Buchan.

Dod and Bunty are, of course, like the rest of us, part of the television generation into whose homes major events are beamed almost as they occur. Thus it was that Bunty and the Prime Minister were, simultaneously, profoundly affected by the injustice of Deirdre Rachid's incarceration.

But television does more than open a window on real life, it is also the purveyor of great fiction; the BBC's serialisation of Middlemarch in 1994 induced Bunty to buy the paperback of the novel, and now, as we reach the end of the decade, while it would be untrue to say that she has now read all of George Eliot's novels, or even half of them, she has read half of Middlemarch.

Dod, on the other hand, though not averse to sitting glued to the television set for several hours — and during the World Cup for several weeks — on end, emerges from this book more as a creature of the movies. And to read the book is from time to time to visit or (depending on the age of the reader) to re-visit the Astoria, the Capitol, the Grandie and all those other now defunct Aberdeen cinemas which constituted the major formative influence on the developing Dod's life, be it for what he saw there on the screen or for what he got up to there in the back row. And now, in his maturity, he is — thanks to that experience — equipped to debate in depth any question relating to film as an art form. Only in this book for example, will you find a critical assessment of the comparative contributions made to the American cinema by Johnny Weissmuller and Orson Welles.

Much else is revealed in this book. And at the last there remains the nub of Dod and Bunty's life, their extended family, comprising daughter Lorraine and son-in-law Alan, both teachers, parents of Elspeth and Bobby; and son Gary, a graduate of RGIT — as it then was — and now "something in the ile" (which makes him one of that considerable number of people in Aberdeen who are known to work in the oil industry, though what precisely that means the rest of Aberdeen doesn't know), his wife Michelle, an ex-nurse, and their daughter Tracy, who, months before she was born and long before her gender was known, had already been given the name of Bunty's favourite film star. How come? Well, if Tracy had turned out to be a boy, she'd have been called Spencer.

There now, dear reader, can you resist the urge to read more of the adventures of such a family? Enter, and enjoy.

AFC

'Fit div I ken aboot drunks in Union Street'

FAR'S the paper?

Jist a minute. Div ye think ye're ga'n tae enjoy it? Are ye ony cheerier the nicht? Ye were affa doon at denner time.

I'm still feelin affa doon, Bunty. I dinna ken fit it is. I'm affa fed up at my work these days. Nae job satisfaction at a'. There must be mair tae life, Bunty. Frunkie Webster an' me hiv been ha'ein' some pretty deep philosophical discussions aboot it lately. I wis just sayin til 'im at wir tea break the day, "Frunkie," I says, "is this a' there is?"

An' fit did he say?

He says, "Weel I did ha'e a Kitkat, but I ate it on the bus."

Weel, 'at wisna a very helpful answer tae somebody strugglin wi' a mid-life crisis.

No, it jist made things worse. I really funcied a bit o' his Kitkat. But fit's this aboot a mid-life crisis?

Weel, I wis readin' this article in my Woman's Own, an' it said it's something a lot o' men get. It's fan they realise it's past half-time an' they're a goal ahin' —

Like the Dons on Setterday?

'At's richt. An' they ken there's nae second chance in the Scottish Cup. So they start feelin' a bittie doon, an' they think, "Life's passin' me by. I've got tae get aff this treadmill, oot o' this rut."

'At's richt. 'At's exactly the wye I feel. I feel stifled. I'm gradually ga'n' under. I've got tae brak free, throw aff the chains, find some new challenge. I'm at a crossroads, Bunty. A new job — that's the answer. Is there ony new jobs in the paper?

Oh, there's twa or three new jobs comin' up in Aiberdeen: Chief Constable this year; Principal o' the University next year; Henry Finlayson' s job the year efter next.

Fa's Henry Finlayson?

He's the lollipop man at the corner. If you're at a crossroads, his job wid suit you. Mind you, fan that job comes up, you winna ha'e nae chunce. The competition will be ower fierce. I mean, Alistair Lynn an' George McNicol are baith bound tae be in for't. But you could maybe try for THEIR jobs fan they retire.

Dinna be feel, Bunty. I mean, fit experience hiv I hid o' dealin' wi' crooks, like fit George McNicol hid dealin' wi' the UGC?

Weel, ye maybe couldna be Principal, but ye could easy

NE Chief Constable to retire

GRAMPIAN'S Chief Constable Alistair Lynn this morning unexpectedly announced his retirement from September.

be Chief Constable.

No, no. Fit div I ken aboot drunks in Union Street?

Well, ye've BEEN een often enough.

There's nae need tae be chikky, Bunty. Ye ken fine jobs like Chief Constable or University Principal are nae open tae the likes o'me — a loon brocht up in a cooncil hoose in Aiberdeen. I've nae chunce.

Awa' ye go. Look at Annie Lennox — top o' the pops in Britain again. Or Denis Law — did ye see it wis his fiftieth birthday on Setterday? — top goal-scorer for Scotland.

Equal. Wi' Kenny Dalglish.

But Denis only played half the games that Kenny wis in —

KENNY only played half the games that Kenny wis in.

— so Denis his got a much better average. Scotland's greatest ever striker, wid ye say? Better than Mo Johnston?

Definitely better than Mo Johnston. Even now. I think Denis an' Charlie Nicholas could dae a job for Scotland in Italy. I wonder if Andy Roxburgh's thocht o' that.

Weel, ye should write til 'im, an' suggest it. Andy aye seems a resonable blokie fan ye see 'im. I'm sure he wid welcome a bit o' friendly advice o' a constructive nature.

Bunty, ye're richt! That's fit I'm lookin' for. That's the change o' direction my life should tak': behind-the-scenes adviser tae Andy Roxburgh. Like Sir Alan Walters.

He disna advise Andy Roxburgh, dis he?

No, no. He wis Mrs Thatcher's adviser.

On fitba'? weel, he couldna hiv been muckle eese. She still disna ken onything aboot it. I'll tell ye, though, Dod if you're tae be Andy Roxburgh's self-appointed guru, it's hardly a new career — there winna be nae money in it.

I'm nae lookin' for money, Bunty. The satisfaction o' helpin' Andy tae guide Scotland tae a World Cup triumph will be reward enough for me. Life will tak' on a 'hale rich new texture.

So that's yer decision? That's yer mid-life crisis sorted oot?

It is. With this decision I've snapped the shackles o' the old routine — o' every day bein' the same, daein' the same things at the same time every day, sayin' the same things at the same time every day. I'm oot o' the rut, Bunty. The old order changeth, as of now.

Good.

Now, far's the paper?

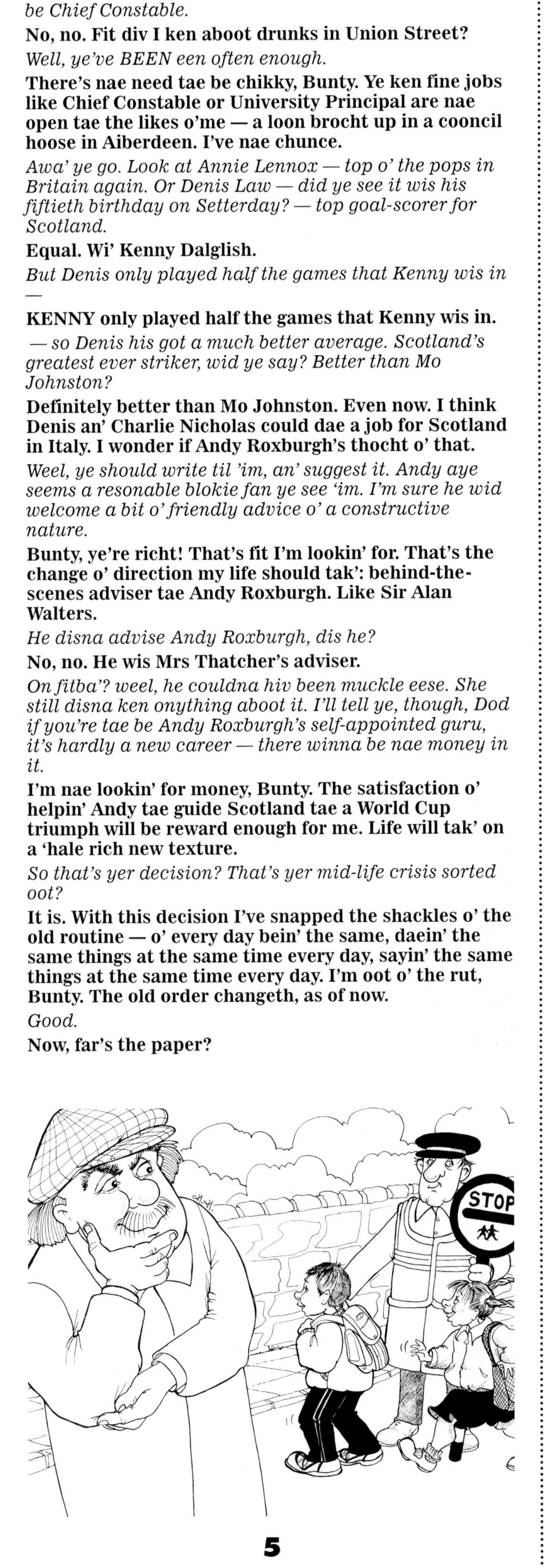

Full marks tae the Pittodrie back room boys

Far's the paper?

Fit paper div ye mean?

Fit div ye mean, "Fit paper div I mean?"

Weel, fit paper div ye wint? We seem tae ha'e nine Sunday papers an' seven o' yesterday's daily papers. Includin' The Times — I've never seen IT in this hoose afore. Dinna tell me ye've read them a'.

I hiv. I've read them a', Bunty. Some o' them twice. Weel, the important bits o' them. I mean, I couldna tell ye fit The Times is thinkin' aboot the East German elections. But I've read the fitba an' the rugby in them a'.

Fit a waste o' time.

An' ye ken the great thing aboot it, Bunty? The Dons an' Scotland hiv won in them a'.

And in the papers ye've read twice?

They've won twice. Aye, mark the date well, Bunty: Saturday, 17th March, 1990 — a day of two great sportin' triumphs. Yes, Bunty, I must say, on Setterday at tea-time spirits were up.

An' by bed-time, if ye ask me, a fair amount o' them had gone doon. Fit a state you wis in fan Frunkie Webster brocht ye hame. An' it didna mak' nae sense tae me that efter he had brocht you hame, you had tae ging an' tak' him hame.

It's called true friendship, Bunty. Ach, I will admit we'd hid the odd shandy, but ye widna grudge us a wee celebration, wid ye? Fit a game it wis at Pittodrie. An' I'll tell ye a good bit — weel, there wis a lot o' good bits — but jist as the Dons wis comin' oot for the second half, we got the final score fae Murrayfield ower the tannoy, an' the 'hale crowd cheered — includin' the Hearts supporters.

Jist as the Dons wis comin' oot? at wis good stra'egy, 'at. Full marks tae the Pittodrie back room boys.

Aye, somebody wis on the ball there. Ye see, Bunty, in modern sport there's a lot mair tactics an' psychological warfare than fit there used tae be. Fan I played for Hilton School in the Primary League under the inspirin' captaincy o' Dunter Duncan, oor pre-match team talk used tae consist o' Dunter sayin', "A' richt, get stuck in tae the Cassie-end hackers. An' Dod, hiv you got the liquorice torpedoes for half-time?"

Oh Flower of Scotland . . . captain David Sole leads the singing as Scotland celebrate their historic victory.

An' of course fit a bonus on Sunday tae ging tae Alan an' Lorraine's an' see the 'hale o' the rugby on their video.

Aye, an' we got a better tea than we usually get on a Sunday an' a'. So I'm gled Alan wis at Murrayfield on Setterday an' winted tae get a better view o' the match than he'd got fan he wis there.

Aye, he didna see Scotland's try at a'. At the crucial moment the boy in front o' 'im stood up, 'an Alan never saw naething.

I hope he gi'ed the boy in front o' 'im a piece o' his mind.

Nae fear. It wis Iain Milne. I dinna really understand rugby, Dod, but I really enjoyed it on the TV. Especially the bit efter the match fan Nigel Starmer-Smith went intae the Scottish dressin' room.

Aye, at's richt, the three o' them wis there. An' obviously peer Nigel hid been doon there a' efterneen, listenin' tae the match on his trannie, stuck in the bowels o' Murrayfield so's he'd be ready tae interview the victorious English team. Naebody ever thocht he wid be interviewin' the Scottish team. Least of a' the English team.

Weel, ye se, it's back tae the psychological warfare we were spikkin' aboot. The English team made the mistake o' believin' their ain hype.

Hype? Fit's 'at Dod? Is 'at fit comes atween Starmer an' Smith?

No, no, Bunty. That's a hyphen. Hype is a word used a lot by folk in the media, the chatterin' classes, ken?

Weel, I've never heard Dolly Webster usin' it. Fit dis it mean?

Weel, it means, eh — weel, if ye looked it up in the Oxford dictionary it wid define it as bummin' yer load. I mean, a' last wik the English press wis shoutin' the odds that the only thing that wis in ony doot wis foo mony points England wis ga'n' tae win by. Weel, 'at played richt intae Scotland's barra. They jist kept their voices doon an' their dander up. An' the last nail in England's coffin wis fan een o' the English papers said there wis only twa o' the Scottish players wid get intae the English team.

Fit a piece o' nonsense. As if ONY o' the Scottish players wid GING intae the English team.

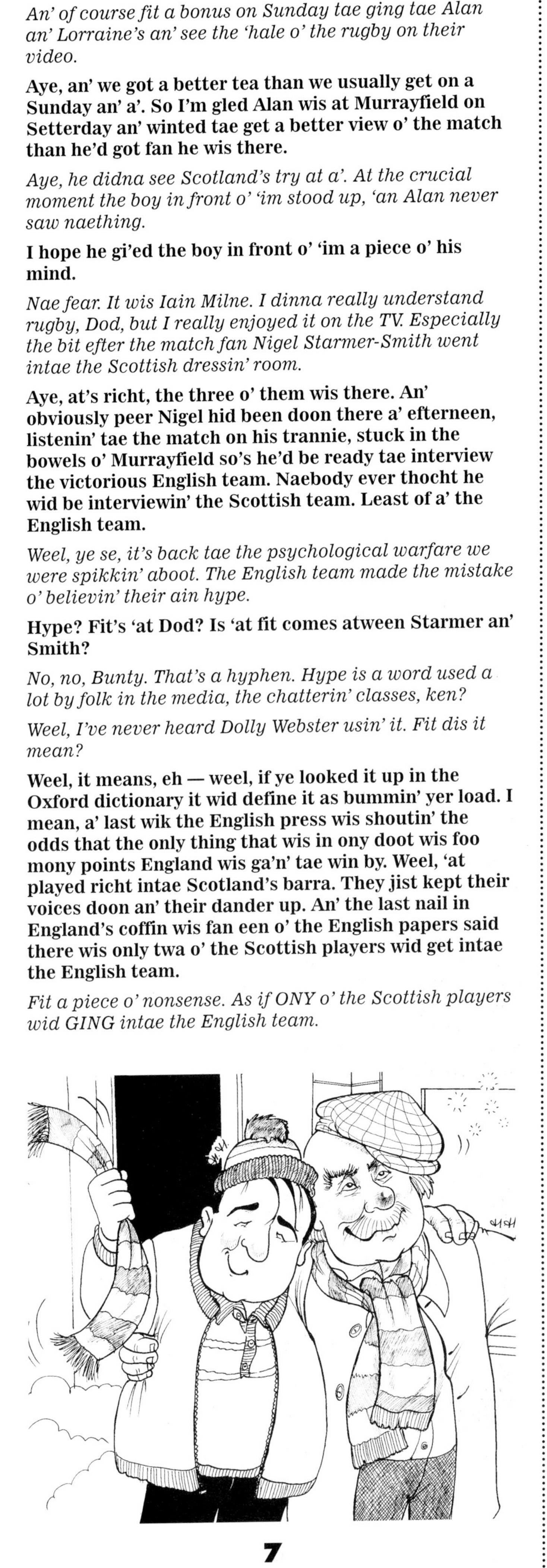

We're livin' in the age o' the half-croon buttery

FAR'S the paper?

Here it is. Div ye like the new mast-heid?

The new fit?

The new mast-heid.

Fit ye haverin' aboot, Bunty? A mast-heid's on a ship.

Ah, but ye get a mast-heid on a newspaper as weel. It's the tap o' the front page far they ha'e the name o' the paper in big print. Look — far it says "Evenin' Express" in big print.

Ah. Weel, it' s a peety they didna get "Evenin'" and' "Express" in the same kind o' print. Ye'd hiv thocht somebody wid hiv noticed 'at.

I ken. Fa's job is it tae keep an eye on that kind o' thing? Is it the editor's? I mean, fit dis the editor dae?

That, Bunty, is one of the great unanswered questions of the universe. I mean, it's six o'clock on a Tuesday evenin'. Ask me something easier.

Weel, a'richt. Fit div ye mak' o' this survey that's been published that says families in the North-east o' Scotland are among the best aff in Britain? Fan I read that, I nearly knocked my champagne intae the jacuzzi. And I don't think.

Oh, I think it wid be richt enough, Bunty. We hinna got the same inflation up here as fit they hiv in England.

Awa' ye go. It's easy seen you hinna been in the Spar grocer lately. Butteries are up tae 13p each. Ken 'is, Dod, ye've nae idea o' the price o' things.

A'richt. Keep the heid, Bunty. I stand corrected. I'm sure that survey wid hiv telt a different story if they'd kent that up here in Airberdeen we're livin' in the age o' the half-croon buttery.

There's nae need tae be sarcastic. You men are a' the same. Ye're a waste o' time.

Oh, dinna ging a' feminist on me, Bunty — gettin' on tae me. It's like ha'ein' my tea wi' Mrs Thatcher.

I see it wis her birthday on Setterday. The 13th. Unlucky for some.

Unlucky for maist o's, according tae Frunkie Webster. He wis tellin' me he's got a theory —

I thocht it wis a verucca he's got. Dolly said he got it at the flumes.

No, no. He's got a theory that the Government's nae pleased at Scotland bein' better aff, so they're gettin' their ain back by bringin' oot the new fiver that's the same size as a pound note.

Oh, I ken. It's maist confusin'.

It disna confuse onybody in England, though. 'At's Frunkie's pint.

Fit dis he mean?

Weel, they dinna ha'e pound notes doon there ony langer.

Fit? Hiv they deen awa' wi' the pound doon there? Is that fit this ERM business means?

No, no, Bunty. They're still on the pound, but they hinna got a pound NOTE now in England. They've only got the pound coins, the washers, ken? So it's a'richt for them tae ha'e a little fiver — they hinna got a pound note tae mix it up wi'. An' this new wee fiver that we get as weel is designed tae throw us intae confusion so that we end up nae better aff than them.

Eh? I dinna follow that. Fit wye dis 'at work?

Weel, Frunkie Webster himsel' is a case in pint. There wis Frunkie last Friday thinkin' he wis a typical Scot — fower quid a wik better aff than his oppo in England.

His fit?

His oppo. His opposite number. Somebody in England that's exactly the same as himsel'.

There couldna be onybody the same as Frunkie in

England. I mean, the English are feel, but there's neen o' them THAT feel.

Now, now, Bunty. An' stop interruptin'. Div ye wint tae hear this story?

Nae really.

Weel'at settles it — ye're ga'n' til. On Friday nicht me an' Frunkie went for a half-pint efter wir snooker —

Dinna spik tae me aboot snooker! Did ye see Stephen Hendry wis able tae offer a 10,000 quid reward for gettin' his cue back? He must ha'e some siller, 'at loon.

Aye. Pots o' money, ye micht say.

Weel, he's made a' that money oot o' snooker. An' look at you. Fan did you start playin' snooker at Burroughs an' Watt's?

Oh, I couldna say. It must be —

Fanever it wis, ye certainly started playin' snooker lang afore Stephen Hendry did.

Oh aye.

An' now he's the World Number 1 an' practically a millionaire. You've been playin' a lot langer than him. Fit wye are you nae the world champion? Fit wye are you nae a millionaire?

For ony sake, Bunty, let me finish my story. Frunkie peyed for wir drinks wi' a fiver, but he thocht it wis just a pound note, an' sae did the barman, so Frunkie jist got change o' a quid. So that wis the end o' his fower quid advantage ower his English counterpart. An' 'at's far he got his theory fae.

Weel, I dinna ken aboot his theory. But 'at wis affa, Frunkie losin' fower quid like 'at.

It wis worse than you think. It wis my round onywye.

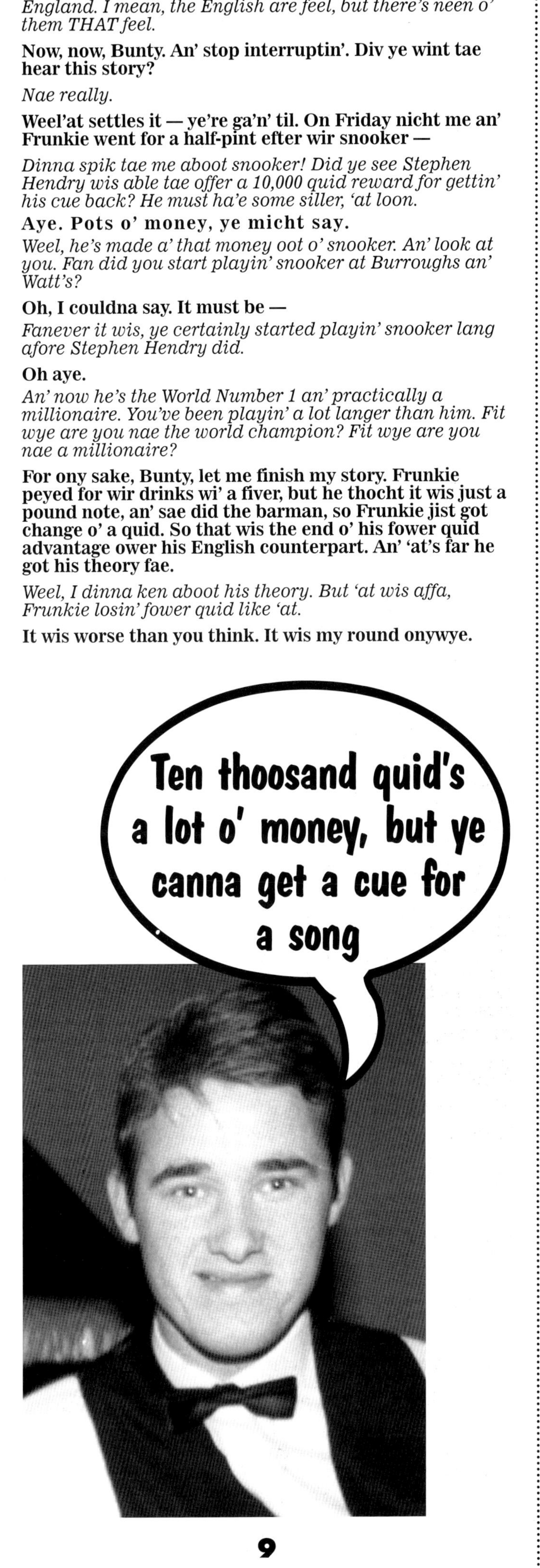

'Frunkie's been in power as lang as Mrs Thatcher'

FAR'S the paper?

Ye'll ha'e tae look for it yersel'. I'm needin' my time.

Needin' yer time?

Aye. Ye ken fine I'm ga'n' oot the nicht.

Ga'n' oot? Oh, of course. Now I mind. But for ony sake, Bunty, I dinna ken fit wye ye can ging oot fan the country's on the brink o' a leadership crisis.

Ach, I canna get the hang o' this leadership contest. First ballot, second ballot, 15% — can you understand the rules? They seem affa complicated.

Bunty, it's nae for the likes o' you or me tae understand the Byzantine rules of this contest. They've got nothing tae dae wi' us. They're jist a mechanicsm for decidin' fa's ga'n' tae order us aboot for the next wee whilie. An' if they seem complicated, 'at's because they are complicated. An' the reason they're complicated is tae mak' it easier for the powers ahin' the throne tae manipulate the 'hale thing.

I ken. The first round's maybe Thatcher against Heseltine but we could still end up gettin' nearly onybody.

'At's richt, Hurd or Major or Geoffrey Howe or even Tebbit.

I dinna think it's fair that 'at boys should a' get a bye intae the second roon'.

Bit it's a' tactical, ye see, Bunty. It's better tae get a bye intae the second roon' than a goodbye in the first roon'.

'At's fit could happen tae Heseltine. I hope it dis. I dinna like him.

Fa? Tarzan? Fit's wrang wi' Tarzan.

He's arrogant, twa faced, slippery, ambitious an' a' oot for himsel'.

'At's true. He's nae like ony ither politician I've ever come across. Of course, there's a lot o' folk like yersel' that dinna like Michael. Mrs Thatcher canna stick 'im for a start. I mean, she'll be spittin' bleed bad enough if she's voted oot at a', but if it's Heseltine that gets in in place o' 'er, she'll ging gyte a' thegither. An' sae will a lot o' ither folk. 'At's the wye in corners of clubs and bars in London and over the pre-lunch drinkies in great country hooses this past wikend, there's bound tae have been a "Stop Heseltine" campaign buildin' up.

Div ye think so?

Aye. That's the kind o' thing ye get fan there's a high office up for grabs. D'ye mind the very first time Frunkie Webster wis pit up for secretary o' the branch executive? There wis a "Stop Webster" campaign. But it didna work. It wis affa badly organised.

Fa organised it?

Frunkie himsel'. He didna wint tae be branch secretary. Mind? Fan the result cam' oot, he said "A'richt. Jist for a year." Eleven an' a half years ago that wis.

So he's been in power as lang as Mrs Thatcher.

The same length o' time, aye. But Frunkie hisna quite hid the same power that Mrs Thatcher's hid. On the ither hand, they've baith hid tae pit up wi' exactly the same criticism o' their style o' runnin' things.

Oh?

Aye, weel, Mrs Thatcher's an affa dame for ga'n' her ain wye an' nae listenin' tae fit the Cabinet's got tae say. Weel, Frunkie can be pretty autocra'ic an' a'. Daein' things aff his ain bat, ken? Withoot the executive committee kennin' onything aboot it. Like last year on the bowlin' trip tae Nairn, he booked us in for wir high tea tae a different hotel fae the een we'd been ga'n' til for years.

Oh, aye, I mind. An' it wis a disaster.

Aye. It widna hiv been sae bad but Frunkie got really stroppy wi' the heid waiter an' 'at killed ony chunce we

hid o' gettin' a reasonable tea.

Fit wis the problem?

Frunkie asked for the pots o' tea tae be brought at the same time as wir main course, an' the heid waiter refused.

Oh, aye, I mind. He wis French the heid waiter, wisn't he?

Aye. An' of course that wis the root o' the problem. There wis a clash o' cultures. An' Frunkie says tae the heid waiter: "Now look, Napoleon, this is nae the Bastille. In Scotland the customer is always right and in Scotland ye get yer tea wi' yer sausage, egg an' chips. If ye dinna dae it 'at wye in France, hard fromage. But dinna try tae erode oor sovereign right tae ha'e wir tea wi' wir main course if we wint til. Awa' back tae France an' yer frogs legs."

Michty, you were spikkin' aboot Frunkie an Mrs Thatcher ha'ein' the same style. Nae jist style — substance as weel. Muggie wid hiv been proud o' Frunkie that night.

Aye, implacable foe though he his ayewis been. But for foo much langer, Bunty? Muggie could be oot the nicht. This could be a historic day, an' you're ga'n' awa' tae see a juvenile pop star.

Juvenile? It's Cliff Richard I'm, ga'n' tae see. He's jist aboot as aul' as a' the boys in the leadership battle.

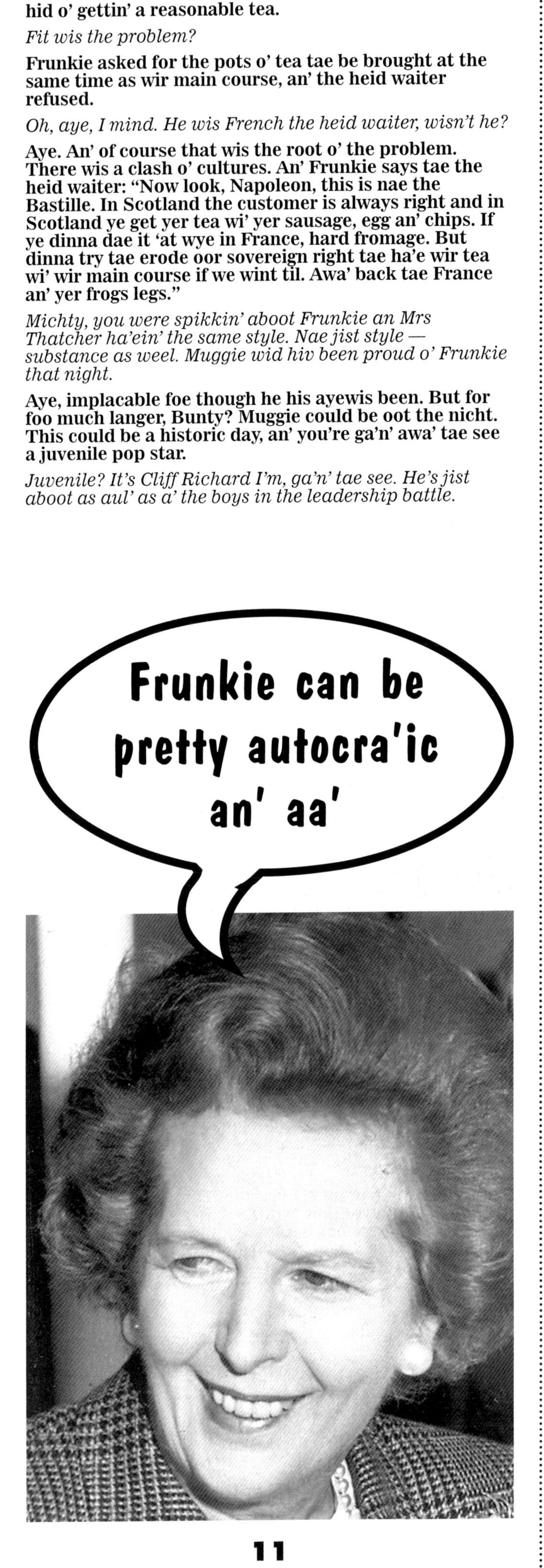

'It wis the Thatcher ethic that did for 'er'

FAR'S the paper?

Here ye go. A'body's wonderin' if there'll ha'e tae be a third ballot.

I ken. I wonder fa Muggie'll vote for.

I wid think she'll write her ain name on the votin' paper an' pit a cross aside it. An' hope a' the ither 371 are spiled.

It's still hard tae believe she's oot, Bunty.

I ken. I keep thinkin' I'll wak' up an' find it's a' been a good dream.

Ye've got tae feel sorry for —

For Muggie?

No, for Denis. Peer mannie. He'll get nae peace noo. She'll be hooverin' in a'low his feet an' a'thing. I mean, a wumman wi' a' that energy an' all of a sudden nae job tae dae.

Aye, there she goes — pittin' up the number o' the jobless again.

Fit d'ye think she'll dae wi' hersel' noo she's got time on her hands?

Well, there's aye things tae dea in a hoose. D'ye mind fan I finally packed in my jobbin' waitressin'?

Aye — efter ye spilt the cock-a-leekie ower Magnus Magnusson at the regional cooncil's Burns Supper.

Weel, efter 'at there wis heaps o' job I hid time tae get doon til at hame.

Bunty, ye're nae sayin' Muggie's ga'n' tae spend her time fae now on cleanin' oot the lobby cupboard or bringin' her photie album up tae date.

She micht. It's funny though, is it? She got the push on the 22nd o' November — the same date Kennedy wis shot. An' it'll be like 'at again: folk'll aye remember fit they were daein' fan they heard the news she'd resigned.

Weel, I wis at my work.

So you wisna daein' onything. 'At'll mak' it difficult for you tae remember in years tae come.

Dinna be chikky, Bunty. Onywye, I could see it comin' efter the first ballot. It wis pretty clear she wis either ga'n' tae lose or else ha'e a nerra win. An' 'at wid hiv been nae eese — she wid hiv been a lame duck Prime Minister.

But she's aye walked like that. Even in her palmy days.

So the men in grey suits gave her a cool, detailed analysis of the situation and outlined a recommended course of action.

Ye mean they twisted her airm?

Bunty! Fit a thing tae say! But yes, she wis seen as an electoral liability, so she had tae go. As she lived, so did she die. As she preached, so did she perish.

Eh? Fit ye haverin' aboot?

Weel, it wis the Thatcher ethic that did for her, Bunty.

The Thatcher ethic?

Aye. Self-advancement. Dinna be a moanin' minnie. Get on yer bike. Dinna wait tae be molly-coddled. There's nae sic thing as society. Tae pot wi' the no-hopers. Mak' yer ain choice. Look efter number one. An' 'at's fit a' the Tory boys did that voted against her. Wi' Muggie in cherge they were in danger o' losin' their seats. So good-night, sweetheart. Nae mercy.

Weel, she wis aye pretty ruthless hersel', so she canna complain. I'll tell ye, though. I'm affa happy for the Queen.

Oh?

Weel, I've felt for years, she wis keen tae see Muggie oot, an' she his.

Onywye, Bunty, it wis some wik. last wik. But wi' a' that great events happenin' in London, folk hardly noticed fit

wis ga'n' on in Aiberdeen.

An' fit WIS ga'n' on in Aiberdeen. Naething that I can mind o'.

Well, Bunty! It hisna ta'en you lang tae forget aboot Cliff Richard. "The best nicht oot I've ever hid" wis fit you ca'd it.

Sae it wis. It wis — it wis —

Memorable? Is 'at the word ye're lookin' for, Bunty? 'Cos it clearly didna bide memorable for very lang. Seven days later ye've forgotten a' aboot it. Of course, a wik is a lang time on the pop scene.

Awa' ye go. 'At performance by Cliff wis something else. You're jist jealous. I bet you wish you wis as good as him.

Maybe I will be fan I'm his age.

So fit else happened in Aiberdeen last wik?

Well, the Lord Provost hid his pocket money doubled. The Dons hid a good win an' signed a new player — Winnie.

Oh, aye. Far fae? Mandela United?

The University got a new Rector. Colin Bell.

Aye, I often listen tae him on the wireless in the mornin'. He's a clever devil.

I ken. An' he's said he's ga'n' tae chair a' the meetin's o' the University Court.

Is he? He'll tie them a' in knots, 'at boy. I bet 'at University folk are quakin' in their shoes.

An' of course we hid the Paris Agreement signed last wik. The Cold War is officially ower.

The Cold War's ower? Oh, no it's nae. I'm nae carin' fit onybody's signed.

Fit ye haverin' aboot? It's ower. The Cold War's ower.

Dod, if you'd ever walked alang the road an' heard Mrs McInnes in No 14 and Mrs Rattray in No 16 shoutin' the odds at een anither ower the gairden palin' on a freezin' November efterneen, you wid realise the cold war'll be here for a while yet.

'It's terrible fan ye realise ye're aul'er than the Prime Minister'

FAR'S the paper?

Oh, I'm nae sure. I'll ha'e a look in the — .

No, ye winna. Sit doon, Bunty. I'll look mysel'. I dinna need you tae dae things for me. To quote the in phrase of the moment, I am my own man. So I can find my ain evenin' paper. Now, far div ye think it micht be?

Fit d'ye mean — in the phrase of the moment "I am my own man"?

For ony sake, Bunty, far hiv ye been? Last wik saw the departure of een o' the langest-servin', maist forceful, combative, aggressive, dynamic, formidable leaders we've ever hid. An' —

Fit's Willie Miller's retiral got tae dae wi't?

I'm nae spikkin' aboot Willie Miller —

Hey, did ye see a story in the paper sayin' Billy Graham wis comin' tae Pittodrie? At's nae very forward-lookin'. He's aul'er than Willie Miller.

No, no Bunty —

He is. I'm sure he is. Isn't he?

Bunty, I'm spikkin' aboot Mrs Thatcher.

Well, I'm spikkin' aboot Willie Miller. I saw him in Union Street last wik. He still looks pretty fit tae me. I dinna ken fit wye he's ca'd his latest place Fat Willy's.

For ony sake, Bunty. Willie disna own 'at place. Get a grip, Bunty. Ye're even mair mixed up than usual the nicht.

I'm nae mixed up. I ken fine Mrs Thatcher's ta'en a back seat —

But that's the 'hale pint. She's hid tae tak' a back seat, but is she ga'n' tae be a back-seat driver? Or IS Mr Major his own man? He says he is, an' a' the Tory MP's that ye saw bein' interviewed on the TV said he is. So he's got a problem: he either cairries on fit Muggie wis daein' an' gets accused o' nae bein' his ain man, or he changes direction an' admits that Muggie's been makin' a mess o't an' wisna as great as she wis cracked up tae be.

Weel, I think he's got tae change fit Muggie wis daein'.

Absolutely, Bunty. Efter a', he inflicted a crushin' defeat on Muggie. By 185 votes to 204.

Aye, it's a funny aul' world. I still dinna understand their rules, div you?

Weel, it's difficult fan they mak them up as they ging alang. I mean, we were telt there wid be a third ballot if naebody hid a clear majority.

Aye, but they scrapped that rule 'cos the wye things wis it wis feel.

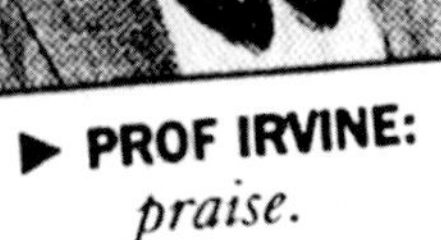

▶ PROF IRVINE: *praise.*

Aberdeen University principal is named

NEW Principal of Aberdeen University will be Professor John Maxwell Irvine, Dean of Science at Manchester University.

Edinburgh-born Professor Irvine (51) will take up his post when Professor George McNicol retires on September 30 next year.

Weel, if they were ga'n' tae scrap every rule that wis feel, they wid never hiv got the election begun.

I'll tell ye something else I couldn't understand. Fit dis delighted mean?

"Delighted"? Well, you ken fit delighted means, Bunty. It means very pleased. Highly chuffed, over the moon.

Weel, I jist wondered. 'Cos I saw a Tory back-bencher being interviewed on the TV — he'd voted for Mrs Thatcher in the first ballot, an' for Douglas Hurd in the second, but fan the final result cam oot he said he wis delighted.

Ah, but politics is a subtle business, Bunty. It's nae for the likes o' you an' me tae fathom oot the intricate thought processes o' the astute political mind. It needs an equally complex mind tae sort oot that kind o' thing. Ye'd better ask Frunkie Webster tae explain it til ye.

Is Frunkie pleased that Major's the new Prime Minister?

No!

Fit wye? 'Cos it disna dae the Labour Party nae good?

No, no. Frunkie's like me — it's a terrible day fan for the first time in her life ye realise ye're aul'er than the Prime Minister.

So 'at's the wye you wis for Hurd.

Weel, if ye must ken, I wis hopin' Ted Heath wid stand.

Did ye notice in the middle o' a' the excitement last wik that we got a new principal for the Varsity? He's an Asda physicist.

No, no Bunty. An astro-physicist.

Ah. Fit's his name again? I canna mind. But he went tae Heriot's School in Edinburgh. Oh! Fit's his name?

Irvine?

Irvine, 'at's richt.

Irvine? A Heriot's FP? He must be the boy that played full-back for Scotland at rugby a puckly years ago.

I dinna think so. Nae judgin' by his photie.

Now, Bunty, ye canna judge folk by their photies. Or by fit they look like on the TV. I mean, you're a great fan o' John Cole. Ye widna judge him by his herrin' bone overcoat, wid ye?

Spikkin' aboot John Cole reminds me, I wis ga'n' tae say the amazin' thing aboot last wik wis the number o' MPs that ye saw bein' interviewed that ye'd never seen or heard o' afore.

Aye, they fairly came crawlin' oot o' the woodwork last wik. Apparently there wis ae Tory back-bancher — he'd never been on the TV afore — an' the BBC rang him up an' asked if they could interview 'im. Weel, he wis thrilled. But he wis a bittie naive an' a'. He says, "What about a fee?" An' the BBC boys says, "It's only a short interview. Say £50?"

And fit did the MP say?

He said, "OK. Very reasonable, I'll send ye my cheque the nicht."

'Mrs Thatcher'll be peelin' the Brussels sprouts like the rest o's'

FAR'S the paper?

Here ye go. Are ye nae ga'n' oot the nicht?

Ga'n' oot? On a Tuesday nicht?

Weel, ye were oot last Tuesday nicht.

'At wis different. 'At wis Willie Miller's farewell match. Ye didna expect me tae miss that, Bunty.

No, but I didna expect ye tae arrive hame bleezin' either. Ye didna get in that state at the Pittodrie match.

No, the Pittodrie Bar. Efter the match me an' Frunkie Webster thocht we wid ging in for one drink —

Tae celebrate Willie's twenty glorious years at Pittodrie?

Weel, actually we hid one drink, tae celebrate EACH o' Willie's twenty glorious years at Pittodrie.

For ony sake, fit a disgrace.

FORMER premier Margaret Thatcher is to be given the Order of Merit by the Queen.

And her husband Denis is to become a baronet and be called "Sir," it was announced this afternoon.

Ach, weel. We were killin' twa birds wi' the ae steen — it wis aboot time we were gettin' a bittie practice in for Hogmanay.

Oh, dinna spik! I dinna ken far the years ging. I mean, three wiks ago, fan me an' Dolly Webster wis in Union Street an' we saw the Christmas lichts, I says tae Dolly, "Dolly, it's hard tae believe Christmas is here already."

Weel, it wis hard tae believe, 'cos Christmas WISNA here already. It wis still six wiks awa.' I wis really annoyed fan that Christmas lichts went up. I mean, I wisna in the mood tae get intae the Christmas spirit awa' back in November.

Weel, it tak's you a' yer time tae muster a bittie goodwill on Christmas day, so there wis nae chunce in the middle o' November.

Weel, 'at's richt. I mean, the Christmas spirit disna come tae folk naturally. Faever pits up that Christmas lichts his nae business tae expect us tae mak' the effort in November lang afore Christmas is here.

It's the cooncil that pits them up — gi'ein' us a bittie Christmas cheer.

Weel it's nae the kind o'thing ye expect fae Bob Robertson. It's very disappintin'.

Ach, ye're richt soor. Even at Christmas ye've aye got something tae moan aboot.

Now, Bunty, fa wis moanin' this morning' — aboot folk that's that weel organised they've got a' their Christmas cairds posted already?

It wisnae sae much that. It wis gettin' the caird fae Edith an' Norrie Aitken wi' the 'hale story o' fit they've been daein' this year typed oot on their word processor.

I wid never dae' at tae my freends.

Of course ye widna. Ye hinna got a word processor an' ye canna type.

No, no. I wid never send a' my freends copies o' the same typed message, it's ower impersonal.

But ye leave room tae write one sentence in yer ain hand-writing' at the bottom. 'At's fit gi'es it the personal touch.

Well, but then ye've tae watch it an' mak' sure ye dinna pit the wrang letter in the wrang envelope, I mean I think we got somebody else's copy o' Edith an' Norrie's Christmas message. I dinna think we should hiv got the copy that said, "Are D and B as bad-tempered as ever?"

No, no. I'm sure that wis aboot Doreen and Brian Mair. Ye ken — Doreen's on the Bowlin Club committee, an' Brian used tae be wi' the TSB.

But now he's a minister — no, I dinna think it's aboot them. But spikkin' aboot Christmas cards, Bunty, fit hiv Sir Geoffrey Howe, Michael Hesseltine an' George Younger got in common?

I've nae idea.

They're a' aff Mrs Thatcher's Christmas card list.

Peer Mrs Thatcher, she canna skive aff this Christmas claimin' she's ower busy rinnin' the country. She'll be peelin' the Brussels sprouts an' hooverin' up the pine needles like the rest o's. Now she's stopped bein' the PM she's moved one letter back tae bein' an OM — ordinary mither.

Oh, I dinna think so, Bunty. Nae now that she's the wife o' a baronet.

Aye. Sir Denis. Weel, he deserves it.

He deserves the VC for bidin' mairried tae her a' this time.

So if he's Sir Denis — fit div we ca' her?

The very question I asked Frunkie Webster, one of the few Trotskyites who is an expert on etiquette, the orders of chivalry and Burke's Peerage.

An' fit did he say?

"We'll ca' 'er fit we've aye ca'd 'er. She's a — ".

A'richt, a' richt. We get the message. I'll tell ye fit I dinna like aboot Denis's title — it's hereditary. So fan Denis dees, it's Sir Mark Thatcher. I mean, is that a classless society?.

Mair like a clueless society.

No. no. Ye ken fit I mean. An' then Mark's bairn — Michael. The day'll come fan he's Sir Michael.

Nae quite.

Fit d' ye mean — nae quite?

Weel, bein' a product o' Mark's, surely he'll be SAINT Michael.

'Things can get pretty hot in Oldmeldrum'

FAR's the paper?

Never mind the paper. Sit doon wi' me at the table here, an' gi'e's a hand wi' the Christmas cairds

Aw, Bunty, you aye mak' sic a good job o' them. I widna wint tae get in the road.

Dinna try an' butter me up. Sit doon there. Now, I'll choose the cairds, write the envelopes an' pass them on tae you. A' you hiv tae dae is write the message.

Fit message? Fit hiv I tae write?

Weel 'at's up tae you. On maist o' them ye'll jist wint tae say "From Dod and Bunty." But on some o' them ye micht wint tae pit a wee message sayin' foo we're daein' or askin' foo folk are keepin'. Like this first een on my list — the Allens in Stirlin'. Tommy an' Eileen. Pit on their caird: "How are you both keeping?"

City chief named

ABERDEEN District Council has named Mr Donald Macdonald as its first chief executive.

The new job — intended to help the council meet the challenges of the '90s — replaces the former post of town clerk.

Fit's the pint o' askin' folk foo they're keepin' on a Christmas caird? They're nae ga'n' tae gi'e ye ony answer. At least, I hope they're nae. I'm nae wintin' Tommy Allen phonin' us tae tell us foo his sciatica's daein'.

A'richt, a'richt. Fa's next on the list? The Andersons. Ye can say tae them, "Hope Sadie's gettin' ower her operation."

For ony sake, Bunty. This job's like workin' in the records office at Foresterhill. Is there nae naething cheery that I can say? Onywye, Mrs Anderson's name nae Sadie, it's Sally.

I ken that, Sadie's their cat. she's been affa bothered wi' cataract.

Oh, for ony sake. Fa's next? Andy an' Lorna Bain.

Dinna say onything tae them. Ye micht pit yer fit in it. I'm nae sure fit the situation is there. Things is pretty rocky. I think. Apparently Andy's ta'en up wi' the canteen manageress at his work.

I'm nae surprised. Lorna's a terrible cook. D'ye mind the nicht we wis there an' she gi'ed us toad in the hole? Fit a disaster.

I ken. An' I widna care, it wis Marks an' Spencer's toad in the hole. A' she hid tae dae wis heat it up. Mind you, 'at's nae excuse for Andy tak'in up wi' somebody else. We wis at their weddin' — you heard him tak'in' the vows. Sayin' he wis tak'in' Lorna for better or for worse.

Oh, aye. But I never heard 'im vowin' tae bide wi' 'er if she made a hash o' a Marks an' Spencer's toad in the hole.

Ah, now, this next een's difficult. This is Mary Benzie.

Oh, the merry widow. She's fairly had a ball since Hector dee'd

Aye. "From Mary and Hector" — for 20 years it wis aye the first caird we got. Weel, Hector dee'd in October 1987, an' by Christmas 1987 we hid a caird fae Mary an' Sandy. In 1998 it wis Mary an' Norman. Last year, it wis Mary an' Cyril. Fa's her bidie-in this year, I wonder?

I ken fa it is. Frunkie Webster wis tellin' me. But it's gone clean oot o' my heid.

For ony sake, Dod. I can pit up wi' your terrible memory maist times. But fan it's something important like 'at that ye forget — it's bloomin' infuriatin'. Now, the Christies.

The Christies? At Mannofield? Surely we dinna send a caird tae them. We hinna seen them tae spik til for 30

years at least.

Look, they aye send us a caird an' we aye send them a caird. I'm nae ga'n' tae be the first tae br'ak things aff.

Fit wye nae?

They'd never spik til's again.

A'richt. Fa's next?

Jimmy an' Hilda Dawson at the Bridge o'Dee.

Oh, aye. They're a rare couple. Gi'e them a big een.

Hilda must be pleased this wik. Did ye see the cooncil's ga'n' tae be spendin' 18,000 quid on plantin' a floral welcome tae the city along the road leadin' tae the Bridge o'Dee?

Are they? Weel, at least 'at'll gi'e folk something tae sit lookin' at fae their cars fan the Brig o'Dee roundabout's snarled up. Fa's next?

The Findlays in Polmuir Road. Ye can pit a wee joke on theirs. Say, "Wis it you that pinched the parrot?"

Pinched the parrot? Fit ye spikkin' aboot, Bunty?

The parrot. Willie the macaw. At the Duthie Park. He's disappeared, an' the bobbies think he's maybe been pinched. They're sick as a parrot.

Can he spik?

Aye, but 'at's nae help, 'cos if he's been kidnapped he winna be able tae get tae a phone.

Weel, weel. Puzzle: find the missin' macaw. I wid think 'at's a very suitable first task for the city's new chief executive.

Fit wye?

Weel, he's fae Bulawayo, isn't he? Is 'at nae fit Henry Rae said?

No, no. He said we could be DAEIN' wi' a few officials fae Bulawayo. He didna say we'd get een. No, no, wir new chief executive disna come fae Africa. He bides in Oldmeldrum.

Weel, things can get pretty hot in Oldmeldrum.

Macdonald. 'At's his name.

'At's it! Macdonald. Joe Macdonald.

No, it's Donald Macdonald.

No, no. It's Joe Macdonald that Mary Benzie's moved in wi' noo. Ye ken Joe.

Aye. Weel, we'll get a nice Christmassy caird fae Mary this year: from Mary and Joseph.

'I'm nae writin' nae letter o' apology tae the Thomsons'

FAR's the paper?

I'm nae gi'ein' ye the paper till ye've written yer letter o' apology tae the Thomsons.

I'm nae writin' nae letter o' apology tae the Thomsons.

Aye, ye are. Efter fit ye said tae them on Setterday.I mean, they WERE guests in wir hoose, an' you were hardly civil tae Arthur a' nicht. An fan they went awa' —

Eventually...

— an' you said: "Instead o' gettin' thegither the third Setterday in January every year, could we mak' if the fifth Setterday in February?" That jist pit the lid on it.

University honour for Lord Provost

LORD Provost R A Robertson is to be awarded an honorary law degree by the University of Aberdeen.

The city's Lord Provost will receive his Degree of Doctor of Laws at the university's annual graduation ceremonies in July.

It wis you that pit me in a bad mod on Setterday, Bunty. You persuaded me tae watch the rugby. So I sat there an' watched Scotland losin' an' then England winnin'. Then I switched on the wireless an' heard Aiberdeen losin' an' Rangers winnin'. Fower matches, fower disasters. I mean, I ken there's mair important things happenin' in the world, but nae wonder I wis in a bad mood by the time the Thomsons came roon'.

Actually, I hidna noticed ye were ony soorer than usual.

If it hid been onybody else visitin' us, I micht hiv cheered up, but I've never liked Arthur Thomson.

'At's jist 'cos he's an aul' boy friend o'mine. Ye're still a bittie jealous.

Jealous? O' Arthur Thomson? The Derek Wilton o' Faulds Gate?

Now, now, Fan I wis ga'n' wi' Derek — wi' Arthur, at least he wis aye available tae ging shoppin' wi' me on a Setterday efterneen.

I'll bet he wis.

An' he used tae tak' me tae Isaac Benzie's for my afternoon tea. An' we listened tae the musical trio. Arthur's aye loved music. An' fan we went there, Arthur aye stood his hand. The first three dates you an' me went on, we went Dutch.

But then things changed, Bunty.

Aye. Efter that I peyed for a'thing.

Aw, fair do's Bunty. I wis savin' up for us tae get married, or in case we micht wint tae ging tae a Scottish Cup-tie awa' fae hame thegither. Which reminds me, I wis ga'n' tae say onybody that comes intae my hoose, like fit Arthur Thomson did, on a Setterday nicht efter the Dons hiv lost an' Rangers hiv won an' says: "Had a good day, Dod?" deserve a' he gets.

There wis nae need for ye tae be rude aboot Mozart.

Look, if he can be rude about Alex Smith an' Jocky Scott, I can be rude aboot Mozart. Onywye, I WISNA rude aboot Mozart.

Look, I heard ye. Fan Arthur said his choir wis ga'n' tae

dae something tae mark Mozart's death, you said: "Is Mozart deid? I didna ken he wis ill."

I thocht 'at wis pretty good.

Ye feel, this year is the two hundredth anniversary o' his death.

I ken, I ken. I jist liked windin' Arthur up.

Och, Arthur's nae the worst. An' I really like Margo.

You have good reason tae like Margo, Bunty. If Arthur hidna ditched you for Margo, you micht hiv been stuck wi' 'im.

I beg your pardon. Arthur Thomson didna ditch me. I ditched him. He took up wi' Margo on on the rebound. No, no, me an' Arthur hid a flamin' row.

Nae in Isaac Benzie's?

No, in the Music Hall. He took me there ae nicht, but fan we got there it turned out it wis for the Scottish Orchestra, an' I hid thocht we were ga'n' tae the wrestlin'.

I wish I'd been watchin' the wrestlin' on the TV on Setterday efterneen instead o' the bloomin' rugby.

It was fae Aiberdeen 'at wrestlin'. Fae the Beach Leisure Centre.

Aye. Fa says Grampian disna gi'e us the best o' local culture? Frunkie Webster watched it a' efterneen.

Frunkie'll be delighted at a' the honours bein' showered on the Lord Provost, is he?

Well, he wisna affa pleased fan I pulled his leg aboot it. "Fit a wik for the Provost," I says. "An LL.D fae the University, the freedom o' London, and the greatest honour of all, ex-communication fae Aiberdeen City Labour Party."

Fit's Frunkie sayin' aboot the war?

Weel, fit can ye say? Mind you, if we've got tae ha'e a war, there's a silver linin'. At least we're nae bein' subjected tae Mrs Thatcher tellin' us a' tae rejoice.

Aye. I've jist seen her once on the TV sayin': "Dictators never surrender. They've got tae be kicked oot."

Weel, she should ken.

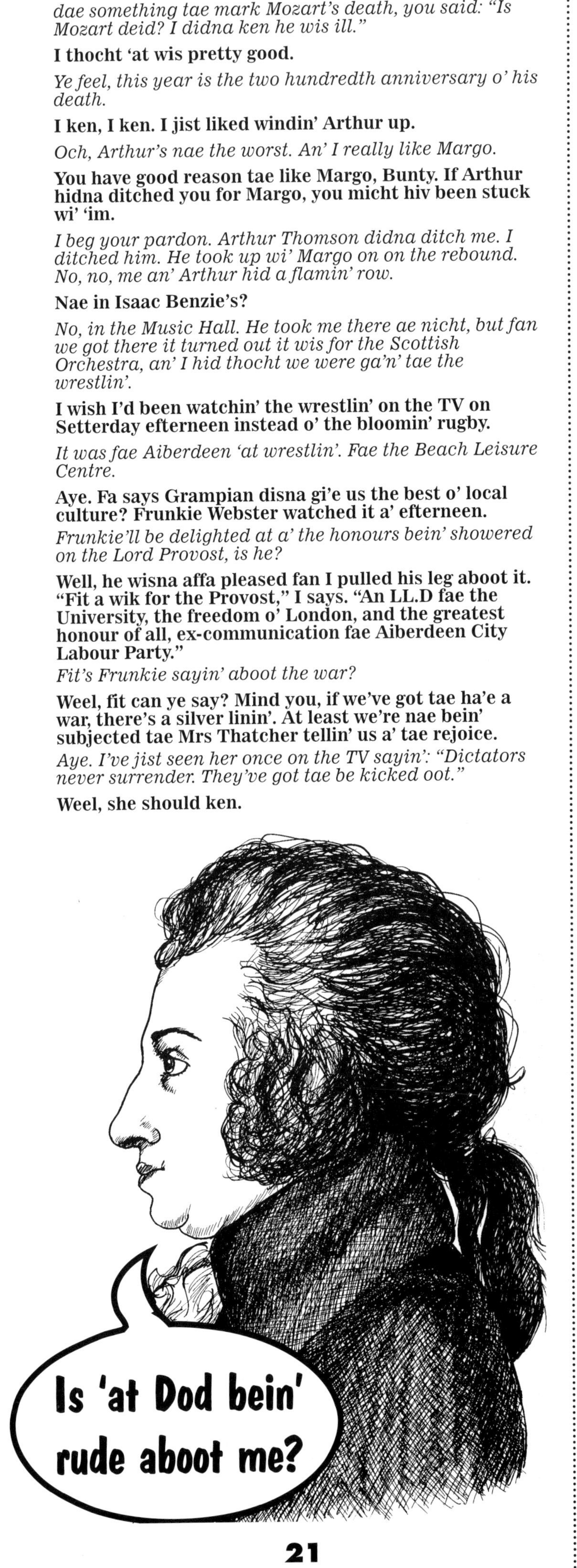

'It's aa' Frunkie's fault that oor census form is wrang'

FAR'S the paper?

I'm nae tellin' ye. I'm nae spikkin' tae you.

Fit's adae?

Ye ken fine fit's adae. Thanks tae you, the census form we've pit in is a' tae pot.

Thanks tae me? It wis you that filled it in, Bunty.

An' at's anither thing. It shouldna hiv been me that filled it in. You're the man o' the hoose. An' 'at's a laugh for a start.

Look, Bunty, I've telt ye already. I fill in the fitba' coupon every wik. You jist fill in the census form every 10 years or so, I mean, even as it is, it's fit Frunkie Webster wid ca' an unfair division of labour.

Frunkie Webster! Dinna mention 'at name tae me. It's a' his fault that oor census form is a' wrang.

Dinna blame Frunkie, Bunty. It wis your decision tae include him in oor form. He never asked ye til.

But he spent Sunday nicht in this hoose. So he hid tae ging on oor form. 'At's the rules. An' I blame you for Frunkie bein' in this hoose at a' on census nicht. Ye should never hiv agreed tae ha'e a meetin' o' the branch executive here on Sunday.

Weel, we were discussin' some very confidential matters, Bunty, like fit oor stra-egy'll be if there's a June election, so we couldna meet in wir usual public venue.

In yer usual public hoose, ye mean. But a June election? Efter the poll-tax fiasco an' the latest unemployment figures? Nae chunce.

Dinna be too sure, Bunty. Noo that the main issue has been resolved — noo that it's been finally established that Mr Major has six 'O' levels, the decks are cleared for an early election. That wis Frunkie Webster's advice tae the executive onywye.

An' at fit pint in the meetin' did he gie ye THAT masterly advice?

Oh, fairly late on. Efter we'd finished the main agenda an' got on tae the extras.

Efter ye'd finished the crate o' lager an' got on tae the exports, mair like. An' of course ye didna finish the exports till aboot one in the mornin' — efter Frunkie hid come back here for his note-book. Piece o' nonsense.

Look he hid tae come back. A' his notes for daein' the minutes wis in 'at book.

Weel, it wis a piece o' nonsense you lettin' him intae the hoose. Ye should jist hiv gi'en 'im the notebook at the door. But the last straw wis offerin' him the last can o' export.

No, Bunty, the last straw wis fan he went tae the toilet an' somewye or ither managed tae brak the flushin' mechanism on the lavvy.

Oh, dinna remind me! 'Cos 'at meant that in the place in the census form far it said, "Hiv ye got a flushin' toilet, inside or outside, sharin' or private?" I hid tae say we didna ha'e a flushin' toilet at a'. Fit a disgrace! The thocht o' somebody readin' that an' the word gettin' aboot that we hinna got a flushin' toilet —

Wherever I lay my head!

MANY people seem to be spending this weekend fretting over a form which has to be completed and ready for collection on Monday.

Yes, it's census time again — the time when the Registrar General sends out an army of people to count us all and acquire information which will provide a snapshot of the United Kingdom and its people in 1991.

No, no, Bunty. 'At form will only be read by civil servants of the highest integrity an' the odd computer. Complete confidentiality will be observed.

Aye, for a hunner years jist. It says on the form that the information will be treated as confidential for 100 years.

Weel, I will admit it is a bit worryin' tae think that in a hunner years' time details o' oor unsatisfactory toilet arrangements could be the spik o' Kincorth.

An' fit are folk ga'n' tae think in a hunner years' time fan the news gets oot that Frunkie Webster wis on oor census form?

Weel, they'll think we were a menage a trois — a household wi' three folk in it — instead o' the mair orthodox menage a twa.

Weel, I'm nae happy aboot that. An' it's a' your fault for lettin' Frunkie bide the nicht here.

Bunty, I didna ken he wis here. Efter I'd been tae inspect the damage in the toilet, I found the front door open an' I thocht he'd gone hame. I wisna tae ken he'd gone back intae the livin' room tae finish his last can o' export an' he'd fa'n' asleep on the settee.

Weel, onywye, the result is we hid tae pit Frunkie on oor census form, 'cos it's far ye were on the nicht o' 21st-22nd April that coonts. But Dolly refused tae leave him aff their form. So Frunkie is on baith oor census form AND theirs.

Ye ken fit 'at means, Bunty. The statistics will be a' wrang. The computer'll think there's mair folk than there actually is, an' the result will probably be that we'll get an exaggerated level o' public services.

Eh?

We'll be oot the door wi' scaffies an' district nurses.

I think there's far ower muckle attention peyed tae statistics nooadays. An' a lot o' the census questions wisna necessary. I mean, ha'ein' tae gie yer ethnic group —

Eh?

Weel, ye'd tae say if ye were white or black, this, that or the ither. I dinna think that wis richt. An' I dinna ken fit they'll mak' o' fit Dolly said Frunkie wis.

Fit did she say he wis?

A white puddin'.

'Fa are we tae criticise Australian TV?'

FAR's the paper?

Here ye are. I'll get a look at it efter ye. I'm awa' through tae watch Neighbours.

Oh, dearie me, Bunty. Are you sayin' ye pit a mindless Australian soap opera afore the rigorous intellectual demands o' the great British Press?

No. I'm sayin' I'm gan'n' tae watch Neighbours an' then I'm ga'n tae read the Evenin' Express. I'm nae pittin' onything afore onything. I'll enjoy them baith.

But in that order. Neighbours first, then the Evenin' Express.

In that order, 'cos Neighbours is jist awa' tae start. An' I canna record it an' watch it later, 'cos you've broken the video. I telt ye there wis nae wye ye were ga'n' tae be able tae watch the Scottish Cup Final an' record the English Cup Final at the same time. Onywye, fit ye complainin' aboot? Ye winted the paper an' ye've got it.

> GOVERNMENT Minister Michael Fallon has called for Neighbours and other junk TV soap operas to be banned.
>
> Mr Fallon, whose responsiblity is education in England and Wales, said soaps were damaging children's education.

A'richt, a'richt. There's nae need tae get narky aboot it. It's jist that I'm concerned for ye, 'cos een o' the education ministers — Fallon, is it? — wis sayin' last wik that Neighbours should be banned 'cos it's bad for bairns tae watch it, bad for their education, ken? So it canna be daein' you ony good, Bunty.

Rubbish.

'At's richt. 'At's exactly fit he ca'd it. So div you agree wi' 'im?

No, I div not. The Government's far ower ready tae blame TV for things.

Weel, but TV is a very powerful influence on all our lives, Bunty. 'At's the wye it's very important fa gets the North of Scotland TV franchise.

I dinna understand a' that business.

Weel, Grampian's had it for 31 years, but there's twa ither lots ha'ein' a go for it this time.

An' dis it mak' ony odds tae us fa gets it?

Dis it mak' ony odds tae us? Bunty, this battle for the franchise will determine fa brings us Prisoner: Cell Block H every wik. Or indeed if we'll be gettin' Prisoner: Cell Block H at a'. I'm tellin' ye, a whole way of life hings on fa wins this franchise.

Rubbish.

I assure you, Bunty, that's fit's at stake.

No, no. I mean Prisoner: Cell Block H is rubbish. Real Australian tripe.

Weel, you've fairly changed yer tune fae half a minute ago fan ye were leapin' tae the defence o' Neighbours.

But there's Australian programmes an' Australian programmes. I mean, ye've often said yersel', ye can get bad American programmes an' good American programmes.

Weel, 'at's richt.

So — ye can get bad Australian programmes an' —

An' even worse Australian programmes.

No, no, 'at's nae fair. An' fa are we tae criticise Australian TV?

Richt enough, Bunty. Look at Take the High Road.

Weel, I will be, later.

No, no. I mean, Take the High Road's nae exactly Hamlet.

Apart fae the fact they're baith set in Scotland.

Hamlet's nae set in Scotland.

It is. It said in the paper that Hamlet bade in Dunnottar Castle. Weel, at's doon aboot Stonehaven.

For ony sake. Fit it said wis that they used Dunnottar Castle as a location for the latest film version — it's on this wik at the Odeon. But Hamlet belonged tae Denmark. He'd never even heard o' Kincardine an' Deeside.

Div ye funcy ga'n' tae see Hamlet this wik at the Odeon?

No, I think I'll gi'e it a miss, or tae use the buzz word o' the wik, I'll opt oot.

Eh?

Aye, "opt-oot" is the in-phrase iv noo.

Hud on. Fit wye can "opt oot" be "in"?

Exactly fit Robin Cook's been askin' Mr Waldegrave, Bunty. An' that's fit a' the row's been aboot since the Monmouth by-election. Accusations o' lees an' dirty tricks on the one hand, an whingein' an' soor grapes on the ither. Yes, the British body politic is in its customary rude health.

Ach, ye get richt fed up o' politicians — 'the hale lot o'them. If it's nae Major an' Kinnock fechtin', it's Nicol Stephen an' Harry Sim, or Jim Wyness an' Rob Robertson. Fechtin's a' ony o' them seem tae dae.

Come, come, Bunty. Fit you're spikkin' aboot is the cut and thrust of informed political debate. It's the hallmark of this great democracy of ours.

Fit rubbish ye spik. Say fit ye like aboot Maggie, she didna mess aboot. She widna hiv wasted time on a' this bickerin'.

I see they've got a woman Prime Minister in France noo.

Aye. Edith Croissant.

Cresson.

No, it's Croissant. I've seen 'er. She's French an' she's fluttery.

You mak' her sound like she's French an' a buttery.

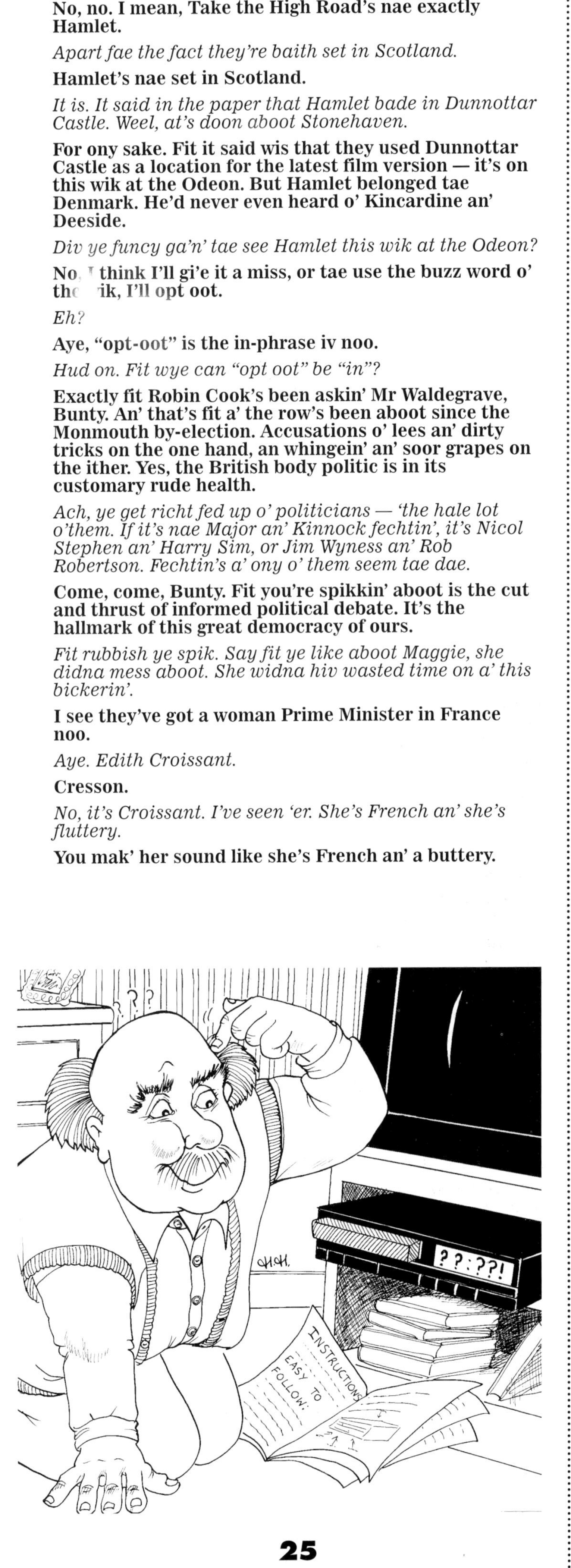

May 28, 1991

There's naewye tae get a drink on Mars

FAR'S the paper?

Here it is. I'm affa gled Helen Sharman's got back a'richt.

Fa?

Helen Sharman. I'm gled she's got back safe an' sound, ken?

Back fae far?

Back fae very far. Three million miles. She's back fae space, I'd —

She's back fae Speyside? 'At's nae three million miles. I ken the A96 feels lang, but it's nae —

No, no. Div ye never read the papers? Helen Sharman is the first British astronaut.

Of course. I saw her on the TV wi' the two Russian boys. She wis weightless.

Aye. I wish I could be an astronaut. I think it's the only wye I'll ever lose weight. Can ye imagine me as an astronaut?

Weel, Bunty, I widna stop ye if ye winted tae boldly go —

Zippin' through the stratosphere. Destination, Mars.

Oh, 'at's far ye wid like tae ging? Weel at least ye'd get a drink there.

Fit d'ye mean? Mars is nae inhabited. There's naewye tae get a drink there.

■ Stan Mortensen (above), one of the greatest strikers ever to wear an England shirt, has died aged 69.

There's Mars bars, isn't there? They must serve drinks.

For ony sake. 'At's nae funny. If I've got a weight problem, it's Mars bars an' the like that hiv gi'en me it. Mars bars, an' Crunchies an' Grannie sookers —

Grannie sookers? 'At reminds me, the police are lookin' for some lollipop ladies.

Oh? Fit hiv they been up til?

No, no. The police wint tae recruit mair lollipop ladies. There's a job for ye, Bunty. You wid be a good lollipop lady. An' ye micht lose a bit o' weight. By definition, ye wid ha'e tae dae a bit o' walkin'.

Fit div lollipop ladies get peyed?

Sweeties, I wid think. Get it, Bunty? I'm sparklin' the day.

For ony sake, nae mair o' yer corny jokes. Tak' the paper an' keep quiet. Though fit ye wintin' the paper for? I thocht ye'd read it.

I hiv. I jist wint it tae get the Evenin' Express's full address. 'Cos I've written a letter tae the editor.

Fit? I've been on at ye for days tae write tae Maureen an' Joe in Vancouver, an' ye've aye got an excuse for nae daein' it, but ye waste yer time writin' tae the editor o' the Evenin' Express. I widna care, he'll never publish a letter fae you. It's only folk like D Duncan, E Webster an' J Derrick McClure than get letters published in the Evenin' Express.

He'll publish this letter. This is a matter of vital importance, Bunty.

Oh, aye.

Oh, aye. Jist listen tae this: "To the Editor, The Evening Express, "Dear Sir."

'At's very good so far. I canna fault ye on it, Dod.

Dinna be chikky. Now — "Dear Sir, I was saddened to read the report last Thursday of the death of Stan Mortensen, the Blackpool and England footballer. I was further saddened by the fact that your report made no mention of the fact that Stan Mortensen wis a former Aberdeen player. Indeed, it is not exaggerating to state that he learned all his football at Aberdeen and the undoubted greatness he subsequently achieved can be attributed directly to the two seasons he spent learning his trade at Pittodrie as a guest player for the Dons at the end of the war when he was in the RAF stationed at Dyce."

Is 'at richt?

Of course it's richt. And I finish my letter by sayin', "Stan Mortensen was one of my boyhood heroes, along with Johnny Weissmuller, Group Captain Douglas Bader and the boy wi' the fringe in the Three Stooges."

An' there wis nae word in Thursday's Evenin' Express aboot Stan Mortensen playin' for the Dons?

Neen. 'At sports department must be a bunch o' youngsters. But I'm determined tae set the record straight, Bunty. Stan Mortensen wis part o' a glitterin' episode in Pittodrie's history.

Ye'll be ga'n' tae Pittodrie this wik, are ye?

This wik? Is there a match? I never kent. Michty, that hisna been much o' a close season.

No, no. Billy Graham's ga'n' tae be there. The evangelist, ken? He wis at Murrayfield on Setterday.

Weel, he'd surely manage a few conversions there.

'There's some richt boisterous cooncillors'

FAR'S the paper?

Here ye go. I see the Empire State Buildin' in New York is for sale.

Oh? Has the Evenin' Express got a property section noo? So fa's sellin' the Empire State Buildin'? Is it an Aiberdeen lawyer? They're pretty enterprisin', some o' that boys these days.

No, no. I'm lookin' at the overseas news digest. For ony sake, Dod — an Aiberdeen lawyer sellin' the Empire State Buildin' — fit an idea!

Richt enough. It's hard tae imagine an Aiberdeen lawyer copin' wi' the schedule o' particulars.

ABERDEEN city centre's late-night playground is no Sodom and Gomorrah, according to Licensing Board chairman Councillor Harry Rae.

The former Lord Provost, who lives near Union Street, has defended the area's recently battered reputation by saying it is as good as any other city and no worse than in years gone by.

I ken. D'ye mind the mannie that selt Auntie Cath's wee hoosie in Clifton Road? Fan he wis daein' the schedule o' particulars he wis jist ga'n tae ca' her glory hole a cupboard. It wis Cath's idea tae ca'it "a capacious store room with potential for development as guest bedroom."

Aye, an' that's fit selt the hoose, Bunty. The folk that bocht it fae 'er often hid visits fae an aul' freen' that hid been a jockey.

Spikkin' aboot jockeys, we hinna got a race-course in Aiberdeen, hiv we?

Nae unless ye coont the bottom bit o' Anderson Drive.

No, no. A race-course for horses. Like Epsom.

Nah. The only Epsom ye'll see here is in the bathroom cupboard. Get it, Bunty?

For ony sake, I'm tryin' tae mak' a serious pint here.

Oh, aye?

Aiberdeen hisna got a race-course. Yet the Sports Council his voted it Scotland's sportiest city.

Weel, but it's folk, nae horses that they're spikkin' aboot. An' they're richt enough. We are very sporty in Aiberdeen. I mean, far wid yer mither be without her snooker an' her hang-glidin'? There's hardly onybody in Aiberdeen that disna participate in some sport or anither.

Fit rubbish. I can tell ye hunners o' folk that never dae ony sport.

Like fa?

Weel, like Sandra Gerrard an' Vicky Diack for a start. I bumped intae them baith in Norco on Setterday. They were baith in my class at the school, an' they wer'na sporty at a'.

Oh, I mind them. I mind them baith. They maybe wer'na very sporty, but as I recall, they were baith good sports.

Fit d'ye mean by that?

Naething, Bunty, nothing. But I'm nae surprised ye met them in Norco, 'cos they were aye very co-operative —

Oh aye. It's a' comin' oot noo.

No, no, Bunty: fan there wis ony school activities bein' organised — fund-raisin' things or onything like 'at, ken?

I've often wondered foo a' Vicky Diack's funds wis raised.

Bunty, Bunty. Jist 'cos Vicky's ma took in commercial travellers an' Vicky wis aye dressed up tae the 99's an' looked a bit like Marilyn Monroe —

Marilyn Monroe wid hiv been 65 last Setterday. It wis in the paper.

Thank you, Bunty. I'm nae sure o' the relevance o' that

tae the pint I wis tryin' tae mak'.

Which is?

Which is — ye've tae watch an' nae jump tae the wrang conclusion. I mean, I agree wi' Henry Rae. The aul' Lord Provost, ken?

Did he ken Vicky Diack?

NO, no.

Did he ken Marilyn Monroe?

Maybe he did, I dinna ken. But my pint is he wis sayin' last wik that jist 'cos there's a bit o' aggro an' unseemly behaviour in Union Street on a Friday night, 'at's nae reason for ootsiders tae jump tae the conclusion that livin' in Aiberdeen is like livin' in Sodom and Gomorrah.

Did he say that?

Aye. It wis in the paper last wik. He said that livin' an' socialisin' in the city centre himsel', there could be a fair amount o' boisterousness.

Richt enough. He can be pretty boisterous, Henry.

No, no. He meant that bidin' in the city centre he has OBSERVED a bittie boisterousness. He's nae sayin' he's boisterous himsel'. Henry's a lang wye fae bein' the maist boisterous o' the cooncillors. There's some richt boisterous eens. I mean, the public's image o' the local cooncillors as thoughtful, hard-workin', dedicated, carin' public servants can sometimes be a bittie less than accurate, Bunty.

Never! But ye ken, Dod, it's funny that you should mention Sodom an' Gomorrah jist efter I hid mentioned Sandra Gerrard. 'Cos jist efter we a' left school she moved awa' fae Aiberdeen, an' I thought she'd gone tae Sodom an' Gomorrah.

Fit?!

Weel, jist for a few seconds I thocht she'd gone tae Sodom an' Gomorrah. But it wis jist a case o' mis-hearin' 'er. Fit she hid said wis, "We're ga'n' tae bide in Boddam from tomorra."

July 2, 1991

'Snochlie's nae at her best on the phone'

FAR'S the paper?

Here it is. Hiv ye got ower yer shock yet?

Jist aboot.

Ye feel gype that ye are.

Weel, you wid hiv got a shock an' a' if ye'd got a phone call fae Peterheid sayin' "Auntie Flo's in Yugo-Slavia."

Bit 'at wisna fit the phone call said.

But 'at's fit I thocht it said. It wis fae Snochlie Davidson, Auntie Flo's neighbour. Snochlie's nae at her best on the phone an' in fact, she hidna said "Auntie Flo's in Yugo-Slavia." She'd said, "Aunti Flo's in Ugie Hospital." But for a while I wis gettin' the wrang message. It wis only fan Snochlie started complainin' aboot the price o' Lucozade an' grapes that I realised I could stop panickin' aboot sendin' you oot tae Zagreb tae bring Auntie Flo hame.

Fit! Send me?

Jist jokin', Bunty. The main thing is, Auntie Flo wis rushed intae hospital, but she's daein' a' richt.

Fit wis the problem?

They're nae sure, but they think she maybe had a Cannon and Ball or a Little an' Large.

A Cannon and Ball or a Little an' Large?

A funny turn, ken? Fan the news came through aboot Mrs Thatcher. 'Cos Flo's aye voted Tory. Ever since she attended een o' Bob Boothby's surgeries in the 1950's.

Weel, of course, 'at really wis a shock, Mrs Thatcher volunteerin' tae be kicked upstairs.

Weel, 'at'll mak' it easier for 'er tae play tae the gallery.

A WELL-known Deeside figure is giving a strip show with a difference tonight.

The gloves — and everything else — are off at 7.30pm with the unveiling of the new Rob Roy statue on a rocky ledge above the Leuchar Burn at Culter.

The statue, the fourth to stand at the site, has been in position since last Saturday hidden from view under a cover.

Maggie in the Hoose o' Lords, eh?

Aye, at last Lord Kirkhill will ha'e a foe worthy o' his steel.

I wonder fit title she'll tak'.

Weel, Maggie's never been een tae hud back. I wid think she'll mak' a request for "King".

"Remnant King" mair like, the wye things hiv worked oot.

No, seriously, I wid think she'll ca' 'ersel' the Countess of Grantham.

No, 'at sounds like a railway engine. An' she's never liked the railways.

Weel, as Shakespeare said: "What's in a name? A rose by any other name wid still be as prickly."

Fit I canna understand is, dis Mrs Thatcher jist ha'e tae say she wints tae ging tae the Hoose o' Lords an' that's it? Dis she jist ha'e tae ask? Can onybody get in if they ask?

Dinna start gettin' ony ideas, Bunty. It's nae a'body that jist his tae ask for a peerage an' they get een. But can you imagine a scenario far Maggie says tae John Major, "I want to go to the Lords," an' he says tae her, "Weel, ye're nae gettin'"?

I see fit ye mean. Peer Mr Major. Did ye see there wis a survey deen in England last wik, an' mair folk kent that Dopey wis een o' the Seven Dwarfs than kent that Major wis Prime Minister?

Awa!

I'm tellin' ye, 60% kent Dopey wis een o' the Dwarfs, 30% kent that Major wis Prime Minister.

An' 10% thocht Dopey wis Prime Minister.

Ach, dinna be chikky. He's a very nice feller, Mr Major.

It's nae enough, Bunty. Is he bein' effective? Efter a', it will be remembered that it wis in his premiership that Rob Roy oot at Culter suddenly started lookin' like a Scout master on a walkin' holiday.

Oh, I ken.

And that a well-known personality wis gettin' awa' wi' non-payment of tax on a grand scale.

Fa?

The Queen. It wis on the TV — she disna pey ony tax. An' she's got mair money than Rangers.

She'll need tae watch hersel' if she hisna been peyin' ony tax. She could be ta'en up an' detained durin' Lester Piggott's pleasure.

Mind you, gi'e Mr Major his due: he his spoken oot against the big pey rises for fat cats.

Aye. Did ye see the boss o' National Power has got a pay rise o' 58%.

I ken. I wonder fa dis his negotiatin' for 'im. Fit Trade Union wid he belong til? Is it NALGO?

I think it's UNTO.

Fit's that?

Unto him that hath it shall be given. Onywye, faever his negotiator is, he his tae be better than Frunkie Webster.

Richt enough, Bunty. I can mind, durin' the last pay round, Frunkie wis ga'n' intae a meetin' wi' the management, an' he says tae the rest o's. "Weel, boys, I can only dae my best."

And?

An' Eddie Mutch says, "For ony sake, Frunkie, ye'll hae tae dae better than that."

But he didna.

No. They offered him 4%. And Frunkie said, "No, no. Our present pay is farcical. It is nothing. And 4% of nothing is nothing. We demand 10%."

'Philip picked the richt table tae get his feet under'

FAR'S the paper?

Ye hinna time tae read the paper. Ye ken fine we're ga'n' tae the fireworks the nicht.

Relax, Bunty. We've plenty time. We're ga'n' by car.

Weel, I still think 'at's a feel idea. The folk that ha'e cars are ga'n' tae ha'e further tae walk than the folk that hinna.

Look, ye widna deny Frunkie Webster the pleasure o' takin' us oot in his new car — purchased on August the first.

New car! It's nae exactly J-reg.

There is a J in it, Bunty. Somewye aboot the middle.

Weel, fan the Websters come for us the nicht, I hope there's nae ga'n' tae be ony awkwardness. I hope they'll be spikkin' tae een anither.

They should be. It's nearly a wik since they hid their flamin' row.

Weel, they still were'na spikkin' yesterday. Dolly didna ken they were tae be drivin' us tae the fireworks.

I hiv tae admit I'm on Dolly's side. Frunkie can be richt feel sometimes.

Sometimes?

But this wis een o' his worst. I mean, he kent Dolly hid telt a' her freens they were tae be gettin' a car, an' comin' hame on the first o' August an' sayin' til 'er, "Dolly, I've brocht ye something hame, a J-something." An' Dolly says, "A J-car?" An' Frunkie says, "No, a J-cloth." I mean, it wisna even a good joke, an' spik aboot insensitive.

Ach, weel. Dolly's lucky they're gettin' a car at a'. It beats me fit wye they can afford it.

Weel, of course, gi'e Frunkie his due. There's been a puckly homer re-wirin's went intae that car. But the main thing is, Bunty, we're gettin' the benefit o't. An' it couldna hiv happened in a better wik.

Aye, it's great this Tall Ships, is it?

Ah, yes, Bunty. How does the poem go?
"I must go down to the sea again,
To the lonely sea and the sky.
And all I ask is a tall ship
And a star to steer her by."

Fit wye div you ken that poem? You're hopeless at mindin' poetry. Fan the bairns wis wee, you couldna even mind Little Bo-Peep.

I could so: Little Bo-Peep went up the hill eatin' her curds an' whey.

There ye go. 'At's a' wrang.

Jist a joke, Bunty. I ken fine it wis Jack an' Jill that were eatin' their curds an' whey. Gad sake. Peer bairns. But seriously, Bunty, the reason I can mind the poem, an' I even mind fa wrote it —

John — John — Wallfield? Nellfield? Mannofield or Cattofield?

Masefield. John Masefield.

Ah. So fit wye div ye mind it?

Weel, ye mind yon boy that learned us English at Hilton School?

Himmler?

Aye. Weel, ae year Himmler catched me skivin' aff the Christmas carol service. Ken 'is, it wis jist my luck that he went tae the Astoria that efterneen an' a'.

'At WIS bad luck.

I ken. Ye widna hiv thocht an English teacher wid hiv gone tae see "Abbot and Costello meet the Vampire" Onywye, the next day Himmler says tae me, "Which punishment wid you prefer — six of the belt or write out Sea Fever by John Masefield a hundred times?"

He gave ye a choice? 'At wis decent o' 'im. It was Christmas, of course. An' fit did you choose?

I says, "I wid prefer six of the belt." And he says, "Right. If that's what you would prefer, ye're nae gettin' it. You will write out Sea Fever a hundred times."

'At wis typical Himmler. He wisna jist vicious. He wis sleekit an' a'.

'At wisna a'. Fan I handed it in, Himmler says, "You said you wid prefer six of the belt. It seems a pity to disappoint you." An' he gi'ed me six of the scud as weel.

Typical Himmler. He wisna jist sleekit. He wis vicious an' a'.

Aye. A great teacher, though, Bunty. It wis an affa loss tae the classroom fan he became a Director o' Education somewye.

He'd be retired noo.

Oh, aye. He must be 70.

Like the Duke o' Edinburgh. Did ye see his birthday do on the TV? I'll say this for 'im. He's a very good 70.

Weel, nae wonder. He's never deen a richt day's work in his life.

Weel, neither hiv you, but ye dinna look as good as him. An' you're only 60.

Aye, aul' Philip picked the richt table tae get his feet under.

You didna dae ower badly yersel'

Fit? Your folk didna HA'E a table.

They did sut. Fit div ye think that thing wis that the aspidistra sat on? 'At wis a gate-leg table. It opened oot an' the aspidistra came aff fan we hid visitors for their tea. Aye, important visitors.

Exactly. I never got my tea. So the aspidistra wis safe enough fan I wis there.

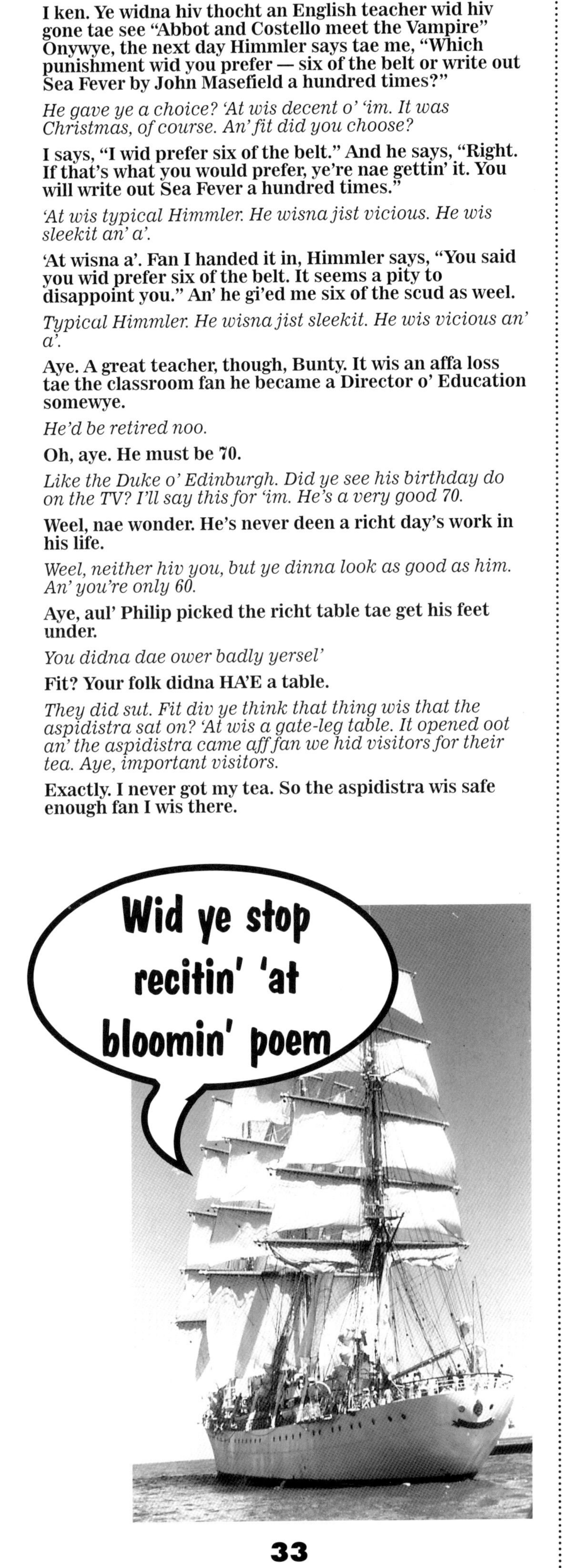

January 7, 1992

I dinna approve o' the New Year's Honours List comin' oot on Hogmanay

FAR'S the paper?

Here ye are. Fit d'ye mak' o' that story — "Rugby star Jeremy Guscott missed England's squad training session on Sunday because he was on a modelling assignment in America?" Maybe some o' yer Dons players should tak' up male modellin'.

There's nae need tae be chikky, Bunty. The Dons are jist ga'n' through a bad patch. It's a temporary hiccup. Things are ga'n' tae get better. There are signs of a recovery.

Thank you, Norman Lamont.

Mind you, while there's maybe nae ony male models at Pittodrie, there wis a rumour ga'n' roon' on Setterday that they'd signed anither Dutchman — Vincent Van Gogh. He's nae much o' a player, but they're hopin' he'll draw the crowds.

Evening Express Tuesday December 31 1991

NE reaps New Year honours

There'll be a good crowd for the Scottish Cup-tie against Rangers. That wis a great draw tae get, wis it?

A great draw? I wis hopin' for Huntly or Peterheid.

Oh, come on, Dod. Ca' yersel' a supporter? A'body should get ahin' them. This could be the turnin' pint o' the season.

Bunty, in the next New Year's Honours List they should mak' you an OBE — Optimist But Eejit.

We'll see, we'll see. It's sometimes good tae be the underdogs. Tell me, though, fit did ye think o' the Honours List this year?

Weel, for a start, I dinna approve o' the New Year's Honours List comin' oot afore the New Year — on Hogmanay. I mean, if I ever get a knighthood an' it's on Hogmanay, it winna ha'e the richt feel, ken?

Look, it will ha'e a richt feel if you're on it.

Now, now Bunty.

But fit aboot the folk that got the Honours this year? I'm gled Dirk Bogarde got een. He wis aye a heart-throb o' mine. I was richt jealous fan Lauren Bacall mairred 'im.

For ony sake —

An' I wis pleased Ian Woosnam got an MBE.

For services to aviation.

An' Johnnie Stammers in Braemar. D'ye mind we met him at the Gatherin' ae year? He wis a'thing in Braemar — registrar, Spar grocer, an' long-range weather forecaster.

'At's richt. The day o' the Gatherin' I sais til 'im, "Fine day" an' he said, "Aye, but we'll ha'e sna' here on Christmas Day."

We've been real lucky wi' the weather lately, hiv we? Aiberdeen wis the warmest place in Britain ae day last wik — the day Sandra Petrie got mairried.

'At wisna a big weddin' though, wis it? I thocht it wis jist a cup o' tea an' a kick-oot at the Petries' hoose.

'At's richt. But I believe he's a nice loon that she's mairried. He seems tae ha'e a bit a money — the engagement ring wis fae Jamieson an' Carry.

An' the weddin' breakfast wis fae the cash an' carry.

She's a fine quine, Sandra. I'm gled she's got somebody nice. 'Cos her sister didna.

Gwen? Did she nae?

No. Gwen's estranged.

Oh, fair play, Bunty. Gwen's a little unusual, maybe, but I widna say she wis strange. 'At's a bit hard.

No, no. Nae strange. E-stranged. Awa' fae her man.

Oh. Right. I'm with ye. Ye should've said 'at in the first place. "Estranged!" Michty, fit kind o' word's that?

It's a good word. There wis a story in the paper last wik' aboot Princess Anne an' it spoke aboot Mark Phillips bein' her estranged husband. Now 'at disna mean he's her strange husband — mind you, come tae think o't — no, no, it means he's the husband she's separated fae. 'At's fit "estranged" means.

OK, OK. But it's nae a word you're entitled tae use, Bunty. It's a word reserved for use in a Royal context only. Princess Anne an' the gallant captain are estranged; Gwen Petrie an' her blokie are split up. We of the lower orders must remember oor place, an' nae use words above wir verbal station.

Fit rubbish! Yer freen' Frunkie Webster widna agree wi' that. He wid say words is something that belangs tae a'body, an' nae just tae the privileged classes. Words hinna been privatised. Ye can use as mony o' them as ye like.

That certainly seems tae be the philosophy of his leader Mr Kinnock.

Is Frunkie confident that Kinnock's ga'n tae be Prime Minister this year?

Oh, aye. Though mind you, I wid never hiv believed it, but I'm nae sure that winnin' the General Election is the thing that's foremost in Frunkie's mind this year.

Fit?! Fit on earth mak's ye think that?

Weel, the first time I saw Frunkie this year, I says till 'im, "Weel, Frunkie, is Kinnock the man we need in 1992?"

An' fit did he say?

He said, "Weel, he'd certainly be better than Major. But if it wis up tae me, I wid try an' get Gordon Strachan back."

'There wis some affa dull bits in Lady Chatterley's Lover'

FAR'S the paper?

Here ye go.

No, no. I'm nae wintin' the nicht's paper. I'm wintin' yesterday's paper so I can read the report o' the Dons' match again.

For ony sake. Foo often hiv ye read that report? I canna mind you readin' onything wi' sae much relish since my mither lent ye Lady Chatterley's Lover that she'd got oot o' the senior citizens travellin' library.

But there wis some affa dull bits in Lady Chatterley's Lover. Ye'd often tae read great lang borin' stretches afore ye reached a —

Afore ye reached a fit?

Afore ye reached a — passage of genuine literary merit.

Weel, ye should've skipped some pages.

Awa' ye go, ye couldna afford tae skip some pages in case ye missed a — passage of genuine literary merit.

Weel, onywye, it's good tae see ye readin' the fitba' page wi' a smile on yer face. 'Cos 'at hisna happened very often lately.

Richt enough. But it's a cruel world. Fit wis the effect o' the Dons' win? It pit Rangers tae the tap o' the League. 'At fairly took some o' the silver linin' aff the gingerbreid.

> **Bush collapses**
>
> US PRESIDENT Bush collapsed at a state dinner at Prime Minister Kiichi Miyazawa's official residence in Tokyo, NHK television reported.
>
> The seriousness of his condition was not known, but the TV station reported he walked unaided to an ambulance.
>
> ▶ **Full Story, Page 2**

Ach, ye're never pleased. Coont yer blessin's. Yer team's hid a great win. The TV's workin' again, an' we're ga'n' tae be gettin'seventeen mair bobbies in the Grampain Region.

Says fa?

The Regional Cooncil. They decided last wik. I wis wonderin' if young Alistair McKay wid be een o' them. Lena McKay's loon, ken?

Weel, he's got the hicht for't. Alistair wid be ower six fit.

Aye. An' he's got the richt kind o' ability for't. He aye watches Inspector Morse, an' last wik he identified the murderer an' hoor an' a half afore John Thaw.

It wis a good Inspector Morse last wik. I wis gled I'd sorted the TV in time for it. Actually, Bunty, I wis very pleased I managed tae sort the TV withoot ha'ein tae pey a boy tae come in an' see til't.

Aye. Fit wis 'at book ye got hud o'?

'At wis ca'd Elementary Electronics. I minded seein' it in the box o' books in Gary's bedroom that we're still waitin' for 'im tae tak' awa'.

An' 'at book hid the answer tae wir problem, hid it?

'At book did the trick, Bunty. I jist thumped the set wi't at a pint equi-distant atween the aerial an' the vertical hold. One thump an' there wis Alec Gilroy back in the bar at the Rovers.

It wis hard luck wis it? As seen as Alec gets hame Bet gings doon wi' a viral infection.

No, no, Bunty. It's Julie Goodyear that's got the viral infection. The actress that plays Bet. I've telt ye afore. Coronation Street is jist a story. It's nae real life.

Weel, it's mair real than some o' the things that happen roon' here.

Like fit?

Weel, ye ken the Lord Provost's awa' tae Russia on a free jaunt —

On important civic business, yes.

Weel, the day afore he left he got a phone call fae Frunkie Webster sayin', "Watch fit ye say ower in Russia, Provost. Remember, Lenin's oot noo." It's nae real, that.

Weel, I hope the Provost hisna eaten onything that disagrees wi' 'im ower there. Like that ither great leader o' the Western world, President Bush, did in Japan.

Oh, I ken. Peer mannie. Did ye see 'im on the TV?

No. Mercifully 'at wis the nicht the TV wis broken doon. 'At wis the nicht afore I thumped it wi' Elementary Electronics.

Weel, Dolly Webster saw it, an' she said it wis affa. Ye actually saw 'im bein' s ...

Thank you, Bunty. Spare us the gruesome details. I get the picture.

Of course it serves him richt for eatin' raw fish. Gad sake.

Aye, but the Yanks were worried. I mean, their constitution's different fae oors. Ye see, if John Major wis tae dee ...

Weel, naebody wid notice ony difference.

Now, now, Bunty. There's nae need for that kind o' thing. The bloke's daein' his best. Fit wis I sayin'? Oh, aye. If John Major wis tae dee, fa wid automatically tak' ower in this country?

Automatically? Weel, naebody wid.

Exactly. Naebody.

So it's nae different in America. Here it wis be naebody, there it wid be Dan Quayle.

I hiv tae admit ye're richt, Bunty. He disna fill ye wi' confidence, Quayle, dis he? I saw him bein' interviewed on TV, an' fan the boy said tae 'im, "What is the first thing you would do if you became President?" Quayle said, "I would immediately offer up a lang prayer."

Aye, him an' a hunner an' fifty million ither Americans.

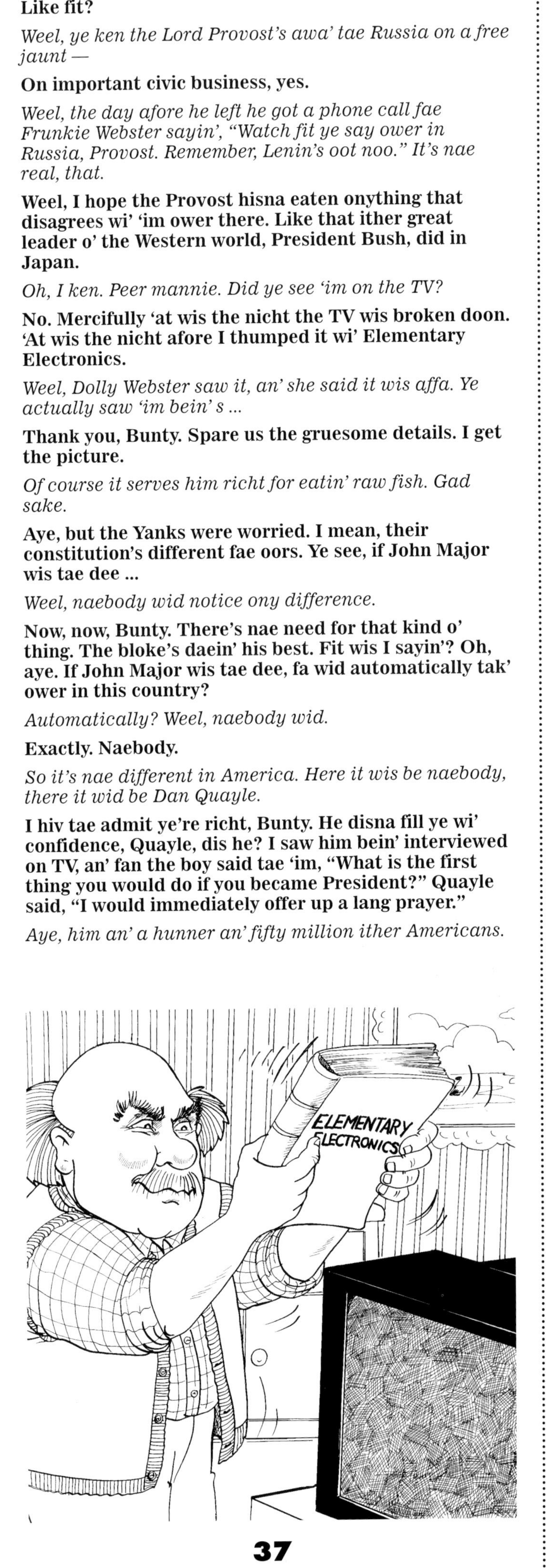

'Bein' branch secretary, Frunkie hid the odd freebie in his day'

FAR's the paper?

Hud on. I'm, jist lookin' tae see fit's on the TV the nicht.

Ye needna bother, Bunty. There'll be naethin' tae please ye. Fae the wye you've been ga'n' on since Thursday there could never be anither programme tae touch last wik's een aboot the Queen.

There's nae need tae be sarcastic. I noticed you watched it fae start tae finish. ye couldna tak' yer een aff it. Ye even forgot a' aboot the game o' darts ye were supposed tae ha'e wi'Frunkie Webster on Thursday. Did he gi'e ye a row fan ye saw 'im on Friday? He hidna been pleased at bein' stood up. An' bein' a republican he hidna been pleased at the reason.

No, it wis a'richt. Frunkie forgot aboot the darts an' a'. HE wis watchin' the programme.

An' his it made Frunkie mair o' a republican than ever?

Bunty, since seein' that programme, Frunkie is now a totally committed royalist. His philosophy now is that a democratic socialist constitutional monarchy is the best of all possible worlds. "Kinnoch for King an' the Queen for Queen." 'At's his latest slogan.

LIBERAL Democrat leader Paddy Ashdown today admitted having an affair five years ago.

The shock admission confirms he is the senior politician at the heart of the Westminster scandal over alleged "dirty tricks."

But Mr Ashdown, who is married with two children, said the "brief relationship" happened well before he became leader of his party and he insisted he would not be resigning.

The feel gype. So he's nae a republican ony langer?

No. An' it wis the TV programme aboot the Queen that opened up his een tae fit's wrang wi' ha'ein' a republic

Oh?

Weel, you saw it. You saw the Reagans at that reception. Fit a pair o' dumplin's. As Frunkie said, "If that's fit the world's greatest republic throws up" — and he wis choosin' his words carefully — "as their heid o'state, gi'e me the Queen ony day."

Oh, I ken. Ronnie an' Nancy! Mak'in' a' that fuss aboot gettin' decaffeinated coffee. It wis great the wye the Queen whistled it up in twa ticks.

Weel, of course, my theory is that the flunkey boy wi' the silver coffee pot went oot the door, coonted up tae three, turned roon' an' came back wi' the same pot o' coffee, an' the Reagans never kent there wisna nae difference.

Awa! Div ye think so?

Aye, The next time we saw that flunkey he wis gettin' on OBE at an investiture.

So fit bit o' the progreamme did Frunkie like best?

Oh, Lech Walesa at the banquet at Windsor Weel — a trade union official at a thrash like 'at? Frunkie found that really inspirin'. I mean, bein' oor branch secretary, Frunkie's hid the odd freebie in his day, but naething like 'at.

I ken. It looked like a rare tea they were gettin'. But for a' that, I widna ha'e the Queen's job.

Dinna worry, Bunty, ye're nae likely tae get the offer. They ken fa's ga'n tae get it' next. It's funny, but there's a lot o' nepotism aboot hereditary monarchies.

I'l tell ye, though. If I wis the Queen, I wid be stricter wi' the younger members o' the femily. I mean, even Di — funcy buyin' an expensive foreign car last wik. I ken she's a'body's favourite, but it's jist nae on. Ye've got tae buy British. I'll tell ye this — ye'll never see me changin' a Jag for a Mercedes.

No, Bunty, I canna see that ever happenin'. Michty, that is good news for the hard-pressed British economy. Especially in a wik fan the distilleries hiv said the price o' food's ga'n up.

I hope that wis supposed tae be a joke. I widna like tae think you were wastin' yer money on drink fan ye claim

ye canna afford tae tak' me tae the picters eence in a while.

Ach, the picters is nae fit they were. I mean in oor young day ye got yer money's worth at the picters: ye got the big picter, the little picter, the news, the trailers, the organ an' sometimes a Three Stooges an' a'. Nooadays the centre-piece o' the evenin' is the intermission. It comes efter 10 minutes o' adverts an' it's twice as lang as the big picter that comes efter it.

I wis readin' somewye that accordin' tae a recent poll in America the maist memorable movie kiss wis in Gone With The Wind.

Never, The maist memorable movie kiss wis in Tarzan an' the Leopard Woman.

Fit? Nae atween Johnny Weissmuller an' the Leopard Woman?

No atween Frunkie Webster an' Sandra Jaffray. I went wi' Frunkie tae the Astoria tae see 'at picter an' we found oorself's sittin' aside Sandra.

Nae Sandra Jaffray! An' ye lived tae tell the tale?

Weel, it wis actually Frunkie that wis sittin' richt next tae Sandra an' I realised at an early stage in the big picter that Frunkie's interest in leopards wis on the wane — in fact it evaporated a'thegither aboot the time the Aero bar in his pooch melted. She wis something else, Sandra. I widna care, Frunkie wis already ga'n' steady wi' Dolly at the time. But 'at's a' in the past. So nae blabbin' aboot it, Bunty. Mum's the word.

Fit wye? Frunkie's hopin' tae get on tae the Cooncil in May, isn't he? He should let that story come oot. Look at the wye Paddy Ashdoon's jumped up in the polls this wik.

'At's richt. An' 'at's withoot ever bein' at the picters wi' Sandra Jaffray.

'Fan Frunkie got hame he wis covered in dubs'

FAR'S the paper?

Here it is. Mair stuff aboot the election.

Oh keep it, then. I'm gettin' richt fed up o' this bloomin' election. An' I thocht on Setterday there wid be some good sport tae mak' me forget aboot it. But fit happened? The Dons got beat, an' Scotland lost tae Wales in the rugby.

ANDY, FERGIE SET TO SPLIT

Ye dinna need tae remind me. Fit a soor mood you wis in on Setterday nicht. It wis just aboot as bad as the Setterday five or six years ago fan the Dons an' Scotland baith lost an' Hilton School lost an' a'. So thank goodness Hilton School's closed now. We can never ha'e anither Setterday as black as that again.

I'll tell ye this, Bunty. At least last wik's royal drama took a'body's mind aff the election for a whilie.

I ken. Ach, it's aye sad fan a young couple brak up. Especially fan there's bairns. Div you mind the picter Kramer versus Kramer?

Aye. Dustin Hoffman an' Meryl Streep — arguin' the toss aboot fa should get custody o' their loon.

'At's richt, Weel, Andy an' Fergie'll be ha'en' a battle now aboot fa should get aff fae lookin' efter the bairns.

Bunty! Ye're richt cynical.

Weel, it's the Queen I'm sorry for. I mean, fan there's a single parent femily, it's aye the grunnie that get's lumbered. Look at Freda Gordon. D'ye mind fan her loon Colin married Judy Nicol?

Aye. Aboot six years ago?

Aye. Weel at the weddin' Freda said tae me: "Bunty," she said, "this marriage canna work. Judy's nae richt for oor femily, an' she's completely unsuitable for Colin — she's far ower good for 'im."

An' she was richt.

She wis richt, an' 'at marriage his broken up. A year ago. Noo Colin and Judy are baith workin', an' fa his tae look efter the five bairns? Freda.

Five bairns? In five years o' mairriage? So ye can hardly say their union didna work, Bunty.

Dinna be vulgar, Dod.

Of course we hid anither example o' a royal single parent in Aiberdeen last wik.

Princess Anne. 'At's richt. Fit wis it she wis daein' again?

Weel, among other engagements she visited Craiginches an' she opened the new Gordon's College playin' fields. I jist hope her secretary didna get her twa speeches mixed up. Last wik wisna a good wik for palace officials.

I ken. Can ye imagine her readin' the wrang speech?

Aye, an' I can jist hear 'er sayin' tae the Gordon's College loons: "Before you were sent to this place you must have offended against society in some way. You may despair of ever getting a good job after being here for a few years, but if you work hard and improve your behaviour, you many not be at too great a disadvantage compared with those who have not done time here."

She'd a rare day for her visit, onywye. Aiberdeen wis the hottest place in Britain on Friday. Sixteen degrees,

Ian McCaskill said. Mind you, 'at shows ye the wye the weather's changed ower the years. Fan we wis young, ye didna think it wis a hot day till it wis up ower 70.

Bunty, 'at wis Fahren — oh, never mind. Friday wis maybe a fine day, but it wisna fine for Frunkie Webster. He wis oot leaflettin' in Kincorth.

Is he nae gettin' a bittie past that? His bunions wis yarkin' efter the Kincardine an' Deeside by-election.

He'd nae problem wi' his bunions last wik. He got a lane o' Dougie Pratt's motor bike.

At' wis Frunkie's wye o' gi'ein' the campaign a kick start, wis it?

I'll ignore that, Bunty.

So, fit wye wis Friday a bad day for 'im?

He wis jist pittin' a leaflet through a letter box in Covenanters Drive fan the door opened an' —

Dinna tell he he'd a stramash wi' the only Thatcherite in Covenanters Drive.

No, no. Quite the reverse. It turned oot tae be Davy Armstrong's hoose. Ye ken Davy? Rinner-up in the darts last year.

Oh, aye.

Weel, Davy says: "Ach gie it a wee rest, Frunkie. Come in for a min'tie an' ha'e a dram." Weel, a good few min'ties an' a pucklie drams later, Frunkie leaves the hoose, turns richt instead o' left —

Unusual for Frunkie. He should've kent better.

— an' gings a' his length intae a flooer bed.

The feel gype.

Which, because of the aforementioned tropical conditions of last Friday, Davy hid watered that evenin'. So fan Frunkie got hame he wis covered in dubs.

I heard aboot that fae Dolly. Fan Frunkie came in, she said til 'im: "The TV's jist said there's been a lot of mud-slingin' the day, an' it's becomin' a very dirty campaign — but this is ridiculous."

September 8, 1992

Dod and Bunty are nearing the end of their holiday in Canada. They fly home from Vancouver tomorrow ...

'Fit happened tae romance, Bunty?'

FAR's the paper?

Ya gorrit. Noo far is it? Here it is. Yer last Canadian paper.

Weel, the papers is one thing I winna miss aboot Canada. Folk here hinna got the quality Press that we've got in Britain. I canna wait tae get back tae the Evenin' Express. I mean, this Vancouver paper — there's been hardly a mention o' Mellor an' his bidie-in. An' nae word o' the Dons' results at a'.

An' look at their TV — if ye can bear til. The coverage o' the Olympics wis a disgrace.

Aye. Ten times we saw Ben Johnson fa'in' doon in the hunner metres. We're still waitin' tae see Linford Christie winnin' it.

Aye, Canada's been great, but it's hid its disappointments.

I ken the biggest een there's been — the only Mountie we saw wisna wearin' a reid jecket an' a boy scout hat an' ridin' a horse. He wis gettin' in tae a car, an' he'd jist gi'en a boy a parkin' ticket. I mean, fit happened tae romance? Far did adventure ging? Nooadays the Mountie always gets his road traffic offender.

Joe an' Maureen hiv been super, though hiv they?

Aye, they've been nae bad. Considerin'.

Nae bad? For ony sake, Dod. They peyed wir fare ower here and back. They've gi'en us free hospitality for a month. They've ta'en us oot in their sailin' boatie. They've ta'en us on a trip through the Rockies. Nae bad?!

Weel, but they've hid oor company for a month. I wid say they've hid the best of the bargain.

Weel, if 'at's fit ye thocht, fit did ye ha'e tae invite them ower tae Aiberdeen for the New Year for? Far can we pit them in oor hoose? The back bedroom wis caul' enough fan Lorraine slept in it. It's even caul'er noo, since we moved in the deep freeze that fell aff the back o' Uncle Davy's lorry.

I'm sorry, Bunty, but Joe an' me wis spikkin' aboot fit Hogmanay wis like in the aul' days — fan we wis baith young loons in Aiberdeen. Trailin' aboot, hopin' tae mooch a drink fae folk ye hardly kent that were desperate tae get tae their beds. Gettin' hame aboot denner time on New Year's Day, crashin' oot on top o' yer bed wi' yer claes on an' a bit o' black bun disintegratin' in yer jecket pooch.

Happy days, Dod.

At's richt. An' ye see. Joe hisna hid a nicht like 'at in 40 years in Canada. Peer bloke I hidna the he'rt nae tae invite 'im.

But I still canna believe he said they wid come. 'Cos he kens he'll never get Maureen ontae an aeroplane. I mean, 'at's the wye they pey for us tae come ower here an' see them.

Weel, this is it, Bunty. I thocht I wis on cast-iron safe grun' invitin' them ower. But he says: "We'll come ower on the QE2." The QE2! I mean, we ken Joe's deen well ower here —

The QE2. Weel, we'll jist ha'e tae hope it disna rin agrun' on Pocra Quay or smash intae Girdleness. 'Cos they seem tae ha'e a job gettin' a decent driver for that thing.

Bunty, it winna tak' them a' the wye tae Aiberdeen. They'll arrive in Aiberdeen in the train.

Oh, me. An' eence they're in Aiberdeen, we can never gie them the same kind o' treats they gied us. I mean, they took us tae the Rockies.

Well, we'll tak' them tae visit Frunkie and Dolly Webster — they bide a lang wye up the hill at Kincorth.

It's hardly the same. Kincorth's nae the Rockies.

Look — Joe an' Maureen can see the Rockies ony time. It must be borin' for them. They're needin' a change o' scenery. They winna forget Kincorth in a hurry.

An' they'll find the folk in Aiberdeen very different fae the folk in Canada.

We're a Jock Tamson's bairns, Bunty.

Weel, a' the maist polite Tamsons seem tae hiv emigrated tae Canada. Farever ye ging ower here, folk say tae ye, "Have a nice day."

But they dinna really mean it, Bunty. It's jist a convention. They couldna care less if ye choked on yer next Caesar's salad.

Richt enough. An' there's a lot o' ither things they say that they dinna really mean. Look fit happened fan we went oot for wir brunch on Sunday an the waitress said: "How are you folks today?" She wisna really expectin' tae get a blow by blow on your latest gastric disorder. An' she'll never ken fit she wis rescued fae fan I stopped ye fae ga'n intae details aboot the exact location o' yer last mosquito bite.

Mosquito bites...wild life. Bunty, ye've jist gi'en me an idea. I ken the wye tae pit Maureen aff comin' tae Aiberdeen. We'll tell her stories about wir wild life. Ye mind — she wisna happy wi' yon incident ootside the motel in the Rockies.

Weel, but we canna say we've ever hid an elk ootside the bedroom windae.

No, but we can tell her that last December we'd a moose inside the bedroom cupboard.

'Hamlet wisna een o' my specialist subjects at Hilton School'

FAR'S the paper?

Here it is, Dod. It's great tae see wir ain paper again, is it?

Aye. 'At's fit I missed in Canada — readin' the big stories o' the day ken? Like the Stewart Park gettin' a new sheddie, or the cooncillor that wints tae beery the Mounthooly roundabout, or the mural that's ga'n' tae be p'inted on the lavvy at Mastrick.

Oh, aye. I wis readin' aboot that. But apparently there's some folk deid against it.

Loo mural plan is on a roll

PLANS to bring a splash of colour to a much-vandalised public loo have got the go-ahead despite official disapproval.

City councillors welcomed the proposal to put a mural on the side of the toilets at Greenfern Road, Mastrick, in the face of warnings from environmental development officer George Duffus.

'At's richt. So they're maybe ga'n' tae tak' a vote on it amon' 'a the folk that bide roon' aboot. A kind o' Mastrick referendum, ken?

I'll tell ye this, Dod. Bein' awa' sae lang, we fairly missed oot on a lot o' scandal. Fergie, the Diana tape, Frank Bough, David Mellor, Walter Yeoman.

Walter Yeoman?

Walter Yeoman in Cattofield Terrace. The bobbies stopped 'im fan he wis drivin' hame fae Yvonne Sinclair's weddin', an' gie'd 'im a breathalyser test.

An' fit happened?

He passed. It wis a terrible weddin'.

Gettin' back tae a' the scandals, we hinna learned naething new aboot the Fergie business since we got hame, 'cos we got a' the details in the Canadian papers an' on the Canadian TV. 'Cos the Canadians tak' a prurient an' unhealthy interest in the goin's on in the Royal femily. Nae like us.

I dinna ken aboot 'at — I dinna ken fit prurient means for a start — but fan I saw a' the stuff aboot Fergie on the TV in Canada, I felt ashamed. I mean, ye feel responsible, div ye, fan ye're in anither country an' the papers an' the TV are full o' stories o' a Royal — er —

Boob?

At least there wisna the same coverage o' the ither scandals in Canada. I mean, David Mellor wisna covered in the Canadian papers.

No, he wis covered in the Chelsea fitba' strip.

It's a funny business a' the gither, that. Hey, it's jist occurred tae me, Dod. Fan we wis first mairried an' bidin' in twa rooms in Roslin Street, you used tae come tae yer bed wearin' a fitba' jersey — yallah an' black stripes.

Nae yallah an' black, Bunty. 'At wis the aul' black an' gold, 'at. It wis a pre-war Dons jersey my Uncle Charlie hid got fae the late Matt Armstrong.

An' fit wis the idea o' wearin' it tae come tae yer bed? Fit kind o' kinky shenanigans did ye think ye were ga'n' tae be gettin' up til?

No, no, Bunty. I hidna ony ulterior motive. Afore the War fitba' jerseys WIS jerseys — nae the skimpy semmits they wear the day. Roslin Street wis freezin' caul', an' the aul' black an' gold wis a lot warmer than pyjamas.

'Cos if I thocht for one meenit —

For ony sake, Bunty.

Weel, you've got a lot in common wi' David Mellor. He recited Hamlet tae his damie.

So fit ye spikkin' aboot? I've never recited Hamlet tae you. Hamlet wisna een o' my specialist subjects at Hilton School.

No, but fan we wis in Roslin Street you learned me a' the verses o' the Muckin' o' Georgie's Byre. I mean, Hamlet an' a Chelsea strip's nae a mile awa' fae the Muckin' o' Geordie's Byre an' the aul' black an' gold.

Changin' the subject, Bunty, in case there's a nosy aul' bank manager oot there tapin' wir conversation, fit a shock tae come hame tae Coronation Street, an' in the very first episode we see Rita's man draps doon deid.

Aye. I hope ye're ashamed o' yersel'.

Fit d'ye mean?

Weel, fan Ted first came on the scene, you said ye didna like 'im. Ye were really nesty aboot 'im, sayin' he wis efter Rita's siller.

Weel, I didna like 'im. I didna ken ONYBODY that liked 'im. Did ony o' yer chums at the bowlin' club like 'im?

No. I hiv tae admit, naebody I ken liked 'im. He wis ower smarmy.

Exactly. An' I'm nae ga'n' tae say I liked 'im ony better noo jist because he's deid.

Peer Rita hisna hid muckle luck wi' her men, his she? That's three o' them deid.

Aye. The rate Rita gings through her men, they're ga'n' tae ha'e a job findin' somebody that's prepared tae be the fourth.

An' comin' hame tae find Alec's awa'. That wis anither shock. Imagine him wintin' awa' fae Coronation Street.

It's nae Alec that winted awa'. It's Roy Barraclough. Tae further his career. There's life beyond Coronation Street, ye know.

I suppose so. So far's he moved til? Take the High Road?

I've nae idea. But at least they hinna killed Alec aff. He's nae deid, like the late, lamented Ted. I think we'll see Alec again.

I'll tell ye fa ye winna be seein' on the TV. Billy Bunter. It says in the paper he's been banned on grounds of stoutism. Fit dis 'at mean? Wis you ever a stoutist?

Weel, I did ging through a phase fan I drank a lot o' Mackeson's. But I winna miss Billy Bunter. I've never been keen on Bunter, Bunty. I've never liked daft English schoolboys wi' specs an' insatiable appetites.

For ony sake, Dod, wid ye keep David Mellor oot o' this.

'Things never seem tae ging the wye Major wints them tae'

FAR'S the paper?

Here ye go. There's a story in there aboot a car park attendant at Marischal College that's ga'n' tae be ga'n' tae the varsity himsel'. Read it, an' it'll maybe inspire ye tae dae the same.

Inspire me tae ging tae the varsity?

No, inspire ye tae be a car park attendant. Tae dae something useful for a change.

Watch it, Bunty. You see before you somebody that works at the coal face — it's folk like me that are the corner steen o' Britain's economy. An' if ye've got an edifice wi' a dicey corner steen, the 'hale thing's liable tae collapse.

Like oor economy did twa wiks ago.

JOHN MAJOR was today trying to patch up the wreckage of his Government after the resignation of Heritage Secretary David Mellor on the blackest day of his 22 month tenure of Downing Street.

The departure of his closest friend in Government — forced out by an unstoppable stream of newspaper revelations about his private life — was the final blow on a day when new Labour leader John Smith comprehensively outclassed him in the Commons.

Look, we ken fa's fault 'at wis. It wis Major's, an' Lamont's. Ye saw John Smith in the Hoose o' Commons wipin' the fleer wi' them. He did weel. Smithie.

Aye, he's definitely come on since he wis Lord Provost o' Aiberdeen. There's hope for Henry Rae yet.

No, no, Bunty. It's nae the same John Smith. The John Smith you're thinkin'o' is now Lord Kirkhill. He wis a Minister in the last Labour Government, but noo of course —

Ye dinna see 'im much on the centre stage.

No, ye see 'im in the centre stand.

So he'll be at Hampden for the Skol Cup final.

I've nae doot. An' he winna be the only een.

Fit d'ye mean?

Frunkie Webster got a remit at the last Branch Executive meetin' tae pit a' ither business on the back burner an' get crackin' wi' the organisin' o' the minibus for Hampden.

You winna be on it, though.

I will sut.

Ye will not.

I will sut.

You said that efter wir expensive holiday, ye wis only ga'n' tae spend money on things that hid undisputed top priority.

So? Fit could be higher priority than helpin' the Dons tae win the cup.

Fit can ye dae tae help them tae win the cup? Br'ak intae Rangers' hotel an' slip a Mickey Finn in Andy Goram's Rice Crispies?

Look, Bunty. Every extra bit o' support is vital. If Willie Miller wis here iv noo, an' you asked 'im "Div ye wint Dod tae be at the Cup final?" fit div ye think he wid say?

Weel, he wid say "Yes," of course.

Exactly. So are you ga'n tae stop me fae ga'n? Are you ga'n tae stand in the wye o' fit Willie Miller wints? Ye're a better man than I am, Bunty.

Spikkin' aboot somebody bein' a better man, did ye see David Mellor wis comparin' himsel' wi' Captain Oates?

Ken? The boy that walked oot o' Captain Scott's tent in the Antarctic.

Aye. A pretty ill-advised comparison for Mellor tae mak! Captain Oates never came back.

So that's the end o' the Mellor-drama. He's oot. I must say I didna think he wid ging. I mean, Major wis a' for him bidin' on.

Aye. Peer Mellor, 'at wis the kiss o' death, wis it? Things never seem tae ging the wye Major wints them til. I mean, it's the editors o' the tabloids that decide fa's in the Cabinet an fa's nae.

Oh, hardly, Dod —

Weel, 'at's fit it looks like. It's a very important issue, Bunty.

Jist aboot as 'important as the big issue in the nicht's paper that I've jist gi'en ye. There's folk gettin' really het up aboot the date o' the pairty tae celebrate Union Street's two hundredth birthday.

I thocht it wis ga'n tae be in 1994.

'At's richt. But a lot o' folk think that's daft. Union Street wisna finished till 1805. It wisna started till 1801.

So fit wye are they ha'ein' the pairty in 1994?

'Cos the buildin' o' Union Street wis first PROPOSED in 1794.

It wis proposed in 1794? An' it wis begun in 1801? Things happened a lot faster in those days.

But div ye nae think ha'ein' the pairty in 1994 is feel? Celebratin' the year it wis proposed.

Ye're richt, Bunty. It is feel. We micht as weel celebrate the tenth anniversary o' the pintin' o' the bathroom this year, 'cos it wis in 1982 that I decided I wis ga'n' tae dae it.

An' ye still hivna started it.

'At's richt. But followin' the example o' Union Street, we could celebrate the proposal.

Dod. I wis tryin' tae mind. Fit wye did ye never get started on the pintin' o' the bathroom?

I nearly got started. I covered the fleer wi' sheets o' newspaper — I can see it yet, the Daily Record an' the Sun. I pit on my pintin' jimmies an' I slipped 'cos the papers skited on the linoleum. I sprained my ankle, an' I never got back tae the job. Ken' 'is? I felt like David Mellor must feel.

Fit wye?

'Cos I wis brocht doon by the tabloids.

December 15, 1992

FAR'S the paper?

Here it is, an' ken 'is I can hardly believe it —

Believe fit?

There's nae bad news aboot the Royal femily in it.

Oh, come on, Bunty. Ye canna be tryin'. Look a bittie closer.

No. I've looked. There's naething.

Is this a record?

No. It's nae a Record. It's the Evenin' Express, ye feel. The Record's nae an evenin' paper. It's een o' thae mastoids.

Tabloids, Bunty. A mastoid's a pain in the lug. Oh, I see fit ye mean.

I'll tell ye, though, the 'hale o' last wik wis a field day for the media, wis it? I mean, some o' the things that wis comin' oot aboot Charles an' Di's mairriage: tantrums, rows, shoutin' matches — michty me!

> JOHN Major and the Cabinet claimed today there were no constitutional implications in the decision of the Prince and Princess of Wales to go their separate ways.
>
> Despite warnings from Tory MPs that it would be a "constitutional travesty" for Diana to be crowned Queen, senior ministers agreed that, in the absence of any plans to divorce, no constitutional implications flowed from their decision to live separately.

Ach, a piece o' nonsense. I mean, you an' me hiv hid rows an' shoutin' matches —

We hiv not.

We hiv sut.

We hiv not. D'ye ken 'is? I get really annoyed with you fan ye say things like 'at. Ye mak' me furious. Ye're a bloomin' pain in the neck. Sayin' we hiv rows! Fit a nerve ye've got.

Bunty. I wis just tryin' tae mak' the pint that Charles an' Di are nae different fae the rest o's. I mean, a' the couples we ken, wirsel's included, hiv hid the occasional spat. Frunkie and' Dolly Webster, for instance. Mind? They hid a bit o' a tiff —

Oh, 'at's richt. June, 1983 tae February, 1985.

But neen o' us gets the Prime Minister tae stand up in Parliament an' say we're separatin'. We jist get on wi't.

Richt enough. An' they picked a shockin' time tae announce it. It fairly took the spotlicht aff Anne's weddin'.

Weel, 'at's the wye they hid tae pit up a' the Victorian street lichts, ken? that the Ballater folk were gettin' sae bolshy aboot.

I dinna blame them. That peer Ballater folk hiv hid nae lichts in their streets for months.

Aye, so they've hid tae rely on the moon tae see far they're ga'n', an' last Wednesday there wis an eclipse o' the moon, an' they were a' bumpin' intae een anither.

Nae a great turn-oot for the weddin', wis there?

I ken. Fower hunner folk, an' maist o' that wis reporters. There wis mair at aul' Charlie Duguid's funeral last wik.

I mean, Ina Anderson wisna there. An' she's the keenest Royal watcher in Menzies Road. Never misses a Braemar Games. I couldna believe it fan I heard she wisna there.

So div you think that Ina's absence wis symptomatic o' a general disenchantment wi' the monarchy, Bunty?

No, I think folk are gettin' fed up with the Royals.

Aye. Look at Prince Andrew. Richt up tae the last minute he wisna ga'n' tae be comin'.

I think it wid hiv been a poor show if he'd missed his sister's weddin'.

Now you canna say that Bunty. Fit aboot yer brither's weddin'? Robbie. You wer'na at it. Neen o' yer femily went til't.

I ken. It's a miracle ROBBIE went til't.

'At's richt. 'Cos by the end o' his stag party he'd definitely decided nae til.

But he did, an' him an' Polly hiv been very happy. An' fair do's — the rest o' the femily accepted Polly an' made 'er welcome.

Aye, nae richt awa'. Six months later, fan they fun' oot her aul' man owned a pub in Glesca near Ibrox.

It wisna fit ye wid ca'a glamorous weddin', wis it?

Fa's? Robbie an' Polly's? No, "glamorous" is hardly the word I wid —

No, no. Princess Anne's. Dolly Webster thocht Anne wis a bit o' a ticket. Dolly says tae me, "I dinna like yon furry broon hat. She hisna jined the Brethren, his she?

I hiv tae agree wi' 'er. It did ha'e a Brethren look aboot it, 'at hat. But I'm surprised Dolly hid time tae watch the TV. Wis she nae ministerin' tae her sick husband? Frunkie wis aff his work last wik, ye ken. He raxed himsel' tryin' tae follow the instructions on his keep-fit video. Mind you, he wis miserable wi' the toothache last wik an' a'.

Oh, 'at's nae fine. An' he disna like ga'n' tae the dentist.

Weel, he went last wik.

Fa's his dentist?

Gilbert MacIntosh in Albyn Place. He's a very good sportsman, Mr MacIntosh. He wis a good cricketer, an' last wik he'd a hole in one at Royal Aiberdeen. It wis in the paper.

Good for him.

Aye. He wis really excited aboot it. He couldna spik aboot naething else. Weel, Frunkie gets intae the chair, an' he says, "Mr MacIntosh, I've only got seven teeth left in my heid." An' Mr MacIntosh looks in his moo' an' says, "Aye, an' ye're just like me at Balgownie yesterday — ye've got a hole in one."

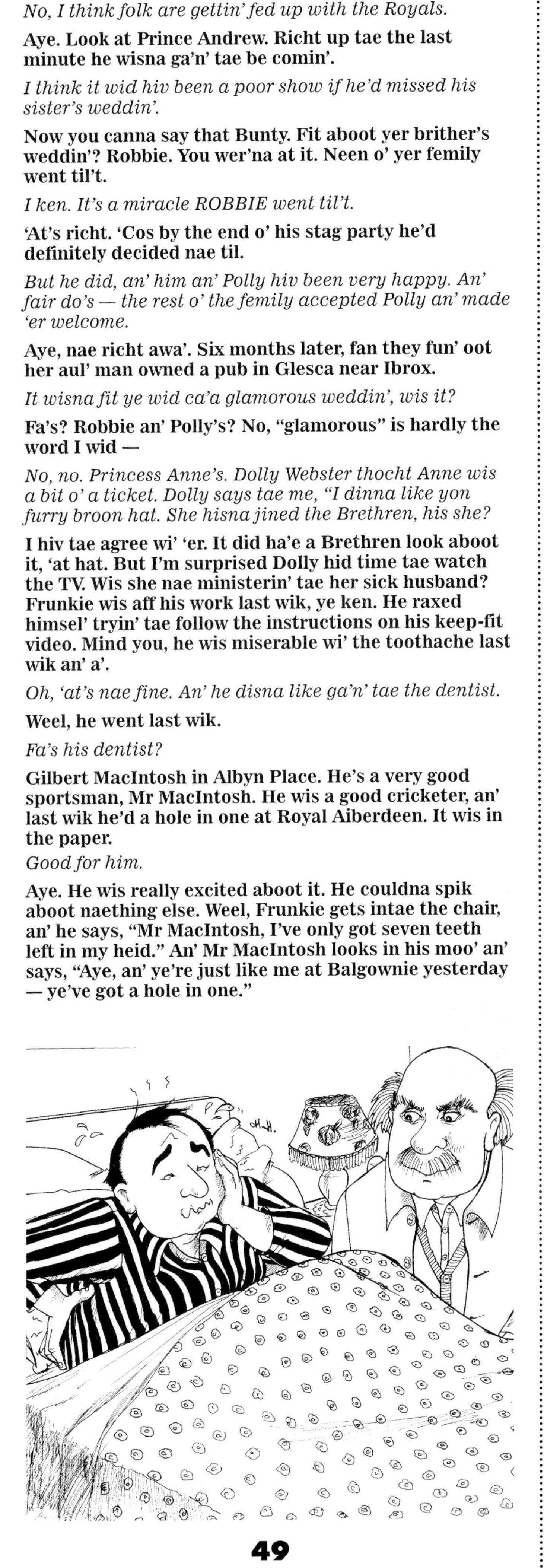

'The hale country's up the tube – I mean doon the creek'

FAR'S the paper?

Here it is. Tell me this. Fa's the Duke o' Westminster?

The Duke o' Westminster? He's the richest man in Britain.

Weel, he's leavin' the Tory Party. 'Cos accordin' tae him, the Government's deen the dirty on the peer doontrodden landlord classes.

So he's leavin' the Tory Party? Is he ga'n tae jine the Labour Party?

It disna say.

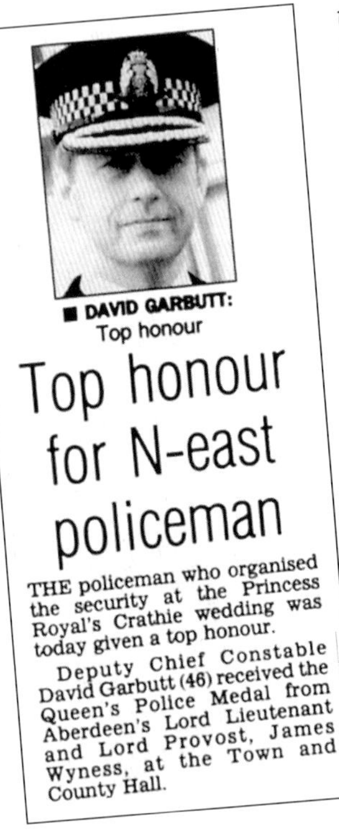

■ DAVID GARBUTT: Top honour

Top honour for N-east policeman

THE policeman who organised the security at the Princess Royal's Crathie wedding was today given a top honour.

Deputy Chief Constable David Garbutt (46) received the Queen's Police Medal from Aberdeen's Lord Lieutenant and Lord Provost, James Wyness, at the Town and County Hall.

I widna think so. Mind you, there's some funny pairties ye could jine, like the Corrective Party. Miss Whiplash's lot, ken?

Miss Whiplash! A dame like that standin' for Parliament. We've come tae a pretty pass.

A pretty lass? 'At's nae the word I wid choose for 'er.

Nae a pretty lass. A pretty pass. Ye get the feelin' the 'hale country's up the tube. I mean, doon the creek. We jist seem tae be ga'n fae bad tae worse. Fit a meneer things is in.

Noo, Bunty, you're exactly the kind of Jonah the Prime Minister wis lashin' oot at last wik-end.

John Major's never lashed oot at naebody. He couldna knock the stew aff a bap, 'at bloke.

Oh, gie 'im his due, Bunty. He wis daein' his best tae ha'e a go at the kind o' folk that are aye runnin' Britain doon. Folk like — I hiv tae say it — my good freend Frunkie Webster. He's affa pessimistic iv noo.

Aye, Dolly wis tellin' me. "Frunkie's in a really black mood," she said. "We wis ha'ein' semolina for wir puddin' yesterday an' he turned doon seconds. I nearly sent for the doctor. In 30 years o' mairriage he's never tuned doon seconds o' semolina."

Michty, Bunty, things is even worse than I thocht. 'At's really worryin' that.

Aye. An' Dolly blames Mr Major. She says tae me, "In a' the years Mrs Thatcher wis Prime Minister, she never pit Frunkie aff askin' for seconds o' the semolina. But Major!"

I ken. Weel, did ye see Major's speech lask wik fan he said, "We need to condemn a little more an' understand a little less."

Aye.

Weel, fan Frunkie Webster heard 'at, he said, "'At's exactly the wye I feel aboot Major. I dinna wint tae understand 'im. I jist wint tae lock 'im up.

Peer Mr Major. He seems sic a nice man.

'At's fit I said tae Frunkie, and Frunkie said, "OK, he's a

nice man. But the boy up the stair fae us that's got the incontinent Alsatian — HE'S a nice man, but he still keeps droppin' us in it."

Weel, faever's tae blame for't, the country's in a richt mess.

An' nae jist the country as a whole. Did ye see fit the Daily Express said aboot Aiberdeen? "It's plagued wi' alcoholism, unemployment, crime an' prostitution."

Aye, I saw that. Fit a chik.

Ye saw it, did ye? Far did you see the Daily Express?

At the bowlin' club. At the AGM, last nicht. Sheena Dargie brocht that Daily Express tae the meetin'. She passed it roon' so's we could a' read that article. It wis a lot o' rubbish, that article, onywye. There wis neen o's recognised Aiberdeen fae fit the Daily Express said aboot it.

Ye mean it wis hardly the description o' a city that his a Social Security office that looks like the Parthenon.

Eh?

Weel, accordin' tae Gordon Adams — the cooncillor mannie, ken? — Greyfriars' Hoose, now that it's been revamped, looks like a Grecian temple.

Awa!

'At's fit he said. He said it looks like the kind o' place ye wid come across if ye wis wanderin' roon' Athens or Rome.

We'll need tae mind that the next time we're wanderin' roon' Athens or Rome.

I canna see us ever ga'n' tae Athens or Rome for wir holidays, Bunty. I'm nae prepared tae spend a lot o' money tae ging tae Athens or Rome jist tae feel we could as well be in the Gallowgate.

Onywye, fitever the Daily Express says, there's naething much wrang wi' Aiberdeen.

'At's richt. Has not our deputy chief constable jist received the Queen's Police Medal?

Aye, he wis the boy that led the police team at the Princess Royal's weddin' in December.

'At's richt. An' fit wis his report efter that operation? The Chiefie says til 'im: "Was there any evidence of terrorists or criminals takkin' an interest in the weddin'?" An' he says. "There wis nae evidence o' ONYBODY takkin' an interest in the weddin'."

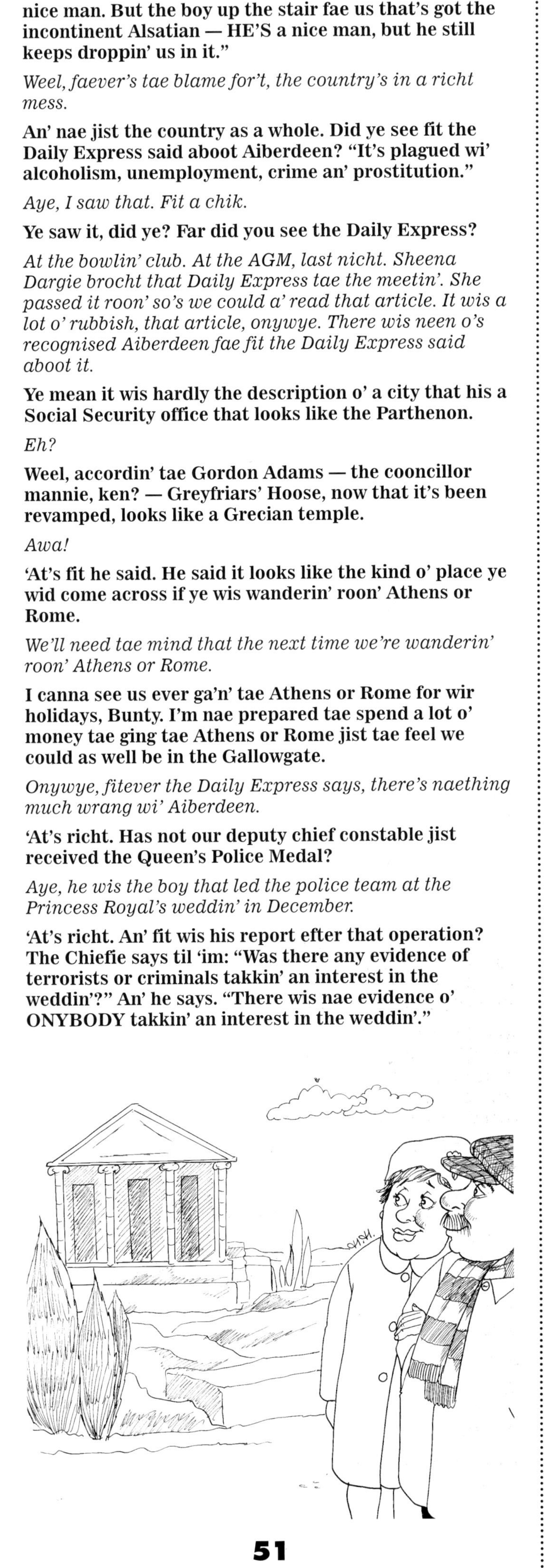

'Will I watch Scotland losin' or will I clean oot Tiddles's cat litter?'

FAR'S the paper?

Here it is. An' for ony sake cheer up. Ye're richt soor, d'ye ken 'at?

Soor? Nae winder I'm soor. I hinna recovered fae the wik-end sport yet. It wis the worst Setterday since my first game for Hilton School an' we got beat 13-0 by Linksfield.

Oh I ken. Setterday wis an affa day a' thegither. But the worst wis Eoin Jess. Peer Eoin.

It wis a bloomin' scandal, Bunty. Yon wisna fitba'. I mean, I've seen some duff referees in my time, but 'at bloke on Setterday! He never even gi'ed us a penalty fan Eoin wis injured. I mean, did he think Eoin hid broken his leg himsel'? Ken 'is? It really mak's ye mad.

Now, Dod. Dinna get worked up aboot it.

Bunty, there's some things in this life that cry oot tae get worked up aboot. There's times fan ye've got tae come oot o' the tall grass, fan ye've got tae stand up an' be coonted.

Sit doon, ye feel.

An' I'm prepared tae say that ref wis rubbish. An' if that means I'll be hauled up afore the SFA Disciplinary Committee, so be it. I'll tak' my punishment like a man — even if the punishment is tae be made tae watch Partick Thistle every wik.

Tories play down 'rift'

GORDON JACKSON

TOP Tories struggled to free themselves today from the bonds of the Major-Thatcher row as they claimed Britain is fighting back and on the verge of economic recovery.

Ye couldna blame the ref at Pittodrie for Scotland gettin' beat at the rugby.

No. But ye'll notice there wis een o' wir best players injured in that game as weel.

Fit I canna understand is that you could bring yersel' tae watch 'at match on Rugby Special on Sunday, even though ye kent England hid won.

It's ca'd masochism, Bunty. But I'll tell ye — at ten past five on Sunday I says tae mysel': "Will I watch the rugby or will I clean oot Tiddles's cat litter?" That wis the choice I hid tae mak'. An' I'll tell ye, Bunty, it wis a very close-run thing. Mind you, if I hid a bad wik-end on the sportin' front, it was even worse for Frunkie Webster.

Fit wye?

Weel, on Setterday mornin' in the Grill a boy offered him odds o' ten to one on a double — Aiberdeen tae win an' Scotland tae win. Weel, Frunkie hid a flutter.

Foo much did he pit on?

I dinna ken, but he hid it a' planned oot fit he wis ga'n' tae dae if he won. He wis ga'n' tae tak' Dolly for a Flyaway Superbreak wik-end in London. Phantom o' the Opera, high tea at the Savoy Grill, the greyhounds at the White City, the 'hale bit, ken? But as things turned oot, he's skint. So he canna.

I dinna think Dolly wid like the Phantom o' the Opera.

Oh, weel, it's jist as weel Frunkie's skint. Phew! That wis a lucky escape. He micht hiv wasted a lot o' money tak'in' her tae that.

Fit's Frunkie sayin' aboot Mr Major's latest wheeze?

Fit latest wheeze? Blamin' Mrs Thatcher for a'thing that's ga'n' wrang?

No, no. This latest thing — the reform o' the honours system.

Weel, it's funny ye should mention that, because I have in my pooch here a piece of paper —

Signed by Herr Hitler and yourself—

Dinna be chikky. This bittie o' paper is the first draft o' a letter fae me tae Mr Major recommendin' Frunkie for a decoration.

A decoration for Frunkie? Fa's idea wis that?

Frunkie's. It's part o' the new honours system. Really deservin' cases can be nominated by onybody. So Frunkie asked me tae nominate him.

An' fit hiv ye said in yer letter?

Weel, I'll read it tae ye. "Dear Mr Major," A'richt so far?

Very good. Says it a'.

"Dear Mr Major, you may not know me, but I feel I know you well enough to submit this nomination of my friend, Mr Francis Webster for the award of a gong. Any gong will do, I leave the choice to you. I can testify that Mr Webster has a magnificent record of service to the Trade Union movement. You may feel from this that you and he have little in common. Well, less than that, I would say. But I have frequently heard you banging on about your idea of a classless society. I promise you an award to Mr Webster would strike a powerful blow for the classless society, because HE has no class whatsoever. Yours etc and oblige."

Weel, Mr Major'll find that hard tae resist.

I wid like to think so, Bunty. I'm ga'n' tae write oot a fair copy the nicht. There's nothing much on the TV is there? 'Is is nae the nicht for Dr Finlay?

No. It's on a Friday. I think it's ga'n' tae be good.

Aye. Nae like A Year in Provence, eh? It's ta'en an affa hammerin'. Naebody seems tae think much o't. A wrang spy by the Beeb by the sound o't.

Aye. I jist canna tak' Inspector Morse scutterin' aboot in France.

No. Mind you, he should be at hame in 'at programme. It looks as if it's ga'n' tae be murder every wik.

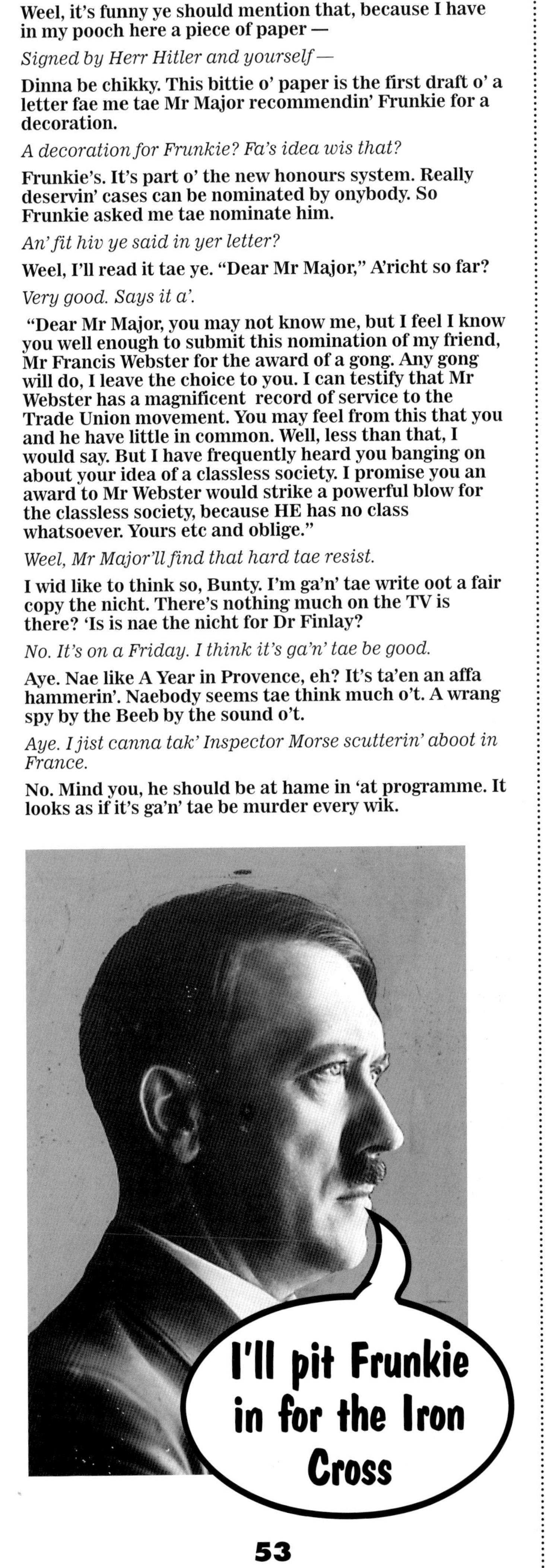

May 11, 1993

'Frunkie can only pit up wi' flyin' if he's fleeing'

FAR'S the paper?

I'll gi'e ye it in a minute. Wait till I finish this story aboot —

Oh, hurry up, Bunty. I'm needin' my time. I'm ga'n oot the nicht.

Far are ye ga'n'?

Weel, I'm sure I dinna need tae tell ye this is the anniversary o' the biggest event in the 'hale history o' Aiberdeen.

Och, I'm fed up hearin' aboot the big blitz.

Nae the big blitz, Bunty. 'At wis last month. Weel, 50 years ago last month.

So fit else his been big in Aiberdeen's history? I ken — Andy Stewart curin' the typhoid epidemic.

No, no.

Norco Hoose winnin' the Charles Rennie Mackintosh award for urban design?

Dinna be chikky.

Oh, I ken. The day yon twa surveyors fae the regional cooncil wis rescued efter bein' lost for three days on the Mountholly roundabout.

PRIME Minister John Major was under notice today he must improve his and his government's performance — or quit.

Following devastating defeats in the Newbury by-election and county council elections, top Tories were today asking themselves if Mr Major is the right man for the job.

No, no. Though that WIS a great day, I will admit.

Wis it the nicht Pavarotti appeared on Bothy Nichts?

Pavarotti wis never on Bothy Nichts. Wis he?

No, but there wis ae nicht on Bothy Nichts there wis somebody affa like 'im. D'ye nae mind? It wis you that spotted it. You said, "Fa dis 'at singer remind ye o'? Pavarotti."

'At's richt. I did.

An' ye were richt. She wis affa like Pavarotti, 'at wifie.

But come on, Bunty. Ye're nae takkin' this seriously. Ye're nae tryin'. The biggest ever event in Aiberdeen's history took place 10 years ago the nicht.

Ten years ago the nicht?

Aye. If I wis tae say, "Peter Weir doon the left wing tae Mark McGhee ... McGhee a perfect cross."

"— tae John Hewitt's heid. Goal!"

Ye div remember!

Of course I remember. Fit a rare nicht 'at wis. Weel, you wisna here for a start.

'At's richt. I wisna here, 'cos I wis THERE, Bunty.

An' me an' Dolly Webster wis watchin' it on the TV. Wi' great enjoyment an' a bottle o' Martini. Fan wis yon winnin' goal scored again.

Eight minutes tae go.

Aye, 'at wis the langest eight minutes o' my life.

Never. No danger. I wis quietly confident we wid hud them oot.

Quietly confident? Accordin' tae Frunkie you couldna watch the last five minutes. Ye pulled the hood o' yer anorak ower yer heid an' kept it there. Except fan ye surfaced twa or three times tae shout, "Gie yer watch a shak', ref. It must've stopped."

Onywye, me an' Frunkie are ga'n' oot the nicht tae relive the Gothenburg glory.

Far aboot?

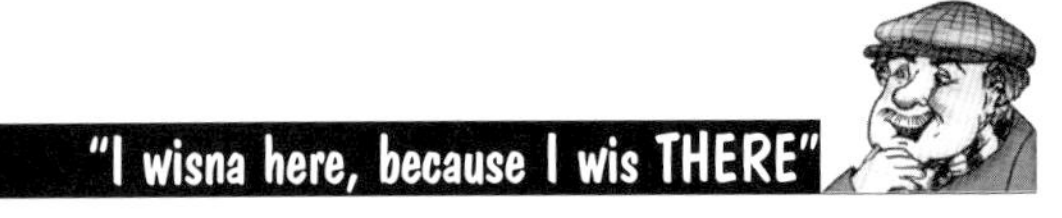

We're ga'n' tae the Inn at the Park. Stanley Smith's place, ken?

Stanley Smith?

Aye, he's a great Stanley. I mind Frunkie eence sayin', "See Stanley Smith? He's an even mair bigoted Aiberdeen supporter than fit we are."

Michty!

'At says it a', dis it? He's a topper o' a bloke, Bunty. Weel, Stanley's ga'n' tae recreate that nicht in Gothenburg in his pub the nicht. Drink at 1983 prices. 1983 bradies on sale —

He'll be pittin' on the sprinklers, will he, tae reproduce the wither they hid in Gothenburg that night?

I widna pit it past 'im. Onywye, I'll hae tae awa' or Frunkie'll be bleezin' by the time I get there. Jist like fan we went awa' in 1983, he wis plootered by the time I met 'im at Dyce. He disna like flyin', ye see. He can only pit up wi' flyin' if he's fleein'.

He's bound tae be in a good mood this wik, though, efter the election results in England.

Oh, aye. He's cock-a-hoop. "Lamont must go," he says.

Some folks are even sayin' Major must go.

Weel, of course, he's nae ga'n' tae ha'e much time for bein' Prime Minister this summer onywye wi' six Test Matches against Australia tae watch. But seriously, Bunty, I think Major an' Lamont are safe enough. I mean fa wid ye pit in their place? The Tory back benches are nae exactly burstin' wi' talent. I mean, admittedly, lookin' at his TV debut in last wik's party political broadcast, it's clear Raymond Robertson is bein' groomed for stardom, but he's hardly prime minister material yet.

Mind you, neither is Major. An' I saw something in the TV Times that made me think the Tories wis in sic a state o' panic they were considerin' bringin' back Ted Heath an' Maggie Thatcher.

Something in the TV Times made ye think that? Fit wis it?

A heidline that said, "Return of Pinky and Perky."

June 8, 1993

'Alan Clark's aye been an affa man for the weemen'

FAR'S the paper?

I'm nae quite finished it. I'll gi'e ye it in a minute.

Oh, come on, Bunty.Should you nae be watchin' Emmerdale iv noo?

No. I'm nae really intae Emmerdale.

Weel, it's time ye were, noo ye're ga'n' tae be losin' Tak the High Road.

Oh, dinna remind me. Fit an absolute disgrace. Fan ye think o' a' the rubbish there is on the TV, it's shockin' that Mrs Mack an' Isobel Blair are gettin' the chop.

Of course this opens up the field for Grampian, Bunty. They could pit on a soap opera set in Aiberdeen. They could ca' it Constitution Street. Or East North Street Enders. Robbie Shepherd could be in it. An' Robin Galloway, An' Kennedy Thomson an' Anne McKenzie an' John Duncanson.

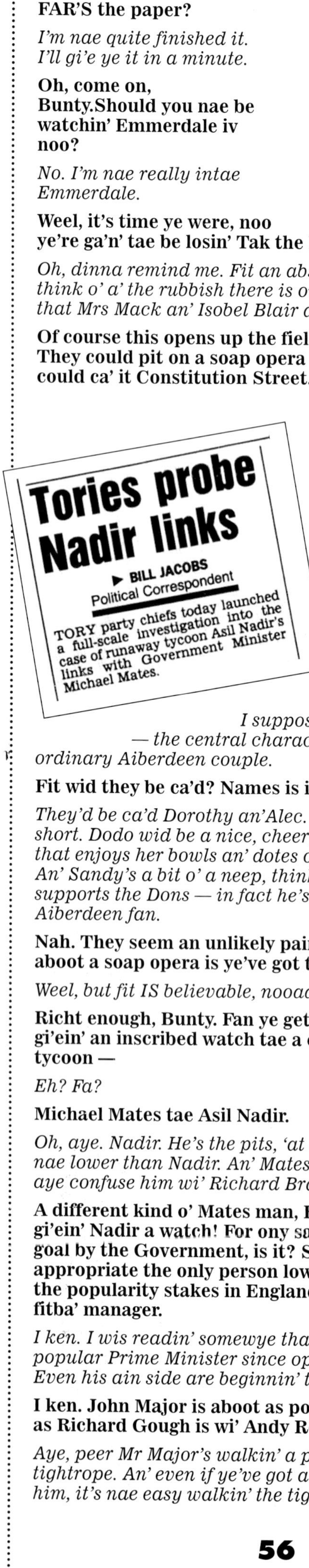

Tories probe Nadir links

▶ BILL JACOBS
Political Correspondent

TORY party chiefs today launched a full-scale investigation into the case of runaway tycoon Asil Nadir's links with Government Minister Michael Mates.

They're nae actors.

It disna metter. Ye dinna ha'e tae be a Laurence Olivier tae be in a soap. 'Cos ye're just portrayin' ordinary folk. It's peasy. Fit could be easier than that?

I suppose ye're richt. So let's see — the central characters could be an ordinary Aiberdeen couple.

Fit wid they be ca'd? Names is important in soaps.

They'd be ca'd Dorothy an'Alec. Dodo an' Sandy for short. Dodo wid be a nice, cheery Aiberdeen hoosewife, that enjoys her bowls an' dotes on her grandchildren. An' Sandy's a bit o' a neep, thinks he kens a' thing, supports the Dons — in fact he's a totally blinkered Aiberdeen fan.

Nah. They seem an unlikely pair, Bunty. The thing aboot a soap opera is ye've got tae mak' it believable.

Weel, but fit IS believable, nooadays?

Richt enough, Bunty. Fan ye get a Minister o' the Crown gi'ein' an inscribed watch tae a crooked business tycoon —

Eh? Fa?

Michael Mates tae Asil Nadir.

Oh, aye. Nadir. He's the pits, 'at bloke. They dinna come nae lower than Nadir. An' Mates is a Minister, is he? I aye confuse him wi' Richard Branson.

A different kind o' Mates man, Bunty. But I mean — gi'ein' Nadir a watch! For ony sake. It's anither own goal by the Government, is it? So it's maybe appropriate the only person lower than John Major in the popularity stakes in England is Graham Taylor, the fitba' manager.

I ken. I wis readin' somewye that John Major is the least popular Prime Minister since opinion polls started. Even his ain side are beginnin' tae ha'e their doots.

I ken. John Major is aboot as popular wi' the Tory Party as Richard Gough is wi' Andy Roxburgh.

Aye, peer Mr Major's walkin' a pretty dangerous tightrope. An' even if ye've got a circus background like him, it's nae easy walkin' the tightrope fan a' yer freends hiv the knives oot.

Thank you, John Cole, for that vivid and perceptive analysis of the Prime Minister's predicament.

The funny thing is the folk who are the keenest tae get rid o' 'im are the anti-Maastricht boys an' the richt-wingers.

Correct, Bunty! Ye're NAE John Cole in disguise, are ye?

But if they get rid o' Major, the only obvious replacement noo is Kenneth Clarke, an' he's even mair tae the left an' mair pro-Europe than Major. It disna mak' sense, dis it?

Bunty, we're nae spikkin' aboot makkin' sense, we're spikkin' aboot politics.

Of course, Onywye, the fact remains that in the space o' two an'a half years Major his made himsel' mair unpopular than Maggie.

Quite an achievement, Bunty.

Nae that Maggie wis unpopular wi' A'BODY. Some o' the boys in the Government fancied her. Like Alan Clark. There wis a programme aboot him on Sunday, an' he said he found Maggie very attractive an' a'body flirted wi' 'er. Of course, he's aye been an affa man for the weemen.

He must've been, if he flirted wi' Maggie. So did he fancy himsel' as some kind o' Lady Thatcherley's lover? Get it, Bunty?

Aye, I get it. Fit did ye mak' o' the first episode on Sunday nicht?

It's gan'n' tae mak' a change fae Mastermind, I'll tell ye that.

Aye. I get the feelin' it's ga'n' tae het up in the next episode.

You could be richt, Bunty, 'cos fit we're seein' is a great work of English literature faithfully translated tae the small sreen.

Aye, an' videoed up an' doon the country. Bits o't. onywye.

Oh, there'll be the odd prurient viewer that disna watch it for its literary merit. Me for a start.

It said in the Radio Times there wis a Lady Chatterley obscenity trial in 1960, an' the prosecutin' counsel asked: "Is it the kind of book you wid wint yer servants tae read?" Fit wid you say tae that?

I wid say, "Yes, provided they gi'ed me a read o't efter them."

August 17, 1993

'There wis a power cut an' the fantoosh new turnstiles widna work'

FAR'S the paper?

Here it is. The sports pages are still full o' Linford Christie's great win. I should think so tae. 'At wis the kind o' sportin' event I really approve o'.

Is 'at cos it wis the purest form o' competition — man against man, a challengin' test o' character, athleticism, muscular power an' mental discipline?

No. 'Cos it wis a' ower in ten seconds.

Fit else is in the paper the nicht?

Weel, here's a riddle for ye. Fit div Gorbachev, Princess Anne an' T. Gordon Coutts QC hiv in common?

T. Gordon fa?

T. Gordon Coutts. He's the boy that's ga'n' tae be conductin' the enquiry intae the alleged bullyin' at St. Nicholas Hoose.

Oh, ay, of course. I mind now.

So div ye gi'e up the riddle: Fit div 'at three folk hiv in common — Gorbachev, Princess Anne an' T. Gordon Coutts?

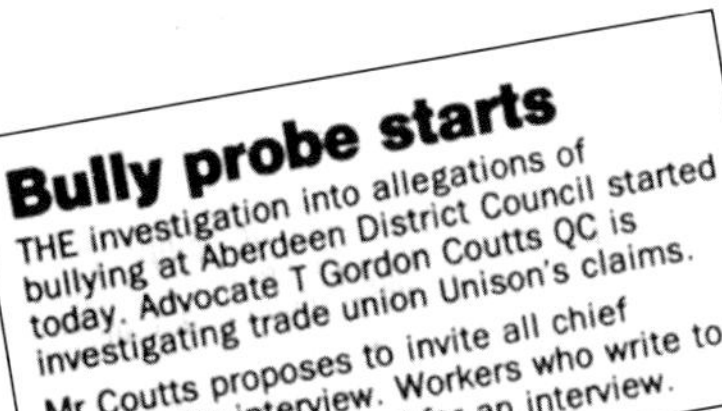
Bully probe starts

THE investigation into allegations of bullying at Aberdeen District Council started today. Advocate T Gordon Coutts QC is investigating trade union Unison's claims.

Mr Coutts proposes to invite all chief officers for interview. Workers who write to him will also be asked for an interview.

They're a' communists. Except Princess Anne an' T. Gordon Coutts.

No. The answer is they're a' comin' tae Aiberdeen this year. Gorbachev tae get the freedom o' the city, Coutts for the bullyin' enquiry an' Princess Anne tae open the Dick Donald Stand at Pittodrie.

Full marks, Bunty. But hey, I'll tell ye', fan I saw the heidline in the paper, "Princess Anne for Pittodrie", I thocht, "A replacement for Willie Miller at last."

Fae the picters I've seen o' the Dick Donald stand it looks good. Wis you in it on Setterday?

No, I couldna get in til't. There wis a power cut, an' the fantoosh new turn-stiles widna work. There wis nae lichts either. An' Frunkie Webster says, "Ye ken fit 'at means? They couldna afford tae pey their electricity bill. Ye see, there's naebody at Pittdorie noo that his Dick Donald's financial know-how. HE wid hiv realised buildin' a new stand wid rin awa' wi the petty cash."

Gettin' back tae this T. Gordon Coutts blokie —

He belongs tae Aiberdeen, disn't he?

Weel, 'at's richt, an' d'ye nae mind? There used tae be a femily o' Couttses bade in Widside.

'At's richt. There wis a 'hale tribe o' them. An' een o' the loons wis ca'd Gordon.

Aye, but I'm pretty sure he didna ha'e T in front o't.

An' he certainly winna ha'e QC efter it.

No. Wee Gordon widna hiv kent fit a QC wis. Weel, nae till he wis up on 'is fifth hoose breakin' charge.

Ken 'is Bunty. It said in the paper this boy T. Gordon Coutts's fee micht be as muckle as fifteen hunner quid a day. I mean, if I'd kent there wis serious money like 'at ga'n' aboot, I'd hiv pit in for the job mysel'.

Dinna be feel. You couldna dae a tricky job like 'at.

There's naething tricky aboot it. An' fit experience his T. Gordon Coutts ever hid o' bullyin'? He wis at the

Grammar School — there wis never ony bullyin' there. But I wis at Hilton Primary, an' I lived through the famous bullyin' epidemic there in the late 40s.

Oh, aye. I mind that.

I wid hope so, Bunty. It wis a cause celebre. It went on for months, an' the heidie couldna get tae the bottom o't. The bairns that were bein' bullied were ower feart tae clype on fa wis daein' it. I mean, I kent fa the bully wis. But I wisna ga'n' tae be a stool-pigeon or it wid hiv been my turn tae get bullied.

An' remind me, Dod, wis the bully ever fun' oot?

Oh, yes, eventually.

Fa wis it?

Daisy Geddes.

Of course. The last I heard o' her she wis an Avon lady. An' fit wye did they rumble her in the end o' the day?

It wis the classic situation, Bunty: the fatal flaw that is the undoin' of a successful criminal. Arrogance, over-confidence, cockiness — call it what you will, but it was Daisy's downfall. She'd got awa' wi't for mair than a year, ye see, but then she got careless an' made her fatal mistake. She clobbered the jannie, fan he catched 'er jumpin' the buttery queue.

Clobbered 'im?

Aye. Hit 'im on the heid wi' her Philip's Standard Atlas o' the World. That wis the give-away. 'Cos that atlas wis the weapon that hid been used in several o' the previously reported instances o' bullyin'.

So the jannie wis suspicious

The jannie wis unconscious. For a meenit or twa. But fan he cam' roon', Daisy wis up afore the heidie an' it a' came oot.

Oh, aye. I can mind. There wis an affa row aboot it.

Fortunately Daisy's folk hid plenty siller. They bade in the bungalows in Hilton Drive. They took her awa' fae Hilton School an' pit her tae Albyn. Or wis it St Margaret's? Fitever een it wis, fan she went there she passed unnoticed. She wis nae tougher than ony o' the rest o' them.

'Some wiks the bradies at the Beach Ballroom wis affa'

FAR's the paper?

Here's it. It's an affa shame that Gorby's got the flu.

Weel, there's a lot o' it ga'n aboot. But it must've hit 'im pretty sudden. I saw 'im in the Billermakers' last nicht, an' he wis fine. Fairly plootered, ye ken, but fine.

Fit ye spikkin' aboot?

Forbie. Forbie Simmers. Ye said he hid the flu. I'm sorry tae hear it. Though I widna hiv thocht it rated a mention in the Evenin' Express.

Nae Forbie, Gorby. Mr Gorbachev. He's got the flu. But they dinna think it'll stop 'im comin' tae Aiberdeen for the freedom ceremony next month.

Weel, he widna wint tae miss that. It widna be the same withoot 'im.

An' fit aboot the denner at the Beach Ballroom the nicht afore? A hunner quid a ticket! A' I can say is the caterin' at the Beach Ballroom must've improved since we used tae ging tae the dancin' there on a Setterday nicht. Some wiks the bradies wis affa.

I think they'll be changin' the menu for Mr Gorbachev, Bunty. But I'll tell ye this, Frunkie Webster's nae pleased aboot the wye this denner's been handled.

Oh?

Weel, we never heard naething aboot it till there wis a bit in the paper last wik sayin' it wis selt oot. Frunkie wis furious.

Far wid Frunkie hiv got a hunner quid tae spend on a denner?

Oh, he widna hiv gone. But it's the principle o' the thing. He should've got the chunce til.

Weel, richt enough, I suppose. I mean, he's aye been a great fan o' Gorby's.

Certainly he's closer tae Gorby politically than maist o' the fa's fa that'll be ga'n tae the denner. Though I wis jist thinkin' — a hunner quid a ticket — 'at's nae jist for the food, even if they hiv changed the menu an' the folk'll get a bittie roast beef instead o' bradies.

So if it's nae for the food, fit IS it for?

Weel, Gorby's giein' a lecture. The hunner quid a ticket'll be tae cover his fee as weel.

He must be gettin' a bigger fee than Maggie Thatcher got for spikkin' at the Robert Gordon University recently.

Weel, but Gorby kens the folk'll come. So he can name his figure. It's a' aboot market forces. an' fan the chips are doon, Gorby kens mair aboot them than Mrs Thatcher dis.

Oh, they winna be gettin' chips will they? Nae wi' roast beef. Wi' a bradie now, chips wid be fine.

Are you takkin' the mickey, Bunty? Oot o'this historic occasion?

TOUGH-TALKING TV cop Taggart has an improbable fan — the Queen Mother, it emerged today.

At the age of 93, she had sat spellbound through the first two episodes of a three part series starring the gritty Glasgow detective.

But she missed the third episode.

Within days of her disappointment being made known, a video of the hour-long episode was rushed to Clarence House by senior STV officials.

I suppose it is historic. Wid ye say it's the maist historic occasion we've hid in Aiberdeen?

Weel, since Gothenburg, certainly.

So they'll mak a video o'this visit as weel, an' ca' it "The Glory of Gorbachev".

Well, they micht. If Jack Webster's available. Did ye see the picter in the paper last wik fan they were launchin' the Gothenburg video? Ye saw Jack Webster in his rain-coat, an' Willie Miller in his track-suit, an' the caption said: "Jack Webster (left)..." I mean, foo mony folk in Aiberdeen needed assistance in workin' oot fit een wis Jack an' fit een wis Willie?

Ah, but sometimes things in the paper isna clear. Like last wik, I couldna understand it fan I read there hid been an affa hoo-ha 'cos the Sunday Mirror hid printed a photie o' Princess Di workin'.

Princess Di workin'?

Aye, workin'. Oot at a gym. I mean fit wis she working' 'at? An' fit wis she daein' oot a gym?

No, no, Bunty. She wisna workin' — oot at a gym. She wis workin' oot — at a gym. "Workin' oot" — it's a late 20th century expression, meanin' "daein' yer exercises."

Could I dae it?

No. It's nae for the likes o' you, Bunty. It's for folks like Princess Diana an' Jane Fonda that ar'na in sic good shape as you. Mind you, if I thocht getttin' you kitted oot in a leotard an' takkin' yer photie could bring in a hunner thoosand quid, I micht encourage ye tae ha'e a go.

Na, na. Ye widna catch me in a leotard.

Catch ye? I widna even chase ye.

Dinna be chikky. But I'll tell ye, I'm sorry for Princess Di. It's affa the wye the press is aye houndin' 'er.

Ach, awa'. Fit wye did she need tae ging an' dae physical jerks in a place like 'at onywye. Can ye imagine Queen Victoria workin' oot? Or aul' Queen Mary? Or the Queen Mum.

Weel, nae durin' Taggart onywye.

An' of course Di his aye got tae ha'e the richt gear for onything she dis.

Weel, she can afford it.

Aye, iv noo she can. But she wid be classed as a single mum noo. She'll ha'e tae economise on the leotards if Peter Lilley cuts her allowance.

January 4, 1994

FAR's the paper?

Here's it. But ye hinna muckle time. We're ga'n' oot first-fittin' the nicht. We've still a lot o'folk tae get roon'.

Richt enough. an' we dinna wint tae be still first-fittin' folk in September like we wis last year. Hiv we got ony first-fittin' gifts? Far's 'at box o' dates that Eddie an' Flo Mutch first-fitted US wi'? We'll tak' that tae the Sangsters.

'There wis one half bottle o' Mateus Rose that wis in just aboot every hoose in Mastrick'

Dod! Ye canna dae that.

Fit wye nae? It maks sense. I mean, you an' me dinna like dates...

Canna stand them.

The Mutches dinna like the Sangsters...

Canna stand them.

So they'll never be neen the wiser aboot fit's happened tae their dates. I'll bet THEY never bocht them onywye.

I still think it's nae richt.

Awa' Bunty. A'body dis it. It's part o' Scotland's culture: first-fittin' gifts dae the rounds. Naebody actually uses them or eats them. Or drinks them. I mind the year — 1978 I think it wis — there wis one half bottle o' Mateus Rose that wis in just aboot every hoose in Mastrick.

'All hell' at Marks & Spencer

BARGAIN-HUNTERS were out in force today as high street stores kicked off their January sales.

Hundreds of sales-mad shoppers were queueing outside Aberdeen's Marks & Spencer in sub-zero temperatures at 9.30am today.

Oh, aye, I mind that. We got it twice. I wonder fa ended up wi't.

Weel, faever it wis, they're lucky. It must be vintage by this time.

Onywye, 'ats the New Year just aboot ower again. Thank goodness.

Oh, come on, Bunty. Dinna be sic a weet blunket. It's an excitin' time, the New Year. Makkin' a new start, ken? I think a'body should ha'e at least one New Year resolution.

Like yersel'? You've got one New Year resolution — tae stop smokin', an' ye mak' it every year.

Weel, I think a man should be consistent in these matters.

An' every year ye're smokin' again afore...

Afore the end o' January?

Afore the end o' January the first. It wis ten minutes efter midnicht this year.

Weel, Frunkie Webster wis handin' roon' his fags. It wis a once-in-a-lifetime offer, Bunty. I couldna refuse it.

His Frunkie got ower nae bein' on the New Year's Honours List?

Oh, aye. In fact, he's opposed tae the 'hale idea o' the Honours List again. He wis in favour o't for three months atween the time the boys at the Bilermakkers pit 'im up for't an' last Friday fan he fun' oot he wisna on it.

Mind you, there wis mair than seven thoosand ordinary folk recommended for it. They wouldna a' get something.

No. An' I dinna think the boys at the Bilermakkers played it very clever. Fan they got the form tae fill up an' they cam' tae the bittie that said, "Actual decoration recommended," they should never hiv pit 'VC'."

So Frunkie's agin' the Honours System again?

Aye. He says tae me last wik: "Did ye see 'at traffic warden wifie doon in England that got the MBE? She's naething but an instrument o' privilege. She's like the Queen, 'at wifie. Her an' the Queen are two planks in the pyramid of corruption that is this country's class structure."

Fit rubbish!

I'm inclined tae agree wi' ye, Bunty. I mean, I welcome the award o' a Sir tae Ian Wood.

Oh, aye. Though mind you, it really surprised my mither. She's aye thocht the Wood Group wis a bunch o' folk that selt kin'lin' roon' the doors.

Yer mither really enjoyed her outin' tae the sales last wik.

Oh, aye. She looks forward til't every year. I must say it's turned oot te be een o' yer better ideas.

Thanks, Bunty. A kind word already this year, and it's only the fourth o' January.

Mind you, I must say it's a bittie weird. Maist folk that hiv grunnies in their eighties tak' them tae Pitmedden Gairdens or Craigievar Castle or places like that. But you tak' oor grunnie tae the January sales.

Weel, I like tae tak' her somewye far she can use her Commando trainin'.

An' ye cam' hame in a taxi fae the sales?

Aye, yer mither stood her hand. She says: "I've bocht this jecket in Markie's for fifty quid — reduced fae ninety. 'At means I've saved forty quid the day. So we'll jist tak' a taxi home." I think you tak' your logic aff yer mither, Bunty.

Weel she wis delighted wi' her jacket. 'At wis it she wis wearin' on Hogmanay tae watch the TV.

I thocht it wis great the midnicht bells wis televised fae Aiberdeen. It fairly pit the Central Belt's gas doon tae a peep.

Aye, it wis very good. It wis terrific seein' een o' the sichts o' Aiberdeen a' lit up.

An' very good Robin Galloway wis, Bunty.

'The mince was fed intae the computer'

FAR'S the paper?

Comin' up. Here's it.

Thanks, Bunty. Fit's it sayin til't the nicht? Oh, nae mair aboot the Donald Macdonald business. For ony sake.

Macdonaldgate. 'At's fit they're ca'in' it. Fit wye div they ca'it that? 'Cos he worked near the Castlegate?

No, no, Bunty. If ye stick "gate" efter a word, it means there's a scandal. It comes fae Watergate. D'ye mind Watergate?

'At wis Nixon, wisn't it?

Aye. He wis up tae something a lot less reprehensible than maist o' the things his much loved successor Hopalong got up til. Mind you, Reagan wis sleepin' maist o' the time, so ye couldna really blame 'im.

It's amazin' the amount o' space the local papers hiv gi'en ower tae this Macdonald business.

It's unprecedented, Bunty.

I dinna ken aboot 'at, but I've never seen naething like it.

I ken. Ye wonder foo mony stories o' rivettin' local interest hiv hid tae be left oot o' the paper lately, 'cos there's been nae room for them. Foo mony burst pipes at Mastrick hiv gone unreported? Foo mony musical an' dramatic triumphs sooth o' the border for promisin' Aiberdeen performers hiv gone unsung? Foo mony former NE men kickin' the bucket in foreign climes hiv gone unmourned?

> ABERDEEN'S first citizen today refused to explain why disgraced council chief Donald Macdonald is being offered an enhanced severance deal.
>
> Lord Provost James Wyness hung up when the Evening Express contacted him this morning.
>
> He would make no comment on the deal being offered to Mr Macdonald.

I ken. A' because o this mannie Macdonald.

If ye're ga'n' tae be pit aff the road for some drivin' peccadillo, this his been the month for yer case tae come up, 'cos naebody'll ken aboot it. Naebody'll read aboot it, onywye. Though mercifully the grapevine remains very effective in cases like 'at.

I ken exactly fit ye mean aboot local stories takkin' a back seat iv noo. Ye ken Mrs Gatt, her that bides next door tae my mither? Weel, she fell aff a Scatterburn bus last wik —

An' there wis naething in the Eveing' Express aboot it. Precisely my point, Bunty. Did she hurt hersel'?

Weel, she skint her knee, but her pride wis wounded a bittie, an' her messages went skitin' a ower the pavement. An' fan she got hame, there wis a pun' o' mince missin! Een o' the Good Samaritans that helped her tae pick up her messages must hiv pooched it.

Wait a minute. If I remember my Bible stories, Samaritans wore lang frocks. I widna hiv thocht they hid pooches big enough tae hud a pun' o' mince. But I get the picture, Bunty. An' it's the perfect illustration o' fit I'm sayin'. Here's a story o' disaster, bloodshed, compassion, iniquity disguised as succour, cynicism —

An' mince.

An' mince. An' nae a word aboot it in the paper.

I ken. I think it' shockin'.

Did Mrs Gatt ever get her mince back?

I hinna heard if she did. I ken she went tae Queen Street an' reported the 'hale thing tae the lost an' found, an' the mince wis fed intae the computer.

A recipe for computer dysfunction, I wid hiv thocht.

Weel, Mrs Gatt wis very impressed wi' a' the technology

the bobbies hiv got tae help them nooadays, an' she's very hopeful. She thinks it's jist a metter o' time afore her pun' o mince is —

Recaptured?

Aye. Weel, she kens a' the squad cars is keepin' a look oot for't.

Fan did a' this happen? Fan did she loser her mince?

Last Monday.

Last Monday? Weel, there's ae thing — the bobbies winna need tae use the sniffer dogs on this case. By this time, if that pun' o' mince is still in captivity somewye, even the maist adenoidal constable should be able tae track it doon.

But even if the mince is recovered, will it end up in the paper?

It'll end up in the bucket, I wid hope. But I ken fit ye mean, Bunty. Macdonaldgate will rin an' rin. Look at a' the letters there's been in the paper. An' that's nae them a'. The eens they've printed hiv jist been a drap in the iceberg. I mean, the Post Office revenue for the month o' February in Aiberdeen must've broken a' records. An' it's a' been first-class stamps. Folk that are keen enough tae pit in their tippenceworth think naething o' spendin' the extra 6p. 'At wis certainly Matt Sinclair's attitude.

Matt Sinclair wrote a letter?

You may well be astonished, Bunty. Apparently it's the first letter Matt's written since 1944, fan he scived aff the school an' forged a letter fae his Ma tae the teacher.

An' of course it's nae jist the Evenin' Express. The Press an' Journal's been full o't an' a'.

At's richt. Frunkie Webster cut oot an editorial for me fae last Tuesday's Press an' Journal. I've got it here. Listen tae this. It accuses the Cooncil o' "vacillation, ineptitude, incompetence, inanity, dilatoriness, indeciveness and disingenuousness."

So are they for or against the Cooncil? Ken 'is, there's only one o' that words I've ever heard afore.

Fit een?

"And".

'I'm like Dod - fed up readin' aboot Macdonaldgate'

'It's easy tae overlook things in a flittin'

FAR's the paper?

Here ye go. I hinna looked at it yet. I dinna think I will be lookin' at it. I hinna time tae read the paper. I'm absolutely hooked on my book.

Fit book is it?

Middlemarch. I've bocht the paperback. 'Cos richt fae the first episode on the TV I thocht it wis terrific.

I could see that, Bunty. I got that message fae the wye ye shooshed me fan I came in in the middle o't. An' are ye enjoyin' the book? Foo lang is it? an' foo far hiv ye got wi't?

TELLY addicts are falling over themselves to get their hands on the hottest new novel.

They are putting down raunchy bestsellers by Jilly Cooper and Jackie Collins to pick up a 19th century classic.

The 120-year-old novel, Middlemarch, has been selling like hotcakes since the £6.5million adaptation hit the small screen.

George Eliot's £3.99 paperback is top of the book charts

It's nine hunner pages. An' I'm half-wye doon page 13. No, I tall a lee. I'm three-quarters o' the wye doon page 13.

Oh, 'at's nae sae bad. Only 887 an' a quarter pages tae go.

I ken. but I'm ga'n' tae ha'e tae spend mair time on it. 'Cos I've promised tae lend it tae Dolly Webster fan I've finished it.

Hiv the Websters been watchin' it?

Oh, aye.

I jist wondered, 'cos fan I asked Frunkie if he liked Middlemarch, he said, "Nae a lot, but it's better than the beginnin' o' January." But I think that wis a joke.

YOU may think that wis a joke. Nae mony folk wid.

Actually, Bunty, I'm surprised Dolly's wintin' a lane o' yer book. I widna hiv said she wis a Middlemarch type o' person.

You obviously dinna ken fit "Dolly" is short for.

No. Fit is it short for?

Dorothea.

Dorothea? Dolly Webster's real name is Dorothea?

Aye. Fit a wonderful woman!

Dolly Webster?

No! Dorothea in Middlemarch.

Oh. I ken fit ye mean. She is a pentagon of all the virtues, I must admit.

Weel, I identify wi' Dorothea.

Oh, come on Bunty. Be honest wi' yersel'. You canna claim tae ha'e a' Dorothea's admirable qualities.

It's nae sae much that I've got her admirable qualities, but I ken fit it's like tae be mairried tae a borin' baldy-heided mannie, like fit she wis. An' I wid remind you that fan the baldy mannie wis oot o' the road, she wis awa' wi' the good-lookin' passionate young politician. I mean, the langer the story went on, the mair I identified wi' Dorothea. So watch oot.

Dinna be feel, Bunty. You're nae the kind tae be swept aff yer feet by some passionate young politician. Like Hartley Booth, for instance. Did ye see the picters o' the young lassie he took up wi'? But he said it wis a' platonic. There wis nae hankie-pankie. Weel, if he didna funcy ony hankie-pankie wi' yon dame, I dinna see YOU turnin' him intae a Tim Yeo or a Davie Mellor. Nae that I dinna find your maturer charms allurin' in their ain wye, Bunty. An' spikkin' aboot allurin' charms an'

passionate politicians, did ye nae tak' a shine tae Mr Major fan ye saw 'im in his Russian hat?

Oh dinna spik! D'ye mind fan we saw Dr Zhivago? Omar Sharif wore a hat like 'at, an' it really turned me on. I'm afraid Mr Major's nae in the same league. I mean, the hat wis the same, but in below it — ye widna believe substitutin' a pair o' specs for a sexy mowzer could mak' sic a difference.

I ken. I mean, the hat jist didna work for Mr Major. In fact I wondered if it hid belanged tae Mrs Thatcher, 'at hat, an' she'd left it lying aboot Number Ten — like the diamonds, ken? I mean, it's easy deen tae overlook things in a flittin', especially a sudden flittin'.

Weel, I suppose it could be Mrs Thatcher's hat. But the diamonds is different.

Is 'at the diamonds that Norma Major wore?

Aye. An' Maggie gave the Prime Minister an' affa row ower the phone for lettin' Norma wear them.

Aye, 'cos they'd been a gift tae Maggie fae een o' her Arab cronies.

Ah, but they'd tae be coonted as the property o' the state, 'cos the Prime Minister can only accept personal gifts up tae £25 in value, an' that diamonds exceeded the limit by a few hunner thoosand quid by the look o' them.

I see. So the diamonds are regarded as state property, an' 'at's the wye Maggie Thatcher his pit the wind up oor leader an' stopped 'im fae lettin' his wife wear them.

'At's richt.

So dis 'at mean that if onybody is tae wear them, it his tae be John Major himsel'?

Aye. An' I'll tell ye this. They widna look near as feel on 'im as his Russian hat.

Weel, I'll get on wi' my paper, an leave ye tae yer book, Bunty. It's funny, I wis jist thinkin': if you identify wi' Dorothea, the heroine o' Middlemarch, I identify wi' the author.

Wi' the author?

Aye, Dod Eliot.

March 15, 1994

'Frunkie didna understand aa'thing that Professor Mackinnon said'

FAR'S the paper?

I'll gi'e ye it in a min'tie. Jist hud on 'til I peel my banana.

A'richt. Peel yer banana. Bud dinna leave the skin on the fleer, or sure as eggs is eggs some Government minister'll come in an' slip on it.

There's nae Government minister comin' here, is there?

No,no. Jist a joke.

Joke? You must be jokin'. I never heard nae joke.

Weel, there's a lot o' Government ministers been daein' feel things lately, tae Mr Major's great embarrassment. An' ony time that happens, the media boys say, "Oops! Anither banana skin. Fa's slipped on this een?" It's jist a colourful figure o' speech signifyin' yet anither monumental ministerial mess-up. An' the latest een tae dae it is William Waldegrave.

William fa?

William Waldegrave. The Minister for Open Government. I bet Major wishes he hidna been quite sae open last wik. In fact, I bet Major wishes Waldegrave hid shut up a' thegither last wik.

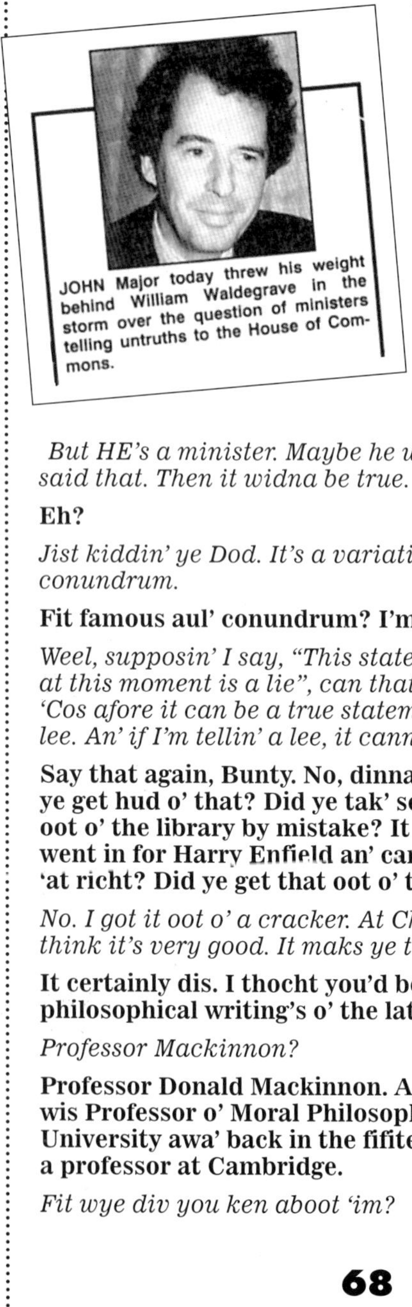

JOHN Major today threw his weight behind William Waldegrave in the storm over the question of ministers telling untruths to the House of Commons.

Fit wye? Fid did he say?

He said that sometimes, in exceptional circumstances, a minister has tae tell a lee.

Did he? Did he say that sometimes a minister tells a lee?

Aye.

But HE's a minister. Maybe he wis tellin' a lee fan he said that. Then it widna be true.

Eh?

Jist kiddin' ye Dod. It's a variation on the famous aul' conundrum.

Fit famous aul' conundrum? I'm nae wi' ye Bunty.

Weel, supposin' I say, "This statement that I'm making at this moment is a lie", can that be a true statement? 'Cos afore it can be a true statement, I hiv tae be tellin' a lee. An' if I'm tellin' a lee, it canna be a true statement.

Say that again, Bunty. No, dinna. Dinna bother. Far did ye get hud o' that? Did ye tak' some philosophical work oot o' the library by mistake? It sounds as though ye went in for Harry Enfield an' came oot wi' Aristotle. Is 'at richt? Did ye get that oot o' the library?

No. I got it oot o' a cracker. At Christmas. An' I kept it. I think it's very good. It maks ye think, dis it?

It certainly dis. I thocht you'd been readin' some o' the philosophical writing's o' the late Professor Mackinnon.

Professor Mackinnon?

Professor Donald Mackinnon. A great man, Bunty. He wis Professor o' Moral Philosophy at Aiberdeen University awa' back in the fifites. Then he went tae be a professor at Cambridge.

Fit wye div you ken aboot 'im?

Weel, he wis a great socialist. He gave lectures, came tae address meetin's. Frunkie Webster telt me aboot 'im. He wis a big influence on Frunkie. An inspiration, really. I mean Frunkie didna understand A'THING that Professor Mackinnon said. There wis only een or twa folk, like Einstein an' Bertrand Russell an' maybe Bob Middleton that did.

He wis a bittie eccentric, Professor Mackinnon, wisn't he? There wis a lot o' stories aboot 'im.

Oh, aye. Stories? They were legion, Bunty. I like the een aboot him ga'n' intae a post office an' askin' for a tuppence-ha'penny stamp. The wifie brocht oot a great big sheet o' stamps an' wis jist aboot tae teer een aff the edge fan Professor Mackinnon pinted tae een richt in the middle o' the sheet an' said, "I'll have THAT ONE." Of course, a lot o' the stories aboot him wis apocryphal.

Weel, 'at een wis very apocryphal. I really enjoyed it. Ha, ha, ha!

No, no, Bunty. "Apocryphal" means it probably wisna true. I mean, a lot o' the stories aboot 'im WIS true, but he wis the kind o' man that ,weel, the legends aboot 'im jist multiplied, ken! Yes, a great man. A big man physically as weel.

Like Pavarotti? Did ye see the first train tae ging through the Channel Tunnel his been ca'd efter Pavarotti? A' the trains are ga'n' tae be ca'd efter singers.

Weel, I can imagine a train ca'd The Pavarotti gettin' up a good heid o' steam.But the Mick Jagger wid jerk aboot a bit, an' The Daniel O'Donnell wid be that peely-wally it wid never get oo o' the station.

I didna ken he wis a singer.

Fa?

Donald Macdonald. The chief executive boy, that the Cooncil...

Nae Donald Macdonald. Daniel O'Donnell. No, no, Donald Macdonald's nae a singer. Though accordin' tae Frunkie Webster, een o' the stories ga'n' roon' the Cooncillors' coffee room is that Donald Macdonald is wintin' tae be the lead singer wi' the Three Degrees.

Fit?! Donald Macdonald wints tae jine the Three Degrees?

Weel, ye ken fit they say: "If ye canna get them, jine them".

March 29, 1994

'Hitler didna like Charlie Chaplin ye ken'

FAR'S the paper?

Here ye go. There's mair letters in the nicht fae mannies that used tae be message loons — tellin' us foo much they were peyed a wik, an' foo big their bikes wis. Fascinatin' stuff.

A piece o' nonsense. I mean, durin' the War I wis a message loon on a bike. But I never made a song an' dunce aboot it. I kept it tae mysel'. An' I'm nae ga'n' tae blab aboot it tae the media noo.

I wis in your class at the school a' through the war, an' I never kent you wis a message loon.

There ye go, of course ye didna. 'At's fit I'm tellin' ye. I didna spread it aboot. Careless talk costs lives, ye ken.

Fit ye haverin' aboot? Fa wis you a message loon for, onywye?

Reuben Laing. Reuben Laing, the sausage king. I delivered meat a' the wye alang Great Northern Road an' Clifton Road.

An' ye never telt me.

I never telt naebody. It wis classified information, 'at. The Germans didna ken aboot it. If they hid, I widna be here now, Bunty. They'd hiv sent ower a squadron o' Heinkels tae tak' me oot. 'Cos ye see, the war wisna jist focht in Europe an' North Africa. The Home Front wis jist as important. An' of course the Home Front wis a' aboot morale. An' if the Germans hid kent fa the key figure wis in the distribution o' mince an' bilin' beef tae the civilian population o' North Aiberdeen. I wid hiv been richt up there at the tap o' Hitler's hit list, efter Churchill an' Charlie Chaplin. Hitler didna like Charlie Chaplin, ye ken.

I dinna blame 'im. I never liked Charlie Chaplin. He never made me laugh.

No, no. Hitler didna like Charlie Chaplin, 'cos Charlie sa'irised im.

Oh, 'at sounds painful. So is 'at the wye Hitler only had one — ?

No, no. Sai'irised, nae cau'erised. Charlie Chaplin made folk laugh at Hitler. An' Hitler didna like 'at. He took himsel' affa seriously, Hitler.

Did he? Weel, 'at explains a lot. Ye need a sense o' humour, div ye? Ye'll never get on without a sense o' humour. So Hitler wis never ga'n' tae win the war. If he'd hid a sense o' humour, now, things micht hiv been very different. There wid be a big row in Germany in noo aboot whether oor folk should get tae THEIR VE anniversary celebrations.

Aye. Time fairly flies, dis it? It's 50 years since D-Day. I can mind D-Day as if it wis yesterday. I wis deliverin' a bittie o' brisket tae Mrs Galloway in Pirie's Lane, an' she says tae me, "Dod, this looks like the beginnin' o' the end."

An' fit did you say?

I said, "Dinna blame me. I'm jist the message loon. I dinna ken fit bit o' the beast they cut the beef aff o'."

There's a' kinds o' anniversaries comin' up, is there. The 200th anniversary o' Union Street on the 24th o' July.

ABERDEEN is planning Scotland's biggest ever street party to celebrate the 200th birthday of Union Street.

Up to 45,000 people are expected as, for the first time in its history, the entire length of Union Street will be closed off to traffic.

Sunday, July 24, is the historic day when cars and buses will give way to music, magic, circus acts, street theatre and all the fun of the fair.

Aye, I see the Cooncil are layin' on a great street pairty 'at day.

Will it be like the VE Day celebrations? Will a' the veterans get tae come back for a day?

Veterans? Fit veterans?

The Union Street veterans. Ken? Watt an' Grant's, McMillans, A. C. Little, Collie's, Woolies.

I think there wid be logistic difficulties aboot that. Woolies comin' back wid depend on McDonalds' co-operation, an' I canna see that happenin'.

McDonald's co-operation? At mannie again. Can they nae jist pey' im his pension an' tell 'im tae ging awa'"

Nae that Macdonald, ye feel. But hey! did ye see his job wis advertised last wik? Aye, in the national press. It wisna in the Evenin' Express. Which shows they clearly dinna think there's onybody in Aiberdeen could fill Macdonald's shoes.

Weel, there's naebody in Aiberdeen got a' Macdonald's qualifications. Nae even Macdonald. But he'll be a hard man tae follow. I mean a hard ACT tae follow. No, as you were. A —

The advert says applicants for the job must have exceptional leadership, authoritative managerial skills an' assertive personal qualities.

Michty! It sounds as if they're tryin' tae attract Maggie Thatcher. She's at a loose end iv noo. Jist fillin' in time till Major gets kicked oot an' she's summoned back tae save the nation.

Oh, weesht! She didna look much like a saviour in Chile last wik. Did ye see her?

Aye. But they said it wis a tummy upset. Did the Chilean food disagree wi' her, div ye think?

It widna hiv dared, Bunty.

'Morals is a funny business'

FAR'S the paper?

Here's it. I'm enjoyin' readin' a' the stuff aboot D-Day. Are you?

Aye. 1944, eh? I wis 13. Fan ye're a loon o' 13 ye dinna realise ye're livin' through history.

I ken. Tae us history wis Bannockburn an' Flodden an' think like 'at.

I never liked Flodden. I enjoyed Bannockburn. I mind in my history book the pages aboot Bannockburn were a' grubby an' dog-eared. I think a' the bairns that hid hid the book afore me must've been Bannockburn fans an' a'.

So can you mind onything aboot D-Day? Fit did you dae 'at day?

Weel, I got a row fae the teacher at the school; efter my tea I played fitba' in the Stewart Park; then I went doon tae the Silver Grill for a bug o' chips wi' Stevie Allan an' Ally Davidson.

FORMER Cabinet member Alan Clark's mood today shifted from good-natured joking to criticism of remarks made about him in newspapers by former judge's wife Valerie Harkess and her daughter, Josephine, his former lovers.

Michty, we're spikkin aboot 50 years ago. Fit wye can ye be sae sure o' a' that?

'Cos a' that happened every day. I canna believe D-Day wis ony different.

Gettin' back tae Bannockburn an' Robert the Bruce, did ye see the Americans are ga'n' tae be makkin' twa new picters aboot twa ither Scottish heroes — William Wallace an' Rob Roy? William Wallace is ga'n' tae be played by Mel Gibson, an' Rob Roy —

Dinna tell me — Walter Matthau.

No. It's Liam Neeson — the boy that's in Schindler's List.

Fit a piece o' nonsense. We should get wir ain back — we should mak' a picter aboot America fechtin' for its independence wi' Rab C. Nesbit as George Washington.

Bill Clinton's ower in Europe for D-Day. I wonder fit George Washington wid mak' o' him.

I dinna ken. I notice he went tae see the Pope last wik. Wid that hiv been tae confess tae a' his shenanigans, d'ye think?

No. The Pope widna hiv hid time for that. Michty, he wid hiv been there a' day.

He seems tae hiv been a bit o' a lad. Clinton.

Sae wis Kennedy, of course. But the difference wis we didna ken aboot it fan he wis President. So 'at wis a' richt.

Yes, morals is a funny business.

I mean, Kennedy slept wi' Marilyn Monroe. Can ye imagine it?

Jist gie me a minute, an' I'll ha'e a bloomin' good try, Bunty.

Dinna be disgustin'. Ye're as bad as Alan Clark.

Nae such luck.

Dod!

Jist jokin' Bunty. I mean, look at Alan Clark — a millionaire, bides in a castle, mair weemen than Roy Hattersley's hid hot denners — fa wid wint a life like 'at? I mean, is he happy? 'At's the important thing.

It's his wife I'm sorry for.

Weel, I hope ye remember that, Bunty, the next time ye gie me a row for comin' intae the lobby wi' dubs on my sheen. Jist remember, it could be worse — I could be sleepin' wi' a judge's wife an' her twa daughters.

Awa ye go. You dinna ken only judges.

I div. Angus McInnes. He's been a judge at the Lonach an' at the Braemar Gatherin' for years. Mind you, hiv ye

seen his wife? Ye've naething tae worry aboot there, Bunty.

There ye go, makkin' sexist remarks again. I can see I'm never ga'n' tae get you educated intae bein' politically correct. Fit a woman looks like disna metter a docken. Ye've tae judge her as a person that jist happens tae be female. An' like it or no', Dod, it's comin'. Mair an' mair weemen are gettin' top jobs. I mean, in the last twa wiks we've got a new Chief Executive for the city, an' she's a woman, an' a new regional convener, an' SHE's a woman.

I ken. Are ye nae ashamed o' yersel', Bunty? Fit wye can you nae achieve something like 'at? I mean, I really am a' in favour o' weemen gettin' their shottie.

Weel, I wid hiv liked tae hiv been standin' in the Euro elections on Thursday. I really fancy bein' the North-east woman in Brussels.

Oh, 'at's jist nae on, that.

Fit wye nae?

Weel, fa wid bile my egg in the mornin'?

For ony sake!

No, no. All considerations o' political correctness aside, we're talkin' the fundamental law o' nature here. There are some skills that are given only tae the female of the species, an' bilin' an egg is een o' them.

Fit rubbish ye spik. Gi'e you six months o' an evenin' class in cookery, an' three months individual tuition fae Delia Smith, an' by the end o' that you could be well on the wye tae learnin' tae bile an egg. There's naethin' tae stop a man fae bilin' an egg, jist like there's naethin' tae stop a woman fae rinnin' a city or a region. I'll tell ye this, if we hid a District Cooncil consistin' o' naething but weemen we widna be ha'ein' the nonsense o' celebratin' Union Street's 200th birthday mair than 10 years early.

Fit d'ye mean? The original surveyor's report wis 200 years ago, in 1794. Admittedly it wis anither 11 years afore the street itsel' wis finished —

Exactly. An' only a male-dominated cooncil wid celebrate the conception an' nae the delivery.

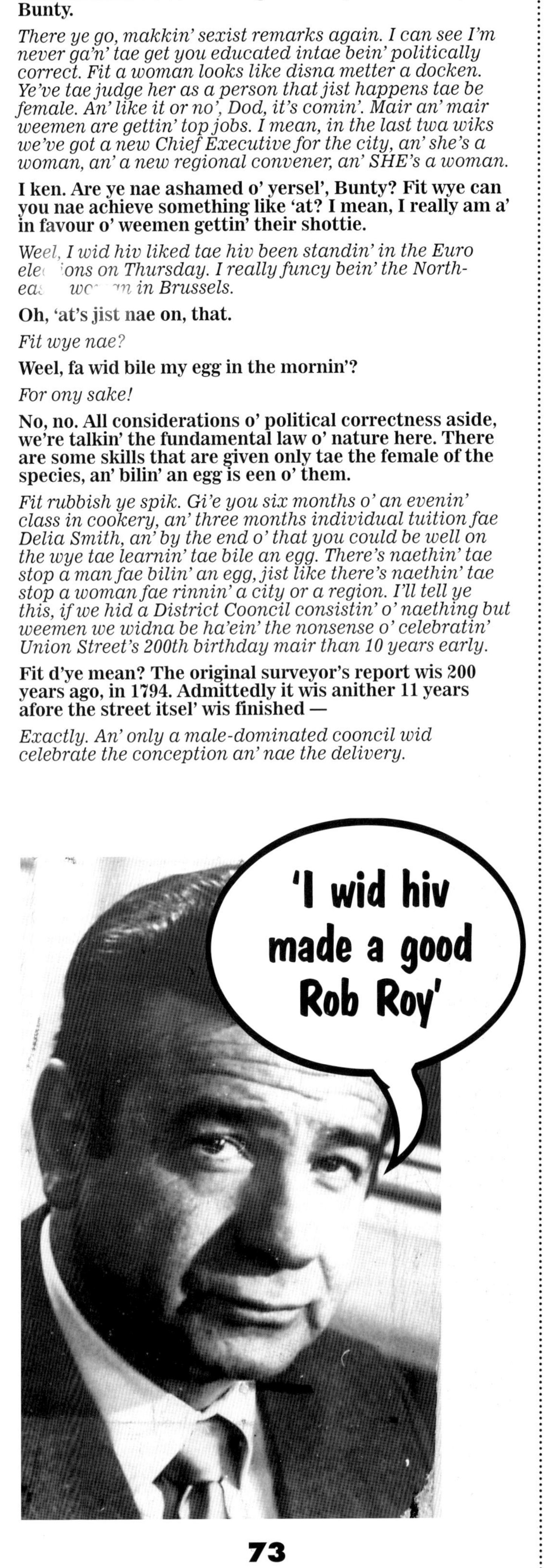

'Picasso never did a water colour o' the Shakkin Briggie'

FAR'S the paper?

Here's it. Ye'll be pleased tae see there's an official report come oot that says Aiberdeen's guaranteed anither 25 years o' wealth.

Eh?

We're ga'n' tae be rich for anither 25 years.

Anither 25 years?

Aye. Weel, since the ile boom, ye see, we've been rich.

Hiv we? Oh, that's very good news. An' here's me thinkin' a this time we've been hard up.

Weel, sae we hiv. But Aiberdeen's been rich.

Ah.

Aiberdeen's been rich. But maist folk that bide in Aiberdeen hiv been hard up. 'At's the wye it works.

Weel, 'at's certainly the wye it works wi' us. We hinna been sae hard up since we hid tae sell yon picter yer Auntie Georgina gi'ed us for a weddin' present.

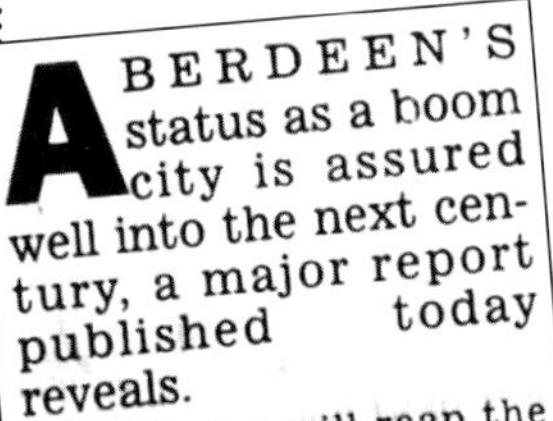
ABERDEEN'S status as a boom city is assured well into the next century, a major report published today reveals.

Grampian will reap the benefits of continued North Sea oil and gas production for another 25 years, the report says.

Dinna remind me aboot 'at. Fit an affront fan it turned oot nae tae be an original at a'. The aul' besom!

It wis wir ain fault, Bunty. We should've kent Picasso never did a watercolour o' the Shakkin' Briggie.

I ken. We wid never hiv selt it at a' if it hidna been that yon wifie fae Banchory winted something tae cover the damp patch on her lobby wallpaper.

At least we got something for't. We've naething at a' we can sell iv noo. An' we're really hard up.

I ken. An' there wis the Duke o' Edinburgh last wik sayin' poverty disna exist ony mair. It's a' richt for him. He's made sure he's got his feet alo' the table. I mean, we could a' be weel aff if we'd been like him an' MAIRRIED money.

Fair play, now, Bunty. The Duke didna say poverty hid been abolished a' thegither. He said ABSOLUTE poverty hid been abolished. He admitted RELATIVE poverty still exists.

I'll say it dis. A' my relatives are hard up. Even Auntie Georgina. Her antiques business hisna deen onything like as weel as she'd hoped it wid.

Can I get back tae something ye said earlier, Bunty, aboot Aiberdeen itsel' bein' rich. I mean, if 'at's the case, fit wye is the Toon Cooncil hagglin' wi' the Region ower the price o' the Belmont Cinema?

Weel, it's nae exactly a haggle. The Toon thocht they were gettin' it for a penny. But it turns oot the Region wint a penny plus £135,000 quid or so. I mean, if you thocht ye wis buyin' something for a penny, an' the boy that wis sellin' it tae ye said, "Oh, by the wye, there's an extra £135,000 quid tae pey," I canna see you sain' "At's a richt, nae problem.

Weel, 'at's a hypothetical situation, 'at. I mean, fit can ye buy for a penny nooadays?

Weel, the Belmont Cinema for a start. Or so the Toon Cooncil thocht.

It's appropriate, that, is it? I mean, one new penny is jist ower twa aul' pennies, an' in the aul' days, ye used tae get intae the Belmont for twa jam-jars — worth a penny each.

An' fan ye got in, fit did ye see? It wis aye cowboys sluggin it oot.

So that's appropriate an' a.

Fid d'ye mean?

Weel, it's still got the cowboys sluggin' it oot. Ower the price.

Cowboys? 'At's nae wye tae describe oor elected representatives Dod. You'll never get yer OBE if ye ging aboot sayin' things like 'at.

I canna see me ever bein' in the Honours List, Bunty. Some of us are destined to go through life unheralded, unnoticed, unsung —

And uncouth.

I widna mind a knighthood. Though mind you, I wid ha'e the same problem as Bobby Charlton. He's aye been ca'd Bobby. Is he ga'n tae be ca'd Sir Bobby? Or Sir Robert? Mair formal, mair dignified, ken? Wid I be Sir Dod or Sir George? 'At wid be a worry.

I widna lose a lot o' sleep ower it, if I wis you. But fit aboot Ally McCoist gettin' the MBE?

A piece o' nonsense. An' naething for Alex McLeish? I mean, Bobby Charlton an' Alec Guinness hiv baith got honours this time. Weel, Alex McLeish combines the talents o' baith o' them. He's a good fitba' player and a good actor.

Alex McLeish? A good actor?

Certainly. He's in NYPD Blue every Setterday nicht.

Oh aye. Richt enough.

But I mean, for Ally McCoist tae get the same as the Mile-end jannie — dearie me! I mean, there's jist nae comparison in the contribution they've baith made tae the sum o' human happiness. Ally McCosit shouldna hiv got naething. I blame Major. It's him that's in charge o' the Honours List.

Peer Mr Major. He's aye pittin' his fit in it.

Aye. Did ye see there wis a nest o' fower baby robins at 10 Downin' Street an' noo they're a deid?

Aye. An' Mr Major's been defendin' the Downin' Street cat, Humphrey. He said, "Humphrey's nae serial killer."

Weel, ye see, by sayin' that aboot Humphrey, Major wis pittin' his fit in it again. I mean, ony self-respectin' cat SHOULD be chasin' baby robins. An' if Humphrey disna, 'at means that Major's nae the only een in 10 Downin' Street that couldna knock the stew aff a bap.

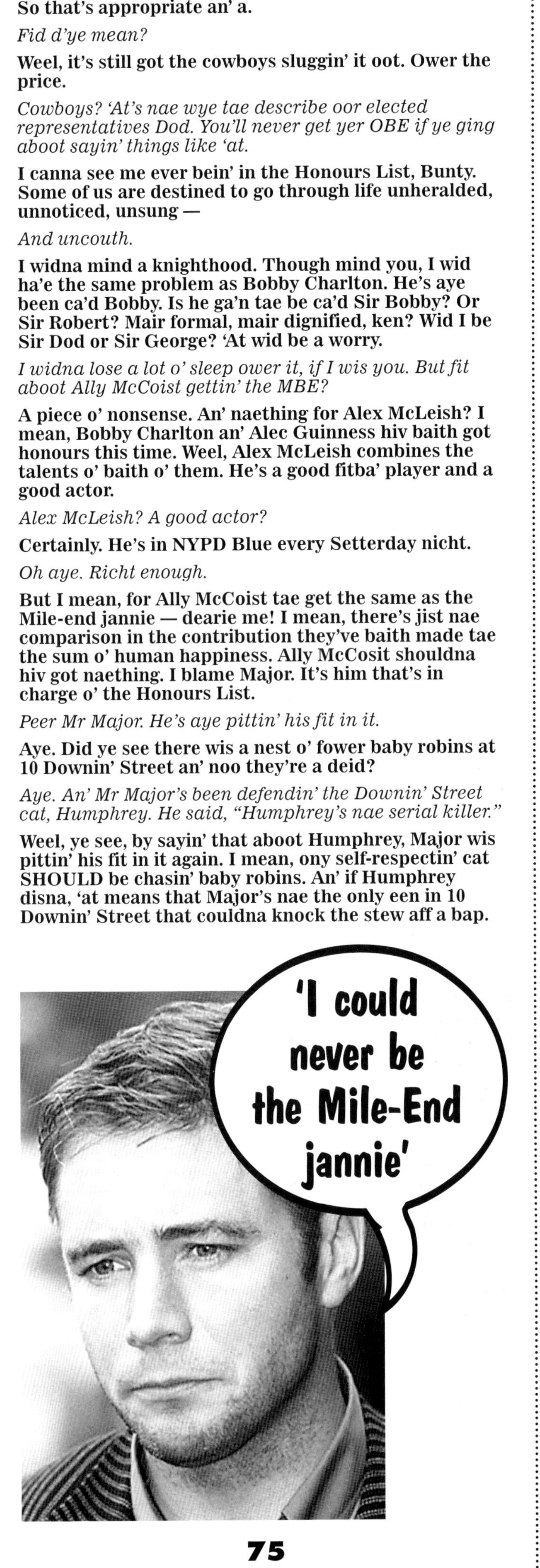

'You wid get bigger if ye ate a 'hale sheep'

FAR'S the paper?

Ye hinna time tae read the paper. Yer tea's on the table. It's turkey curry the nicht.

Very exotic, Bunty.

Weel, you're that fussy. Ye jist like white meat. Ye winna eat the broon bits o' the turkey. So I hid this brainwave. If I smother it in curry sauce, ye winna ken fit's broon meat an' fit's white. An' even if ye div, it'll a' taste the same onywye.

Is it a strong curry?

I'm nae sure. Fit dis vindaloo mean?

For ony sake! 'At's as het as yet can get.

I did wonder. 'Cos fan I bocht it at the local delicatessen —

Delicatessen?

Weel, the Spar grocer. But the new manager's got big ideas. He says tae me, "So you've taken the vindaloo? I should charge 8% VAT on that. It'll heat the 'hale hoose. Aye, eence the fumes hiv come oot through the tap o' yer heid."

'Puma' attack

A MYSTERY big cat has struck again, killing a sheep. Police said this afternoon the attack, at Sinsharnie Farm, Cairnie, Huntly, bore all the hallmarks of recent attacks on sheep at Mintlaw and a puma could be responsible.

Spikkin' aboot things Indian, Bunty, could 'at be a tiger that's attackin' a' the sheep roon' aboot Huntly?

Oh, 'at's a bit far-fetched, 'at.

There's naething far-fetched aboot it. I wis eence at a BB camp near Gartly, an' the wild life wis horrendous. There wisna onybody that didna get bitten. I mean, the wild beasties! There could easy hiv been a tiger there. There wis a'thing else.

No, I'm pretty sure it's nae a tiger, this beast. It could be a puma. The funny thing is, wi' every sightin' it seems tae get bigger.

Sae wid you get bigger if ye ate a 'hale sheep.

An' there wis the photie in the paper o' the great big paw mark.

Aye. I couldna understand 'at at a'. Fit wye could there jist be ONE paw mark?I mean, hiv we got a one-legged puma here? A feral feline Long John Silver? Hoppin' aboot attackin' sheep? An' if it is, far did its next hop tak' it til? Far wis the next paw mark? There wisna anither een onywye near on the grun', so did it hop up a tree? Or did its next hop tak' it richt oot o' the field an' on tae the main road? Is it a ferocious meat-eatin' kangaroo that the Huntly bobbies should be keepin' a look-oot for?

Weel — local police baffled, zoology department called in, veterinary investigative service on the alert —

Aye, it has all the hallmarks o' a case for Sherlock Holmes, Bunty.

Aye. There's a lot o' crime ga'n' on iv noo, is there? Look at Marks an' Spencer.

Oh, some o' their food's pretty pricy, but I widna ging sae far as tae say it's criminal.

No, no. Marks and Spencer hiv been hae'in' a lot o' pilferin'. A lot o' shop-liftin', ken?

Oh, aye, I did hear aboot 'at. An' of course, it's a special kind o' problem in Markies.

Fit's special aboot it?

Weel, it's bad enough folk pinchin' things aff the shelves. But in Markies they come back on Boxin' Day an' exchange them for something that fits them better.

Weel, onywye, there's a lot o' crime ga'n' on, an' fit's the Government daein' aboot it? An' fit aboot this Whitemoor Prison?

Oh, I ken, dinna spik. I believe there's ga'n' tae be a feature aboot it on Wish You Were Here next wik. Judith Chalmers is gi'ein' it a special award for its room service.

Weel, it certainly sounds as if ye wid ha'e a better holiday there than ye wid on the QE2.

Absolutely. Weel, this trip that the QE2's daein' iv noo — fower thoosand quid a skull, an' fit a disaster. I wis glad WE didna ging on it. We'd a near escape there, Bunty. An' I dinna think.

Aye. But ye ken Frunkie an' Dolly Webster's nephew Tommy — Frunkie's brither's loon? He's on it.

Is he a millionaire?

No. He's a plumber.

Ah. Right.

Ye mind Tommy. He wis a plumber wi' the toon, then he went awa' doon tae England. Weel, he's een o' the squad o' plumbers that's on board the QE2 on this trip.

Of course, 'cos they're ha'ein' tae complete the refittin' on the hoof.

Weel, it's nae sae much on the hoof that Tommy's workin'. It's on the lavvies. An' Dolly wis hearin' fae his wife, Angie — d'ye mind Angie? Bonny lassie — onywye, Angie wis tellin' Dolly that the first day at sea Tommy wis in trouble. In deep shtook. He'd forgotten his tools.

For ony sake!

Mind you, it wis par for the course. D'ye mind fan he cam' tae dae a homer for us in the scullery, he forgot his tools 'at nicht.

Aye, but 'at nicht he jist hid tae cycle hame for them tae Middlefield Terrace. It's a different story fan ye're twa hunner miles oot in the middle o' the Atlantic.

I ken. I can mind fan Tommy wis born, I said tae Dolly, "An' fa's he like? Is he like his mither?" An' she said, "Oh no. He's definitely a Webster." An' she wis richt.

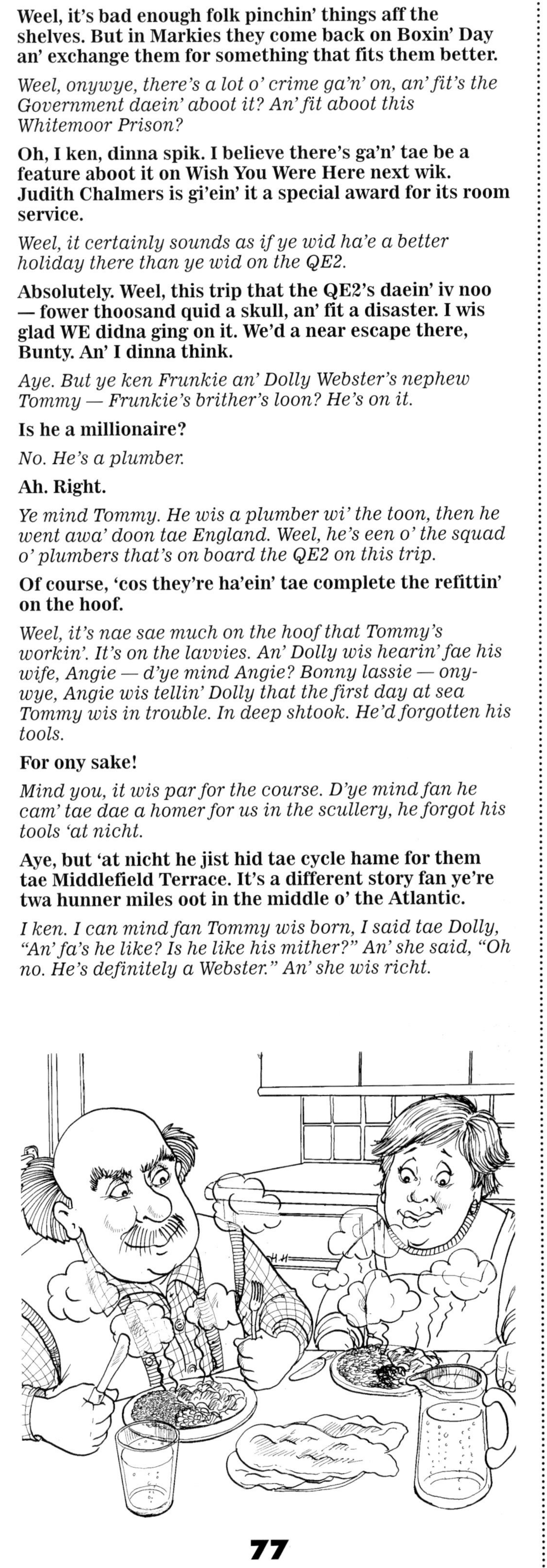

January 24, 1995

'Tiddles widna hiv winted it ony other wye'

FAR'S the paper?

I dinna ken fit wye ye can think aboot readin' the paper the nicht.

Fit d'ye mean? I read the paper every nicht. Fit's special aboot the nicht?

For ony sake. Ye're richt he'rtless. This is only the nicht that Tiddles dee'd. Weel, he dee'd this mornin'.

Aw, Bunty. I'm sorry that Tiddles is awa'. But he'd hid a good innin's. I mean, he wis 'at aul' we didna ken for sure foo aul' he wis, but if he'd been a human bein', he wid hiv been at least 165.

Fit d'ye mean, "IF he'd been a human bein'"? He wis mair o' human bein' than some folk I could name in this femily.

Meanin' me, I suppose.

If the cap fits.

Now 'at's nae fair, Bunty. 'Cos you couldn't bring yersel' tae tell yer darlin' daughter aboot Tiddles bein' deid —

Weel, Lorraine loved 'at cat.

I ken she did. So fa hid tae bite the nettle an' phone up Lorraine an' tell her? Me. Joe Soap. Nae an easy task, Bunty.

Nae an easy task tae mak' a good job o'. Easy enough tae say fit you said: "Is 'at you, Lorraine? Tiddles is deid."

Strachan forced to quit

GORDON Strachan today announced his retirement from top class football.

Keep the message simple and uncluttered. That's the rule on these occasions, Bunty. Tae tell the truth, I wis a bit disappointed wi' Lorraine. 'Cos I went straight on tae try an' tak' her mind aff Tiddles, ken? By tellin' her aboot losin' my best set o' darts on Friday, an' d'ye ken 'is? She didna gie me nae sympathy at a'. Fifteen year I hid 'at darts. But a' Lorraine's sympathy wis ga'n' on the cat. Which, of course by that time wis past bein' able tae benefit fae onybody's sympathy.

Ye're richt callous. Lorraine's nae the only een tae be upset aboot Tiddles bein' deid. I'm really upset as weel.

I ken ye are, Bunty. I can see that. Ye're even mair upset than I wis the day Gordon Strachan left Aiberdeen.

An' noo he's retired 38 years aul'. 'At's amazin' 'at. Still playin' top-class fitba' at 38.

Ken 'is Bunty? I think we could still use 'im. He could still dae a job for us. He widna ha'e tae play the 'hale game. We could easy jist gie him een or twa bananas tae eat at half-time an' then pit 'im on for the last quarter o' an hoor. It could mak' a' the difference, 'at, tae wir Sottish Cup campaign.

Hey, Dod, Prince Charles's valet — is his name Strachan an' a'?

Fa — him that spilt the beans on the hanky-panky in the shrubbery an' the green marks on the royal jammies?

There's nae need tae be vulgar, Dod.

His name's nae Strachan. It's Stronach. Ken.

No, I didna ken. Stronach, eh? The folk that bide there must be black affronted.

The folk that bide far?

In Stronach. Ye read aboot it every Setterday.

For ony sake, Bunty. Stronach’s nae a real name.

Oh? So fit IS his real name?

Fa’s?

Prince Charles’s valet. If it’s nae Stronach, fit is it?

No, no. His name IS Stronach. Did ye nae see the heidline in the paper last wik? “Stronach could be for the axe.” Ken ‘is? I thocht we wis back inthe days o’ Henry VIII. At’s the wye Henry wid hiv dealt wi’ the situation. But, of course, fan I read the story I realised Stronach’s nae liable tae get his heid cut aff.

No, but he could still get the chop, though.

Ken fae else should get the chop? Waldegrave. Fit a neep?

Waldegrave? Is ‘at him that’s lettin’ the Spaniards fish in oor bit o’ the sea?

Aye. He’s supposed tae be affa clever, Waldegrave. So he should ken his history. Four hundred years ago the Spanish Armada tried it on wi’ us, an’ wis sent homeward tae think again.

Oh, aye, by yon boy — fa wis he again? He wis a Duke wisn’t he?

No, Bunty. He wisna a Duke. He wis a Drake. Sir Francis of that ilk. A great man, Bunty. As the news came through of the Armada’s approach, he thumbed his nose at them an’ finished his game o’ bools. As a booler yersel’ ye’ll appreciate fit a difficult anatomical feat that wis for a start.

Weel, fan the modern Spanish Armada comes, I dinna think Waldegrave will be playin’ bools.

Oh? Fit wye div ye ken?

‘Cos fae the wye he spiks he’s obviously lost his marbles. Och, Dod, here’s us spikkin’ awa’, an’ makkin’ jokes as if naething’s wrang, fan we should be thinkin’ aboot Tiddles.

Bunty, life must go on. Tiddles widna hiv winted it ony ither wye. But I could see this mornin’ that ye wis really upset. So I’m takkin’ ye oot the nicht tae try an’ get ye tae forget yer grief. I went tae the box office an’ got twa five quid tickets for the theatre the nicht.

Aw, Dod. ‘At wis very thoughtful o’ ye. Fit’s on?

Cats.

January 31, 1995

'Aiberdeen folk's antennae are very sensitive'

FAR's the paper?

Here's it. There's an amazin' story the nicht aboot Norman Wisdom ga'n' tae perform in Chernobyl!

Michty, hiv' at peer folk in Chernobyl nae suffered enough already?

Weel, it says Norman's jist been tae Albania, an' apparently he's very big there. Fit div we ken aboot Albania?

Albania? Weel, it patently hisna got much o' a critical faculty, but apart fae that, the only thing I ken aboot Albania is that it used tae ha'e a king ca'd Zog.

Zog?

Aye, Zog. King Zog o' Albania. At Hilton Primary School we hid tae learn the names o' a' the heid bummers in Europe. Oh, he wis never oot o' the papers fan I wis a loon, aul' Zog. I dinna ken fit happened til 'im efter the war. Went intae exile, I suppose. Of course, he wid hiv hid tae change his name.

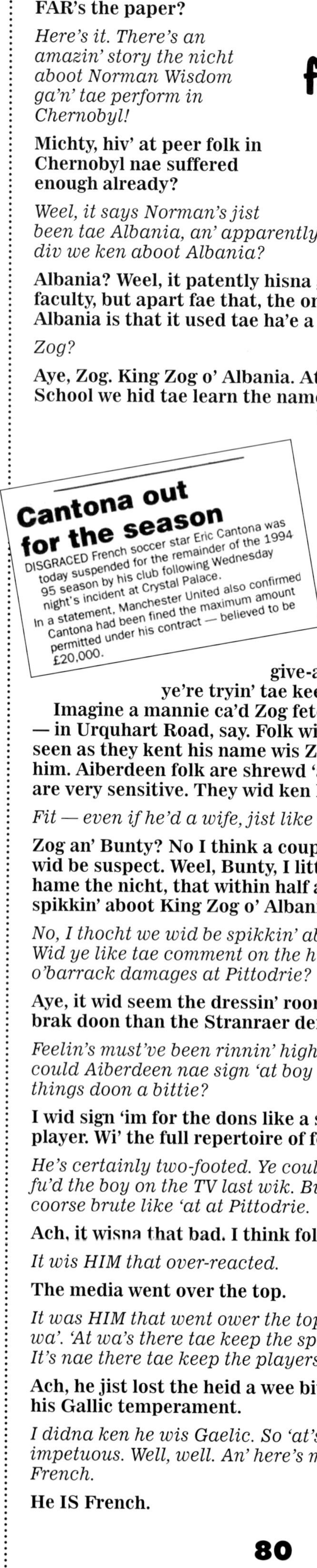

Cantona out for the season

DISGRACED French soccer star Eric Cantona was today suspended for the remainder of the 1994 95 season by his club following Wednesday night's incident at Crystal Palace.

In a statement, Manchester United also confirmed Cantona had been fined the maximum amount permitted under his contract — believed to be £20,000.

Fit wye?

Weel, it's a deid give-away. "Zog," is it? If ye're tryin' tae keep a low profile.

Imagine a mannie ca'd Zog fetchin' up in Aiberdeen — in Urquhart Road, say. Folk wid be suspicious. As seen as they kent his name wis Zog, they wid be ontae him. Aiberdeen folk are shrewd 'at wye. Their antennae are very sensitive. They wid ken he wisna local.

Fit — even if he'd a wife, jist like me?

Zog an' Bunty? No I think a couple ca'd Zog an' Bunty wid be suspect. Weel, Bunty, I little thocht fan I arrived hame the nicht, that within half an hoor I wid be spikkin' aboot King Zog o' Albania.

No, I thocht we wid be spikkin' aboot the fitba' again. Wid ye like tae comment on the high incidence o'barrack damages at Pittodrie?

Aye, it wid seem the dressin' room door wis easier tae brak doon than the Stranraer defence on Setterday.

Feelin's must've been rinnin' high. I wis wonderin' — could Aiberdeen nae sign 'at boy Eric Cantona tae calm things doon a bittie?

I wid sign 'im for the dons like a shot, Bunty. A great player. Wi' the full repertoire of footballin' skills.

He's certainly two-footed. Ye could see that fan he Kung-fu'd the boy on the TV last wik. But we couldna ha'e a coorse brute like 'at at Pittodrie.

Ach, it wisna that bad. I think folk over-reacted.

It wis HIM that over-reacted.

The media went over the top.

It was HIM that went ower the top. Ower the tap o' the wa'. 'At wa's there tae keep the spectators aff the pitch. It's nae there tae keep the players aff the spectators.

Ach, he jist lost the heid a wee bittie. I pit it doon tae his Gallic temperament.

I didna ken he wis Gaelic. So 'at's the wye he's sae impetuous. Well, well. An' here's me thinkin' he wis French.

He IS French.

Weel, 'at wid be anither snag if he came tae Pittodrie. There wid be a language problem.

No, no. I've heard 'im on the TV. He can spik good English.

Maybe HE can. But neen o' the rest o' the boys in the team can. Except Theo Snelders. Onywye, ye can forget it. Ye can tak' it that Aiberdeen are nae ga'n' tae sign Cantona. We're nae wintin' 'im. He's ower big-heided. He thinks that jist 'cos he's a good fitba' player, he can get awa' wi' murder.

No, you're thinkin' o' O J Simpson, Bunty.

Oh! dinna spik tae me aboot him. Fit aboot him rollin' up his trooser leg in court.

He's nae a mason, is he?

— tae show his fitba' injuries, so's he could try an' mak' oot that he wisna fit tae attack onybody.

A piece o' nonsense. I mean, I sustained a very nesty injury fan I wis playin' for Hilton School, against Linksfield wi' nae shin guards. They'd been pinched afore the game in the Nelson Street playin'-field huttie. But six years later I wis passed A1 intae the Gordon Highlanders an' efter my ten wiks' basic trainin' I wis a super-efficient, weel-oiled fightin' machine, ready an' capable o' attackin' onybody. So OJ can forget aboot his fitba injury story. It winna wash.

Spikkin' aboot the Hilton School fitba' team, did een o' your boys nae eence dae a Cantona an' attack a spectator at Harlaw?

'At's richt. Skinny Skinner it wis. It wis a local derby — Hilton against Widside an' the atmosphere wis pretty highly charged. Weel, there wis a bunch o' Widsiders on the touch-line mak'in' an affa racket —

Supportin' their team?

Weel, it wisna sae much they were supportin' their ain team, it wis mair they were barrackin' us. An' especially Skinny Skinner. Weel, eventually he couldna tak' nae mair. He ran aff the pitch, dived in amon' the Widsiders an' hit een o' them.

And then fit happened?

She hit 'im back, an' he went awa' hame greetin'.

'I doot I'll never sleep wi' Liz Taylor'

FAR'S the paper?

Here's it. But afore ye read it, ha'e a look at this page oot o' last Thursday's paper. Did ye see it? I jist noticed it fan I wis ha'ein' my quick look though the papers afore I pit them oot tae the re-cyclin'.

Weel, I dinna ken if I saw it.Fit's it aboot?

It's a' aboot baldies.

Baldies?

Baldie mannies. I thocht you'd be interested in it, bein' a baldie yersel. There's a bunch o' researchers in London hiv deen a survey o' baldies.

A survey o' baldies? They want their ain heids looked at.

No, no. It's very interestin'. They say hair loss is often accompanied by loss of self-esteem an' increasin' depression.

Fit a lot o' rubbish. It's depressin' enough bein' bald withoot a bunch o' Smart Alecs sayin' bein' bald mak's ye depressed.

An' look further doon the page — there's six punters been asked for their views on baldness, an' at boy McHardy o' Queen's Cross says: "Baldness adds years to a person's age, especially if they're young."

Weel, 'at's a feel thing tae sae. If they're young there canna hiv been MONY years added tae their age. Fit's he haverin' aboot? I think he's a joker, 'at boy. An' he's gi'en them a fictitious address. Queen's Cross? There's naebody bides at Queen's Cross. Unless he's got a hammock strung fae Queen Victoria's statue. The 'hale thing's a con.

A'richt, a'richt. Keep yer hair on.

'At's bad taste, 'at, Bunty. 'At really gets me doon, 'at.

Dinna be feel. Some baldie mannies are very sexy.

Thank you, Bunty.

Nae them'a. But some o' them.

Like fa?

I'm nae sayin'. But we're still mairried, aren't we?

Aye, Nae like Liz Taylor. She's intae her seventh mairriage, an' her an' her man are ga'n tae ha'e a trial separation.

'Cos he's bald? Oh, 'at's a bit much.

No, no. I dinna ken fit the problem is, but one reason could be that Liz is a terrible snorer.

Fit wye div you ken? Hiv you ever slept wi' Liz Taylor?

Frequently — in my adolescent fantasies, Bunty. I used tae score the winnin' goal for the Dons against Rangers in the Cup Final, an' then sleep wi' Liz Taylor.

That wis afore ye wis bald, of course.

I mind tellin' Frunkie Webster aboot that fantasy ae

Liz and Larry in 'trial separation'

ACTRESS Elizabeth Taylor and her seventh husband, former construction worker Larry Fortensky, have split after nearly four years of marriage, according to US reports today.

Fortensky has moved out and the two are now living apart in what the couple described as a "trial separation." Word of the latest twist in Taylor's stormy love life came without any advance warning that her marriage to Fortensky was on the rocks.

But the 63-year-old actress has seen her appearance schedule sharply curtailed since undergoing hip replacement surgery in June.

And this week she major business setbac launch of her newes Black Pearls was als celled. She met Forter Betty Ford Centre for a cohol treatment out Springs, California, thre fore their marriage.

nicht fan we wis in wir cups. Well, we wis bleezin'. We wis only about twenty. An' Frunkie says: "Sleep wi Liz Taylor? If I wis in bed wi' Liz Taylor, I widna be sleeping'."

Oh, Did he ken then that she snored?

I doot I'll never sleep wi' Liz Taylor. An I'll never score the winnin' goal for the Dons in the Cup Final.

Spikkin' aboot winnin' goals, fit wis a' that row aboot Celtic's winnin' goal against Raith Rovers last wik?

It wis a disgraceful piece o'bad sportsmanship, Bunty. A shameful blot on the honourable escutcheon o'Scottish fitba'.

Eh?

Weel, a Celtic player went doon injured, an' the Raith goalie sportin'ly kicked the ba' oot for a throw-in, so that the injured player could be attended til. Now there's an unwritten law that fan that happens, the team that gets the throw-in throws the ba' back tae the goalie. But Celtic didna dae that. They pit the ba' back intae touch so that Raith Rovers hid tae tak' a throw-in near their ain goal, an' bingo! next thing they kent, Celtic had won the ba' an' scored the winner in the last minute. Shockin'!

Weel, I'm nae sae sure. Ye did say it wis an unwritten law.

Bunty, it should ha'e as much force as the written eens. In fact mair force — and a lot o' the Celtic boys wid ha'e a bit o' a job READIN' the written eens.

So fan you played fitba' for Hilton School in the aul' days, fit did you dee fan een o' the loons in the ither team wis hurt?

We usually hid a good laugh.

Weel, I'll leave ye tae read a' aboot the baldie mannies. I'm awa' oot tae my bingo.

Ye'll seen ha'e anither bingo palace tae ging til, Bunty. In Berryden.

Aye. Openin' next month. It sounds as if it'll be huge. Big enough for mair than twa thoosand folk. Of course it's in the aul' Norco buildin'.

Aye. Fa wid ever hiv thocht? Legs eleven, Kelly's eye, clickety-click, dinky doos — they're the new Copie numbers.

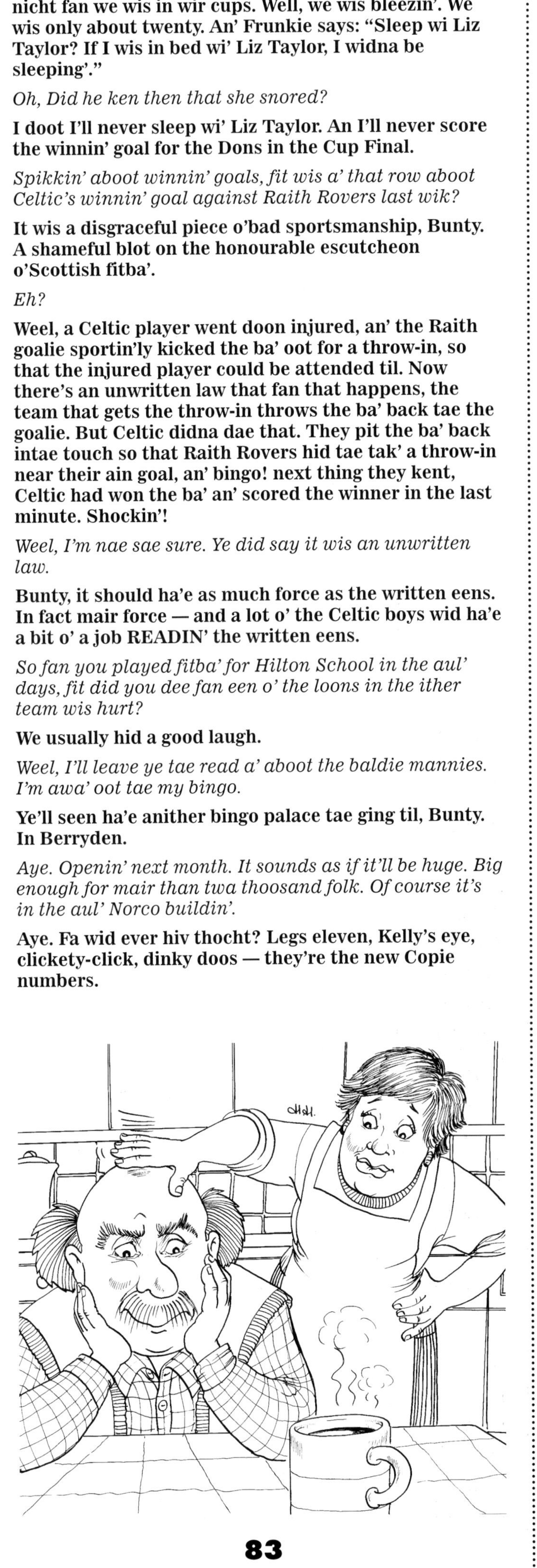

'I should really hiv made mair o' mysel'

FAR'S the paper?

Here's it. Div you understand a' this row aboot the boss o' the prison service bein' sacked?

Aye. It's simple enough, Bunty. It's a' tae dae wi' the difference atween policy an' operation, an' foo far it's appropriate for the Home Secretary tae get involved in operational decisions.

Oh, I thocht the question wis 'Is Michael Howard a twit?'

Oh, there's nae question aboot that, Bunty. But tae help ye wi't, I'll gie ye an example at domestic level.

Eh?

MP Bob quits

● SMILES BETTER: today's picture of Bob Hughes before the start of the Scottish Grand Committee in Aberdeen.

At domestic level. Here. In the hoose. Now as the policy maker I decide that it's oor policy for the dishes tae be washed after every meal. Right?

Aye.

But it's you that carries oot the operation o' washin' the dishes. An' so it's only richt that you should cairry oot that operation in fitever wye ye wint, wi' nae interference fae me, the policy-maker. I shouldna ha'e naething tae dae wi' the actual washin' o' the dishes at a'.

Weel, ye never div.

Exactly. There ye go, ye see. An' the system works perfectly. Michael Howard could learn a thing or two fae the wye this hoose is rin.

He wid certainly learn fa dis a' the work. Me.

An' he wid learn fa the organisational genius is. Me. Ken 'is, Bunty? I should really hiv made mair o' mysel'. I realise noo — mine his been a story of a waste of a life.

It's the story o' a waste o' space.

No, no. Here I am — naething achieved in life, and I'm nearly 65. It's tragic.

Aye, it's tragic. I mean, thanks tae the European rulin' aboot aul' mannies' prescriptions, you're now entitled tae get yer intment for yer athlete's fit for naething. But by the time ye need yer next prescription, ye'll be past yer 65th birthday an' ye wid be gettin' it free onywye. It's the story o' your life. Ye're aye jist in time tae be ower late.

If we're on aboot the Health Service, 'at wis a richt mess they made o' the warnin' aboot the contraceptive peels. I'm glad it disna affect us.

Aye. It affects Dolly Webster, though.

Affects Dolly Webster? She's 62. Weel, she ADMITS tae 62. There's nae sayin' foo aul' that mak's 'er. Fit dis she

need contraceptive peels for?

For her varicose veins.

Fit?!

Weel, she went on tae that kind o' contraceptive peel aboot a year afore she hid wee Hughie, an' as lang as she wis takkin' them she found that her varicose veins disna yark sae much, so she's jist kept takkin' them.

Weel, I wis readin' somewye that medicine can never be an EXACT science.

Spikkin aboot the Websters, fit's Frunkie sayin' aboot Bob Hughes nae bein' picked for the Central Aiberdeen seat? 'At wis a shock. I've aye liked Bob since he complimented me on my tablet at the Labour Party Fair in 1972.

Aye. I mind fan he wis first elected. He followed anither Hughes — Hector. An' some septics said that Bob wis only picked so's the Labour Party could use the same posters. They'd thoosands o' "Vote for Hughes" posters that hid got lost jist afore the previous election.

Wis that the election that Frunkie wis in charge o' publicity? Onywye, the septics wis proved wrang. Bob's been a very good MP.

Aye, but noo he's nae even ga'in' tae stand.

He should hiv stood for Aiberdeen North. His aul' constituency. An' I'm sure he wid hiv been re-elected. Like Frunkie Webster. His he nae jist been re-elected your branch secretary again?

Aye. But 'at's 'cos naebody else winted it. It's quite hard work bein' branch secretary. So a'body voted for Frunkie. An' I really mean a'body. He hid a hunner per cent support. He wis the only person last wik that hid a bigger majority than Saddam Hussein.

Aye, there wis a few big wins last wik. There wis Frunkie Webster, Saddam Hussein and Juventus. They beat Rangers 4-1.

Aye. I wis sorry aboot that — I wish it hid been six.

Weel, 'at's nae very patriotic. Rangers wis representin' Scotland after a'.

Ye're quite right, Bunty. They WERE representin' Scotland. An' I'm sure they wid hiv deen better if they'd hid Laudrup an' Gascoigne playin' for them.

October 31, 1995

'Hop an' bowfie wis the nearest we got tae Rugby at Hilton'

FAR'S the paper?

I'll gie ye it in a minute. I'm still readin' the Births, Marriages an' Deaths.

Is there ony mention o' Darcy an' Elizabeth's weddin'?

Dinna be feel. Their weddin' widna be in the Evenin' Express. They bide doon in England.

Bunty, they dinna STILL bide doon in England —

Ye mean they've moved? Up here somewye?

For ony sake. Darcy an' Elizabeth ar'na alive iv noo. Pride an' Prejudice took place awa' back in — awa' back in the aul' days. Ye should ken that fae the frocks. An' the fact that naebody ever watches TV. An' a'body spiks proper. Probably BECAUSE they dinna watch TV.

> AN ABERDEEN university student who became Scotland's first woman rugby player to be sent off is expected to face a disciplinary hearing.
>
> Aberdeen University Rugby team Women's member Anna Boast was sent off at the weekend after kicking an opponent.

Ach, Dod, I wis jist ha'ein' ye on. I ken fine it's a historical novel. I bocht the paperback on Setterday.

Fit?! Ye're only half-wye through the paperback o' Middlemarch that ye bocht twa years ago fan IT wis on TV. By the by, fa said TV wisna educational? I never saw a teacher that could mak' you read 'at kind o' stuff.

I'll maybe tak' a wee rest fae Middlemarch an' start Pride an' Prejudice. Jane Austen's maybe quicker tae read than George Eliot. It's funny the wye the best novelists are aye weemen.

Hud on, hud on! They're nae AYE weemen. Jeffrey Archer's a man. But I will admit Eliot an' Austen were nae bad: George an' Jane. They sound like the Beechgrove Gairdeners o' the 19th century.

I'm glad the last episode o' Pride an' Prejudice didna clash wi' Cracker on Sunday. It meant we didna ha'e a row like last wik.

Aye. Mind you, there wisna much pint tae that row. I winted Cracker an' you winted Pride and Prejudice. There wis never ony doot but fit we'd be watchin' Pride an' Prejudice.

Weel, if you hid realised that last wik, we'd hiv saved wirsel's a lot o' time. And ye must admit ye enjoyed the last episode o' Pride and Prejudice.

Oh aye, I enjoyed it fine. At least Darcy cheered up a bittie. For the 'hale o' the earlier episodes he wis affa soor-faced. Did I nae tell you Elizabeth wid hiv been better switchin' channels an mairryin' Robbie Coltrane.

And fit aboot the ither couple on the TV that got good news last wik. Jack an' Vera Duckworth, gettin' the Rovers?

I still find 'at hard tae tak', Bunty. They're jist an ordinary couple. The Dod an' Bunty o' Salford. I mean, can you see us ever takkin' ower Ma Cameron's?

As lang as we're on aboot mairried couples, did ye see the Wee Free Mannie, Lord Mackay, wis maybe ga'n' tae bring in a new Divorce Bill, but it looks as if the Tory backbench MPs hiv squashed it. They said it wid undermine the institution o' marriage.

Weel, 'at's rich comin' fae a bunch o' Tory MPs. Wis David Mellor een o' them?

He seems tae be comin' back tae the fore. I saw him on the TV last wik. He's nae ony bonnier. His new funcy

dame hisna managed tae get 'im tae change yon affa hairstyle.

Bunty, things like hairstyles is nae important tae folk like them. Fit they'll ha'e is an intellectual bondin', ken? Or maybe she's a Chelsea supporter an' a'.

She's maybe a rugby supporter.

She's maybe a rugby PLAYER. Weemen play rugby noo, ye ken. In fact jist last wik a member o' the Aiberdeen University Ladies rugby team wis sent aff. Little did the mannies think fan they started it 500 years ago that the university wid produce the first ever reid caird in weemen's rugby. Quite a boast.

No, I think her name's Anna Boast. I'm sorry for her onywye. It hid maybe been a close game an' she'd got ower worked up an' lost the heid a bittie.

Weel, it wisna that close, Bunty. They won 69-0.

Of course, I dinna think quines should play rugby. It's ower rough for quines.

It's ower rough for loons, if ye ask me. I'm glad it wis never an option at Hilton Primary. Hop an' bowfie wis the nearest we ever got tae rugby in oor playground. Mind you, IT wis dangerous enough. I eence got an affa sair lug wi' playin' hop an' bowfie.

A sair lug playin' hop an' bowfie?

Aye. Weel, fit happened wis I hid my playtime piece in my jecket pooch, an' Dunter Duncan squashed it, an' I got raspberry jeely a'ower the inside o' my pooch. An' fan I got hame, I got a row fae my mither an' a clout on the lug fae my Da. My lug wis really sair.

I'll tell ye fa should get a row — that Canadian DJ that phoned the Queen an' impersonated the Canadian Prime Minister. Did ye read aboot that?

Aye. The 'hale hoax phone call wis printed in the Evenin' Express. Weel, I mean, a conversation atween a mannie an' a wifie in the Evenin' Express? I mistook fit it wis. I got a' the wye tae the end an' I thocht, "Nae mony laughs this wik."

'I'm nae een tae mak' a song an' dance aboot my glorious military career'

FAR'S the paper?

Here's it. I'm affa pleased the Gordon Highlanders' museum his got the Findlater VC. It's the only place for it.

Absolutely, Bunty. As an aul' Gordon Highlander mysel', 'at means a lot tae me. I mean, I'm nae een tae mak' a song an' dunce aboot my glorious military career, but the flame o' pride in the regiment still burns bricht in this aul' he'rt o' mine. If I hid won a VC I wid wint it tae ging back tae the regimental museum.

There wis never really a strong likelihood that you wid win the VC.

Weel, I admit nae too mony National Servicemen won the VC —

Certainly nae daein' cook-hoose fatigues at the Brig o'Don Barracks.

Look, ye could be in a fair bit o' danger daein' cook-hoose fatigues — especially if some o' the boys mistook ye for the cook. A lot o' the boys really hid it in for the cook.

VC saved for museum

A FAMOUS Gordon Highlander's Victoria Cross has been captured by the regimental museum.

The VC awarded to national hero Piper George Findlater, from Turriff, by Queen Victoria had been due to go under the hammer in London tomorrow.

Fit wye?

Weel, ye ken the aul' army joke aboot the sodger that saved 500 lives — he shot the cook.

No, I dinna ken 'at een. Tell me it.

Weel, 'at IS it. By shootin' the cook he saved the lives o' 500 men. 'At's the joke. I think it's very funny.

Oh, very funny. Unless you hid been the cook. 'At's jist typical: it's easy enough for you tae ging aboot shootin cooks — you've never deen ony cookin' in her life.

Bunty, there IS nae cook. It's jist a joke. A joke that depends for its humour on the fact that army cooks ar'na exactly Delia Smith. Come on, 'at's enough o' that. Fit else is in the paper?

Weel, Andrew Lloyd Webber's thinkin' aboot tak'in' ower the Daily Express.

So it wid become the Musical Express, wid it? Ha, ha! Get it, Bunty? No, dinna bother.

An' the Hoose o Commons his voted tae disclose their earnin's, but some o' the Tory MPs are ga'n' tae defy the new rule.

Nae oor local Tory MPs, I hope. Nae Kynoch an' Robertson. They'll ha'e tae disclose fit they mak' fae their pintin' an' paperin'.

An' then there's some word o' Arthur Scargill formin' a new political party — the Socialist Labour Party.

The SOCIALIST Labour Party? Fit'll they think o' next? I wonder if he's sounded oot Frunkie Webster aboot it. Frunkie eence met Arthur at a Trade Union conference, an' he wid ha'e ye believe that ever since then they've been in constant touch on a' major policy matters.

An' div you nae believe 'im?

Nae really. It is true that two days efter that conference Arthur wrote tae Frunkie. But it wis jist tae pint oot til 'im that on the last nicht o' the conference Frunkie hid been twa quid licht in the kitty.

D'ye ken fa I wis thinkin'aboot the ither day? Frunkie's aul' Uncle Syd in New Jersey.

Oh, aye. Syd his aye been a very political animal. It wis him that inspired Frunkie tae ha'e a career in politics. Though mind you, I think Syd micht jist feel that bein' 20 years oor branch secretary an' twice bein' selected as the Labour candidate for Rubislaw disna exactly add up tae the kind o' life-time's achievement he wid hiv winted for Frunkie. But fit made ye suddenly think aboot Syd?

It wis fan I read that General Colin Powell hid decided nae tae rin for President.

Oh, aye. Fan I saw that, I thocht "That's cleared the wye for Clinton."

Weel, fan I saw it, I thocht: "That's cleared the wye for Frunkie Webster's Uncle Syd." I mean, he hid aspirations tae be President, hidn't he? I mind fan Frunkie first telt us aboot 'im, he said: "My Uncle Syd in New Jersey thinks he could mak' a better job than the President."

Ye're richt. An' we were surprised, 'cos we thocht Roosevelt wis daein' fine. But I dinna think Syd ever really hid his eye on the White Hoose, though he certainly kept thinkin' he could mak' a better job o't than ony the boys that became President. But he never really went for it. Possibly because he's aye been skint. An' the funny thing is that by bein' Frunkie Webster's guru he's hid a greater influence on the British political scene than the American.

Aye. An' fit's Frunkie sayin' aboot Aiberdeen ha'ein' twa "weemen" in the twa seats o' power in the new Cooncil — the Lord Provost an' the Policy Convener.

Oh, he's quite pleased. He likes them baith. Mind you, durin' the Thatcher years it wid hiv driven Frunkie up the wa'tae think that one day Aiberdeen wid ha'e TWA Maggies in power.

'Michael Forsyth could certainly be daein' wi' some cosmetics'

FAR'S the paper?

Here's it. Fit d'ye mak' o' that story: Tony Blair says John Biffen is the only Tory MP he wid ha'e on a desert island.

Weel, I wid pit the 'hale lot o' them on a desert island. An' throw awa' the key.

No, no. I think Tony meant if HE wis on a desert island, he widna mind John Biffen for company, but neen o' the ither Tory MPs.

Weel, 'at's fair enough. So he wid ha'e a gramophone, eight records, the Bible, the works o'Shakespeare, John Biffen an' Sue Lawley. In the immortal words o' Princess Di, 'at island's gettin' mair crowded than a royal mairriage.

Oh, dinna spik aboot Di. There's still a lot o' controversy aboot her Paranoia — I mean Panorama — interview.

Oh, I thocht it wis good. A bittie under rehearsed, but ye canna ha'e a'thing. I thocht the boy Bashir wis good, the boy that interviewed her, ken?

COMMENT

More than a roadshow

THERE hasn't been a St Andrew's Day like this for years.

Scotland is right at the top of the political agenda with all the parties vying for the affections of the Scots voters.

To the fore is Scots Secretary Michael Forsyth with his anything-so-long-as-it's-not-devolution plans.

His plans to beef up the Scottish Grand Committee's powers and have it meeting around the country is unlikely to swing voters back into the Tory camp.

The Grand Committee met in Aberdeen recently, but did the people think that took Government closer to them? We doubt it.

Bashir?

Aye. I wonder if he's ony relation tae Basher Buchan that wis a cousin o'Dunter Duncan, the star o'Hilton School's fitba' team in oor day.

Basher Buchan wisna' Duncan Dunter's cousin. The relationship wis a lot closer than that. They were half-brithers. They hid the same mither.

Awa'!

They hid! You were ower busy playin' fitba' wi' them tae be aware o' the conjugal niceties that they were pairt o'. It wis a lot mair excitin' than the fitba'.

So are you tellin' me that Dunter Duncan's mither an' Basher Buchan's mither wis the same dame?

Aye. Mrs Gordon. She wis a real stunner.

So Duncan wisna her real name. An' neither wis Buchan..

An neither wis Gordon. But it saved a lot o' time at the Brig o' Don Barracks. Spik aboot the sweethe'rt o' the regiment.

Gettin' back tae Princess Di, since her Panorama interview she's been tae Argentina an' back.

Aye. She didna bide lang. Jist in an' oot. Jist time for a cup o' tea an' awa' hame.

So it wis a kind o' "Here's Di for tea, Argentina." I mean, I ken she said she winted tae be an ambassador for Britain but 'at trip didna mean she wis suddenly the British ambassador tae Argentina, did it?

No, no.

'Cos I mean, afore ye're an ambassador — weel, it's a pretty high-powered job. Maist o' them hiv been through the Diplomatic Corps an' went tae Oxford an' Cambridge or RGIT or somewye like 'at. An' in the educational stakes, fae fit she's said hersel' Di wid hiv been bottom o' the class at Hilton. I'm tellin' ye — she widna hiv made ony kind o' impact at Hilton. Nae unless she'd been an outside-left — we wis aye short o' an ootside-left.

Spikkin' aboot bein' one ootside-left short o' a fitba

team, fa wis the feel in the BBC that offered Julie Goodyear a hunner thoosand quid tae be the host o' a chat show?

Oh, I ken. Fit a piece o' nonsense. Jist 'cos ye mak' a good Bet Gilroy disna mak' ye Art Sutter. Mind you, she hisna accepted yet. 'At hunner thoosand's jist EEN o' the offers she's considerin'.

She's quite richt. In her shoes I widna jump at the first pifflin' little offer that came along. A hunner thoosand? Na, na. Spin it oot. Keep them danglin'. Keep them sweatin'.

Richt enough. A hunner thoosand's nae a lot o' money nooadays. I mean look at the figures Ken Clarke hid tae cope wi' in the Budget. He must hiv been really good at his sums fan he wis a loon at the school.

Aye. Mind you, it wisna a very excitin' Budget. Foo mony months did he labour on it? An' at the end o' the day he brocht forth a damp squib. Like the Scottish Grand Committee.

No. I dinna like the Scottish Grand Committee. It'll jist be an excuse for the Prime Minister an' the Cabinet tae swan up tae places like Aiberdeen an' Inverness on a freebie. It'll be worse than the cooncillors. An' maist o' the ither Scottish MPs fae the Central Belt will bide awa'. Weel, they dinna ken the wye tae GET tae Aiberdeen an' Inverness for a start. An' the 'hale thing winna mak' a blind bit o' difference. Frunkie Webster says it's jist cosmetic. It's a cosmetic exercise by Michael Forsyth. Wid ye agree Bunty?

I'm nae sure fit yer on aboot, but Michael Forsyth could certainly be daein' wi' some cosmetics. Oh me, he's nae bonny, is he? Weel, d'ye ken fit I'm awa' tae dae? I'm awa tae start my Christmas cairds. At least the posties are workin' again.

Aye. Did ye see them on the TV decidin' by a show o' hands tae ging back tae work.

Aye. An' I thocht tae mysel'. "Thank goodness it wisna a postal vote."

'There seen winna be ony sport on BBC'

FAR'S the paper?

Here's it. An' wid ye believe — there's a story aboot Princess Di an' her latest mannie, Whalley.

He must be a wally tae get in tow wi' her. She's bad news, Di. I widna ha'e naething tae dae wi' her, even if she begged me tae come oot wi' her — tae her posh gym in Chelsea, ken? Na, na, ye widna catch me workin' oot wi' her at the Harbour Club.

Dolly Webster's sister Betty used tae work oot at the Harbour Bar.

THE Princess of Wales today broke with routine to avoid meeting the latest man to be romantically linked with her.
Diana missed her regular morning workout at the exclusive Chelsea Harbour Club gym, where she is reported to have met Christopher Whalley.

I never kent Betty worked oot.

I didna say she worked oot. I said she worked OOT at the Harbour Bar.

Oh, I'm with ye noo Bunty.

But hey, Dod, spikkin' aboot Diana, she's an affa dame, is she? For the men, I mean. There wis Hewitt. There's this boy, Whalley. There wis Will Carling. An' did ye see fa she wis wi' last wik? The mannie that wis Nixon's Secretary o' State. I mean, fa's she wi' the nicht?

Fit ye mean is, ye wonder who's Kissinger now?

Eh?

Excuse me, Bunty, but I canna sit here bandyin' epigrams wi' you. It's time I wis awa' oot. I'm meetin' Frunkie Webster at OOR health club.

You an' Frunkie are ga'n' tae a health club? Fit's it ca'd?

The Bilermakkers'. Yes, fan I think o' a' the nichts I've spent in the bar at the Bilermakkers' ower the years — an' I never kent it wis good for my health. But it's official noo. Twa pints a nicht is good for ye. 'At's the latest story fae the Government.

'At's the only story fae the Government that Frunkie Webster's ever peyed ony attention til.

Weel, it jist shows ye — if ye wait lang enough, they're bound tae dae something good.

The 'hale thing's a piece o' nonsense. I'm nae lettin' ye ging oot the nicht. There's things tae dae here.

Bunty! Ye widna stand atween a man and his life-savin' medication — namely twa pints o' the Bilermakker's best.

I certainly wid. I wint ye tae bide in an' help me wi' this form letter I'm writtin'.

Form letter? Fit ye spikkin' aboot?

It's a' the rage nooadays. Ye write a letter aboot a' the things you an' yer femily hiv been daein' since last Christmas. Then ye get it photocopied an' ye enclose a copy o't wi' every Christmas card that ye send. Like fit yer cousin Sandra dis. We got her een the day. I mean, withoot it we wid never hiv kent that Harold's jist got a six-figure retirement package, or that their loon Roderick is back-packin' in Nepal, or that their lassie Alison is involved in a long-standing stable relationship with a sculptor.

Ye mean she's still shacked up wi' yon scruffy boy wi' the beard tht wis kicked oot o' the Glesca Art School?

No, no, Bunty, the news in Sandra's letter is exactly the kind o' news that I can dae withoot. 'Cos fan I read it, I canna stop it fae squeezin' intae my limited aul' memory bank, an' I'm sure it must hiv displaced something important. But tell me, foo far hiv ye got wi' yer ain form letter?

Nae very far. I've got "Dear" and then a blank, an' efter the letter's photocopied ye fill in the blank wi' the name o' the person that ye're sendin' the card til'.

Very good. I can see ye've been gi'ein' this a fair bit o' thocht an' forward plannin'. So — "Dear Blank". Then fit?

Then I've said: "1995 has been a big year for us."

Weel, then say: "But next year will be bigger."

Fit wye d'ye ken?

It's a leap year. Ha, ha!

I micht've guessed you widna be nae help.

Sorry, Bunty. Cairry on. Fit else hiv ye written? Fit examples div ye gi'e o' the momentous events that hiv contributed tae this big year that you an' me hiv jist hid?

Weel, 'at's jist it. I canna think o' ony. I mean, the grand-children are a' a year aul'er an' a bittie bigger.

Features of their development over a 12-month period that are hardly exclusive tae OOR grand-children, Bunty. I mean, fascinatin' though it is, it's nae exactly high drama. It's hardly the kind o' thing that justifies sendin' oot mair than a hundred copies o' a letter aboot it.

It's jist fit I said; ye're nae help at a'.

Ach, dae yersel' a favour an' forget aboot the form letter, Bunty. Pit yer feet up the nicht an' watch the TV.

I bet there's naething good on the nicht. It'll jist be sport.

Awa'. There seen winna be ony sport on the BBC. They're losin' it a'. They've lost the motor racin' tae Sky. Peer Murray Walker'll be oot o' a job.

Maybe no. I wis readin' he wis possibly ga'n' tae be moved awa' fae motor racin' an' intae anither sport.

Murray Walker? Commentatin' on anither sport? Fit ither sport?

Chess.

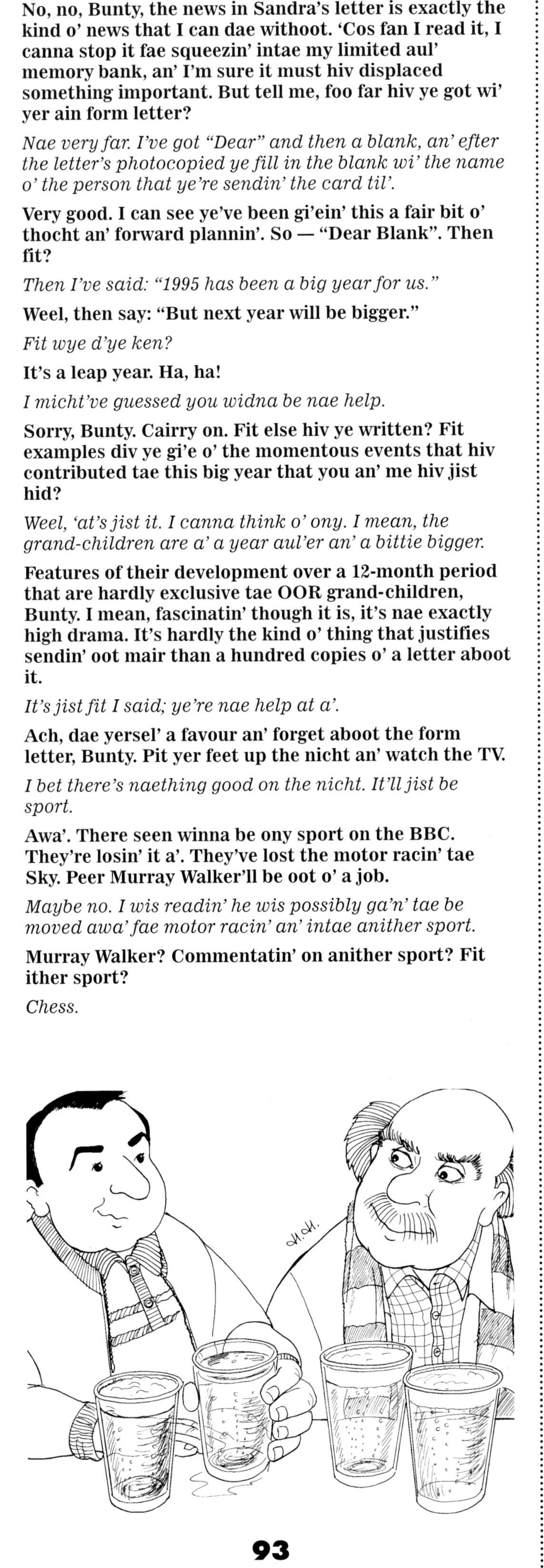

March 29, 1996

'Daisy's divorce wis mair successful than her mairriage'

FAR'S the paper?

Here's it. Hiv ye ever heard o' Des Carts?

'At's the boy in Coronation Street, isn't it? The bookie.

That's Des Barnes. Des Carts wis a French mannie. A kinda philosopher an' it tells ye in the paper it's his 400th birthday on Sunday.

Happy birthday, Des. Wait a minute. Fit wye div ye spell his name?

D-E-S-C-A-R-T-E-S

A' one word?

A' one word.

I'm sure ye dinna pronounce it Des Carts.

Weel, fit wye DIV ye pronounce it?

Dinna ask me. But it canna be the wye it looks. French never IS pronounced the wye it looks. They've nae idea, the French. I mean, if we ever ha'e a referendum on a single European currency, I'll ha'e nae problem. I wid never share a currency wi' a nation that canna pronounce its ain language.

6 Evening Express

Evening Express

Lang Stracht, Mastrick,
Aberdeen AB9 8AF.
Tel. 690222 Fax 699575/699437

COMMENT

Act now to save beef

THE Government must act now to restore public confidence in beef.

So far they have stumbled through this crisis with an ineptitude which has fuelled public panic and led to a near worldwide ban of British beef.

They totally underestimated the impact of the original statement on links between BSE and CJD.

Agriculture Minister Douglas Hogg suggested a selective slaughter policy, only to be slapped down by Cabinet colleagues with more political clout.

It is a sorry tale of confused inaction.

What must the farmers of the North-east think as they look on helplessly? For generations they have worked hard to build up herds of cattle renowned around the world, and now everything they have achieved is under threat because of a disease which is mostly found in dairy cattle in England.

Scottish farmers leaders themselves are favouring selective slaughter of older cattle.

The Evening Express would back this move because we can see no other way of restoring the public confidence essential if the beef industry is to have a future.

The Government must now put its money-dominated inaction behind it and show the world it will stamp out BSE.

No more committees, no more hiding behind the scientists' reports. The time has come to act on the available information.

It is a job for the Government.

So hiv you ever heard o' this Des mannie?

Aye, I read aboot 'im in a magazine in the dentist's waitin' room eence. If I mind richt, his famous sayin' wis, "I think, therefore I am". Except he said it in Latin. Probably — it's jist occurred tae me — because Latin dis tend tae be pronounced the wye it looks.

Dis it? I widna ken.

Weel, fit wis yer school motto at the aul' Central School?

Ad altiora tendo. "I aim for higher things".

See? Ad altiora tendo. Pronounced exactly the wye it looks.

Aye. THAT bit o' Latin is. I dinna ken aboot the rest. I never winted tae learn ony mair Latin.

Oh, ye should hiv, Bunty. Ye should've set yer sights higher.

Onywye, "I think, therefore I am". Div we agree wi' that? An' if ye div, is the opposite true. "I dinna think, therefore I dinna exist"?

Weel, if 'at's true, 'at's the last we've seen o' Frunkie Webster.

Aw, fair play.

Aye, I'm sorry.Frunkie IS a thinkin' man. I mean, he's a great fan o' Alastair Cooke.

A great fan o' fa?

Alistair Cooke. He's been writin' his Letter from America for 50 years.

Fifty years? Oh, weel, I dinna feel sae bad aboot my Christmas thank-you letter tae Auntie Daisy. I've jist been writing' it for three months.

Look, get 'at letter finished an' posted, Bunty. 'At wis an expensive gift she sent us. We should be keepin' in wi' Auntie Daisy. She's clearly got a lot o' siller. It looks as if her divorce his been a lot mair successful than her mairriage.

Did ye see Winnie an' Nelson Mandela got a divorce last wik?

Aye. But they were an ill-matched pair — a very great

man and a less than satisfactory wife. Fa dis 'at remind ye o', Bunty?

Ken 'is? I'm really gled Aiberdeen's got a street named efter Nelson Mandela.

Mandela Street?

No. Nelson Street. Ha, ha! Aye, ye fell for 'at een, Dod.

Very amusin', Bunty. I'll need tae tak' ye tae the picters mair often.

Ye will not. Nae efter Tuesday. I winted tae see Sense an' Sensibility, but we hid tae ging an' see Trainspottin', 'cos 'at's fit YOU winted tae see. Oh, me, yon wis affa.

I wisna tae ken it wid be a picter like 'at. I thocht it wid be a bit o' gentle nostalgia takkin' me back tae my childhood fan I used tae ging trainspottin' at Kittybrewster Station. I hid a Number 17 exercise book wi' the numbers o' mair than 300 engines in it.

Fit happened tae that exercise book?

It wis lost.

In the Clifton Road blitz o' 1943?

No, in the spring clean o' 1951. My mither threw it oot wi' the aul' man's mess tins fae the North Africa campaign. She never had nae sense o' history, my mither.

The pint is we should hiv went tae Sense an' Sensibility. It won an Oscar for the best script.

Aye, an far did they send the Oscar statuette? I shouldna think Jane Austen left a forwardin' address.

I'll hae tae buy the book an' read it.

Hud on, Bunty. Ye hinna finished Pride an' Prejudice, or even Middlemarch yet.

I ken. I'm gettin' on, though. I'm readin' them baith 'at eence. Time aboot. A page at a time.

For ony sake. Nae wonder ye hinna hid time tae finish yer letter tae Auntie Daisy. Of course Middlemarch an' Pride and Prejudice were TV versions o' great masterpieces, an' there's seen ga'n' tae be anither een. There's ga'n' tae be a TV version o' Dennis the Menace.

Dennis the Menace? Fit next? A TV version o' Desperate Dan?

Weel, there could be. In the present crisis the Government could mak' it an' pit it oot as propaganda.

Fit d'ye mean?

Weel, it could restore consumer confidence in beef, 'cos it's the story o' a great big strong healthy bloke that disna eat naething but cow pie.

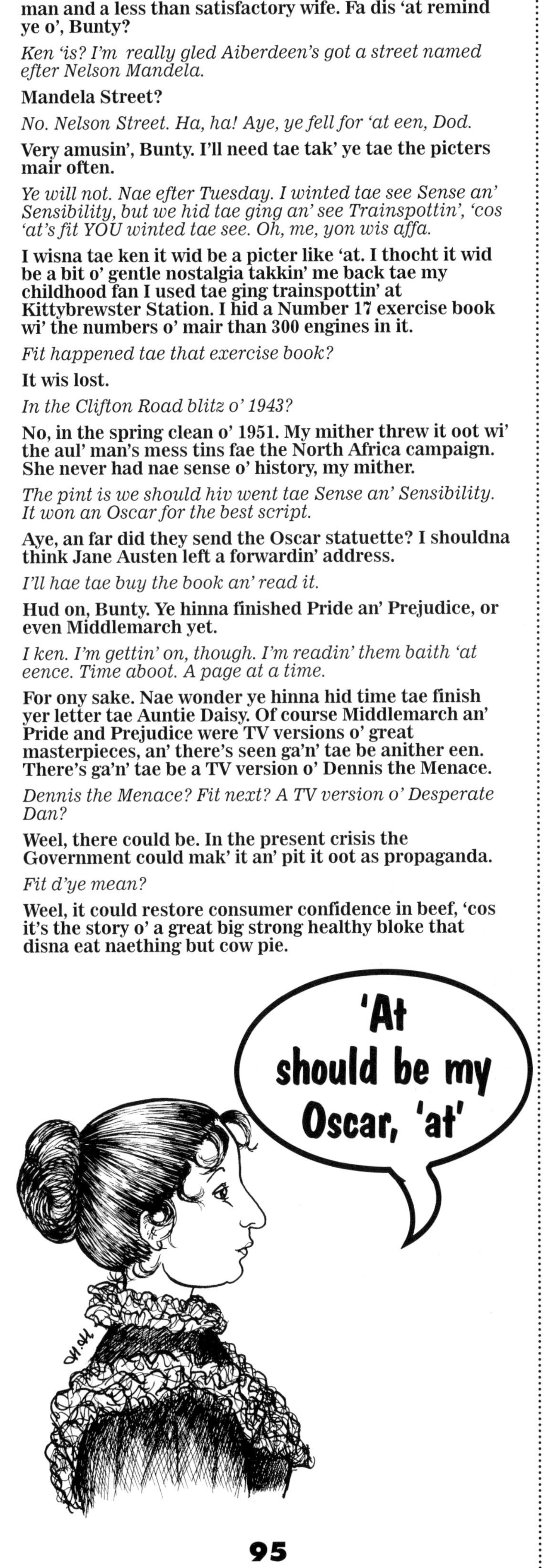

May 10, 1996

'Frunkie is Labour's answer tae the feel-good factor'

FAR'S the paper?

Here ye go. I'm awa' tae watch Coronation Street. Did ye notice it's seen ga'n' tae be on fower times a wik?

Aye, Anither significant change in the nation's lifestyle, Bunty. An' it's Sunday that the fourth episode's ga'n' tae be on. Nae wonder the Kirk's bringin' oot a trendy new hymn book. They're gettin' worried. They ken they need a counter-attraction tae Coronation Street.

Apparently Jack Duckworth's nae happy aboot daein' an extra night. Of course he aye WIS lazy, Jack. I mean, he'll be daein' two hoors' work a wik instead o' an hoor an' a half. It's still pretty cushie.

Bunty, an episode o' Coronation Street disna jist involve half an hoor's work. The folk dinna jist roll up, stroll on tae the set an' make it up as they ging along. It's nae Baywatch we're spikkin' aboot.

Awa' ye go. I ken fine they dinna make it up as they ging along. Nae them a', onywye. Percy Sugden tends til.

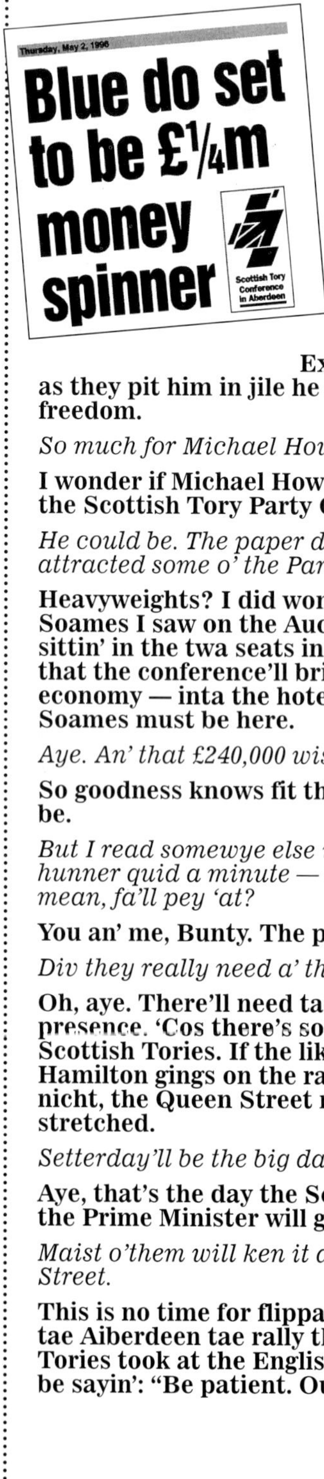
Thursday, May 2, 1996

Blue do set to be £¼m money spinner

Aye, ye div get the feelin' some nichts that Percy treats his lines as a basis for negotiation. But fit I'm tryin' tae say is it's a very stressful life bein' in a soap. Look at Arthur in Eastenders.

He's in the jile. We hinna seen him for months.

Exactly. An' he said that as seen as they pit him in jile he hid this terrific feelin' o' freedom.

So much for Michael Howard's get tough policy.

I wonder if Michael Howard's in Aiberdeen this wik for the Scottish Tory Party Conference.

He could be. The paper did say that the conference had attracted some o' the Party's heavyweights.

Heavyweights? I did wonder if that wis Nicholas Soames I saw on the Auchinyell bus last night. He wis sittin' in the twa seats in front o' me. I read somewye that the conference'll bring in £240,000 tae the city's economy — inta the hotels, bars an' restaurants. So Soames must be here.

Aye. An' that £240,000 wis a conservative estimate.

So goodness knows fit the Labour Party's estimate wid be.

But I read somewye else it's ga'n tae cost £425,000 — a hunner quid a minute — tae police the conference. I mean, fa'll pey 'at?

You an' me, Bunty. The peer auld council tax payer.

Div they really need a' that police?

Oh, aye. There'll need tae be a significant police presence. 'Cos there's some richt tearaways among the Scottish Tories. If the likes o' Lord James Douglas Hamilton gings on the randan in Windmill Brae the nicht, the Queen Street resources will be pretty stretched.

Setterday'll be the big day, though.

Aye, that's the day the Scottish faithful will gather, an' the Prime Minister will give them his address.

Maist o'them will ken it already, surely. 10 Downing Street.

This is no time for flippancy, Bunty. Mr Major is comin' tae Aiberdeen tae rally the troops efter the pastin' the Tories took at the English local election last wik. He'll be sayin': "Be patient. Our secret weapon, the feel-good

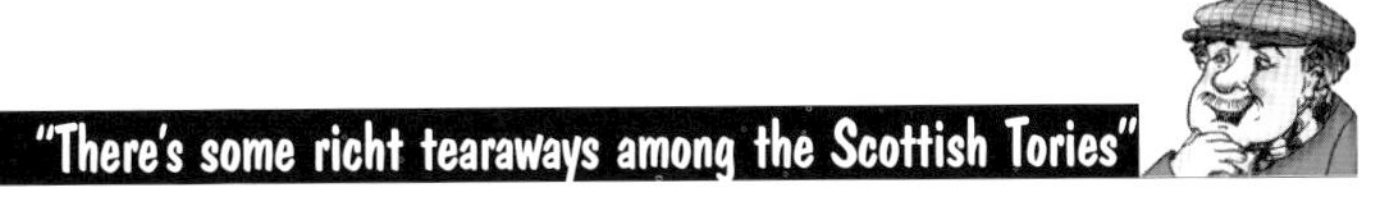

factor, is comin'."

Peer mannie. I feel sorry for him, ha'ein' tae come up here.

Aye, ha'ein' nae idea far Aiberdeen is, an' nae kennin' that a demo lies in wait for him.

A demo? Dinna tell me it's a Frunkie Webster production.

I'm afraid so, Bunty. An' even worse —

Dinna tell me he's roped you in for't.

I'm afraid so, Bunty. I'll jist be cairryin' a placard. It could've been worse. Did ye ken Frunkie's very intae Guy Fawkes? Ken? The boy that plotted tae blaw up King James I, 1605.

Five past four in the efterneen? I thocht it wis late at nicht.

Bunty, ye're nae takin' this seriously. Frunkie's idea wis tae stand ootside the Exhibition Centre dressed up like Guy Fawkes wi' a big imitation bomb in his hand, an' a great bourrachie o's standin' ahin' him shoutin', in unison, ken? An incessant rhythmic chant: "Awa' hame, Major, ye big tattie. We'll blaw ye oot o' office as seen as ye have the nerve tae have a General Election either later this year or early next.

An' durin' this rhythmic chant Frunkie wid be dressed like Guy Fawkes?

Weel, 'at wis his original idea, 'cos he said: "Like Guy Fawkes, oor struggle is wi' a ruthless, despotic, authoritarian, all-powerful tyrant."

I thocht it wis John Major he wis demonstratin' against.

Weel, 'at's richt. An' even Frunkie hid tae admit the situations are nae exactly parallel. An' fan I pinted oot that as far as Guy Fawkes wis concerned the Gunpowder Plot wisna exactly an unqualified success, like he wis tortured, hung, drawn an' quartered, an' 'at wis jist for starters, Frunkie went aff the 'hale idea. So the demo's been scaled doon a bit, tae jist Frunkie an' me, in wir ain claes, wi' a placard apiece. Mine'll say: "Awa' hame, Major, ye big tattie." Frunkie thocht we should keep that in. He thocht it encapsulated the message we winted tae get across, ken?

If ye ask me, Frunkie is Labour's answer tae the Tories' feel-good factor.

Oh?

Aye. The feel gype factor.

'I've never seen Bert Sangster drinking water'

FAR'S the paper?

I've nae idea. An' dinna expect me tae look for it. I'm ower busy pittin' a' wir press cuttin's intae the scrap book.

Press cuttin's? Scrap book? Fit ye haverin' aboot, Bunty?

Ye ken fine we've got a scrap book — far we keep a' the femily press cuttin's.

Oh, aye. Michty, I'd nearly forgotten aboot 'at scrap book. I mean, it's nae the thickest tome ye've ever seen. As far as length's concerned, it's nae exactly War an' Peace. It's a lang time since there's been onything tae pit in it.

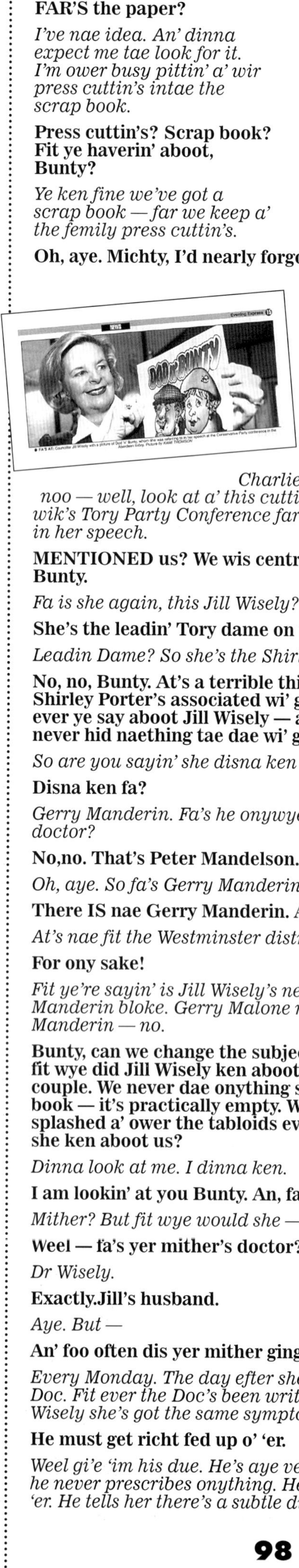
Evening Express 15
NEWS

● FA'S AT: Councillor Jill Wisely with a picture of Dod 'n' Bunty, whom she was referring to in her speech at the Conservative Party conference in the Aberdeen today. Picture by KAMI THOMSON

At's richt. The last time we hid onything tae pit in it wis fan Uncle Charlie wis pit aff the road. But noo — well, look at a' this cuttin's I've got aboot last wik's Tory Party Conference far Jill Wisely mentioned us in her speech.

MENTIONED us? We wis central tae her 'hale thesis, Bunty.

Fa is she again, this Jill Wisely?

She's the leadin' Tory dame on the cooncil.

Leadin Dame? So she's the Shirley Porter o' Broad Street?

No, no, Bunty. At's a terrible thing tae say aboot onybody. Shirley Porter's associated wi' gerry-manderin'. An' fit ever ye say aboot Jill Wisely — an' fa disna? — she's never hid naething tae dae wi' gerry-manderin'.

So are you sayin' she disna ken 'im?

Disna ken fa?

Gerry Manderin. Fa's he onywye? Is he Tony Blair's spin doctor?

No,no. That's Peter Mandelson.

Oh, aye. So fa's Gerry Manderin?

There IS nae Gerry Manderin. An' never his been.

At's nae fit the Westminster district auditor said.

For ony sake!

Fit ye're sayin' is Jill Wisely's never kent this Gerry Manderin bloke. Gerry Malone now — yes. But Gerry Manderin — no.

Bunty, can we change the subject? Fit I wint tae ken is - fit wye did Jill Wisely ken aboot us?We're jist an ordinary couple. We never dae onything special. Look at 'at scrap book — it's practically empty. We dinna get wir photies splashed a' ower the tabloids every wik. So fit wye did she ken aboot us?

Dinna look at me. I dinna ken.

I am lookin' at you Bunty. An, fa' div I see? Yer mither.

Mither? But fit wye would she — ?

Weel — fa's yer mither's doctor?

Dr Wisely.

Exactly.Jill's husband.

Aye. But —

An' foo often dis yer mither ging tae see Dr Wisely?

Every Monday. The day efter she reads the Sunday Post Doc. Fit ever the Doc's been writin' aboot Mither tells Dr Wisely she's got the same symptoms.

He must get richt fed up o' 'er.

Weel gi'e 'im his due. He's aye very sympathetic. I mean, he never prescribes onything. He jist his a wee chat wi' 'er. He tells her there's a subtle difference atween her

● FIT LIKE: Aberdeen councillor Jill Wisely during her speech at the conference when she urged Chancellor Kenneth Clarke to woo Dod 'n' Bunty — Buff Hardie's comic characters in the Evening Express who, she believes, symbolise the people Tory activists should be targeting. Mrs Wisely, prospective parliamentary candidate for Aberdeen Central, urged Mr Clarke to give enhanced tax allowance and relief to families with children in an effort to win back votes.

symptoms an' the eens in the Sunday Post, an' fit she's got is jist anither episode in the rare chronic condition that she suffers fae.

An' fit's 'at? Fit dis he say she's got?

Gallopin' hypochondria.

Hypochondria?

Fear o' water.

Awa'!

I'm tellin' ye. Lizzie Sangster at the Boolin Club — her man hid it, an' Lizzie telt me fit it meant.

Weel, certainly I've never seen Bert Sangster drinkin' water, but I think you an' Lizzie got mixed up in yer medical terminology somewye. But gettin' back tae Dr Wisely, ye said he his a wee chat wi' yer mither every Monday.

Aye.

There ye go, then. She'll blether on tae him aboot me an' you an' the femily, an' he'll pass it on tae Jill, an' 'at's the wye she kens a' aboot us. 'At's the wye she wis able tae describe us as "a prototype femily with traditions that underline Great Britain". Fitever that means.

Weel, she got 'at wrang. We're nae a Prototype femily. I dinna even ken far Prototype is. Is 'at een o' the new bits at the Brig o' Don?

No, no.Prototype means — weel, I'm nae sure, but in your case I think it micht mean somebody that canna understand words o' mair than twa syllables.

Twa fit?

An' she said we were twa icons. Now div ye ken fit "icon" means?

Of course I div.It's fan ye're walkin' along country roads wearin' big beets an' cairyin' a knapsack.

Bunty! Ye're ha'ein me on.

I've been ha'ein' you on a' alang. I ken fit prototype means. It means we're a model British femily, an' fit she's askin' is — fit can the Tories dae for folk like us?

Exactly. An' I raised 'at wi' Frunkie Webster.I says "Fit's the best thing the Tories could dae for the likes o' us?

An' fit did Frunkie say?

"Pack it in an' gi'e somebody else a shottie."

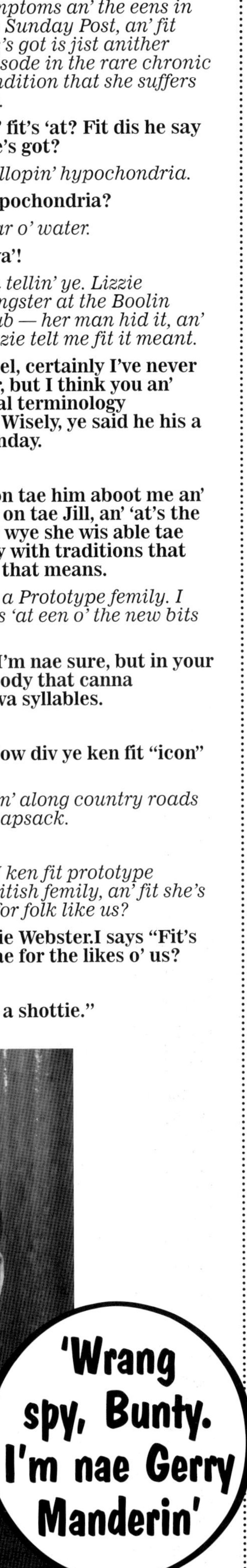

May 24, 1996

'Picters took a good 20 years tae get tae the Grandie'

FAR'S the paper?

Here ye go. Still nae sign o' yer letter.

'At's typical, 'at. They ask folk tae write in wi' their memories o' a hunner years o' ga'n' tae the picters in Aiberdeen, an' fan a keen film buff like me gings tae the trouble o' writin' in, they dinna publish it.

They probably didna expect tae get a letter that covered the 'hale hundred years.

Dinna be chikky.

Weel, you telt me you saw a lot o' the silent picters.

They wer'na supposed tae be silent, Bunty. The sound track at the Starrie didna work maist nichts. Weel, it didna work at a' tae tell ye the truth. The Starrie certainly wisna the picter hoose tae ging till if ye liked musicals.

An' did you nae tell me ye can mind seein' King Kong?

Aye, but nae the first time roon'. I saw it fan it came back tae the Grandie. The Grand Central, ken? Picters aye took a good 20 years tae get tae the Grandie.

As lang as that?

Langer sometimes. I eence saw a Shirley Temple picter at the Grandie, an' by that time, in real life, Shirley had got her bus pass. Great days, though, ga'n' tae the picters, wis it? You should write in aboot your experiences in the back row at the Astoria, Bunty. Mind you, ye wid need somebody like Jackie Collins tae ghost it for ye. There wis a time fan the back row o' the Astoria wi' you wis the best ninepenceworth in Aiberdeen.

> **DO YOU have a winning smile? Well, here's your chance to find out.**
>
> **Today, the Evening Express, in conjunction with Somerfield supermarket, launches its search for the person with the brightest smile in the North-east with £350 worth of prizes going to the best one.**

Aye, I dinna think the Evening Express readership is ready for that story, Dod. I mean, I ken folk are mair sophisticated nooadays, an' they'll a' hiv been tae see "Kids" but even so —

Spikkin' aboot the Evening Express. I wis thinkin' I micht enter for their smile competition.

Fit? A soor dook like you?

Three hunner an' fifty quid prize money, Bunty. An' employees o' Aiberdeen Journals canna enter. That his tae cut oot some o' the best smiles in Aiberdeen. I thocht you could tak' a special photie o' me, or else we could send in that nice een that wis ta'en at a late stage at Kirsty McFarlane's weddin'.

You'd be nae eese in a smile contest. Ye've got tae show yer teeth.

Like this?

Dod, pit yer teeth back in.

Thorry, Bunty. Jitht a wee joke.

Ye're an affa man. I suppose I should be pleased that ye've cheered up since Setterday. It must hive been purgatory for ye watchin' Rangers winnin' the Cup. At least it wisna a surprise.

Aye. Ye ken I went ower tae Frunkie Webster's tae watch the match? Weel, afore it started I asked Frunkie fa he thocht wid win. An' he said, "My heid says Rangers. My he'rt says Aiberdeen."

Aiberdeen? They wer'na even playin'.

Weel, Frunkie did admit that 'at bein' the case, the

Dons wid ha'e to go some tae lift the Cup. But 'at wis fit his he'rt winted tae happen, so I left him wi' his dreams an' his tenth can o' Export. Mercifully, he wis asleep by the time Rangers scored their second goal.

Unfortunately sae wis the Hearts goalie.

At least it wis a mair entertainin' game than the English Cup Final. Full marks tae Alex Ferguson, though. Daein' the double twice.

Aye. He's some manager Fergie, is he?

Aye. An' he's obviously improvin'. I mind fan he wis wi' Aiberdeen back in the Eighties. I wrote a very strong letter tae the Green Final criticisin' his team selection an' suggestin' fit the team should be.

An' fit happened.

I dinna think he could've seen the Green Final that wik, 'cos he didna change the team at a'.

And?

And the next wik the Dons won the European Cup Winners' Cup.

An' of course he's stuck by Eric Cantona.

Aye, nae like France. They've left him oot o' their team for Euro 96. They must ha'e some team if they can dae withoot Cantona.

If France dinna need 'im, could we nae get 'im? Could we nae say he his a Scottish grunnie that mairried an ingin Johnnie? Fa could prove ony different?

I should think Cantona himsel' wid wint til for a start. Closely followed by his grunnie.

Weel, could we nae jist dae a swap wi' France? If they gie us Cantona, we'll gi'e them Derek Johnstone. In fact I wid throw in Chic Young, Jim Farry and Michael Forsyth an' a'.

Bunty. I hear fit ye're sayin'. an I like it. But real life's nae like that. Ye're fantasisin'. Ye're back tae a hunner years o' ga'n' tae the picters.

Fit a' did ye say in yer letter tae the paper?

Weel, I recalled the pleasures o' ga'n' tae some o' the mair doon-market picter hooses. Like the Bemont, far ye went in wi' a jersey an' came oot wi' a jumper. Or in wi' a freen' an oot wi' a stranger, ken?

And did ye tell them fa yer favourite film star wis?

Aye, Johnny Weissmuller. Fa wis yours?

Esther Williams.

Johnny an' Esther. 'At's funny, they were baith great sweemers, were they? Ye dinna get film stars like them nooadays.

No. I suppose Jaws wid be the nearest.

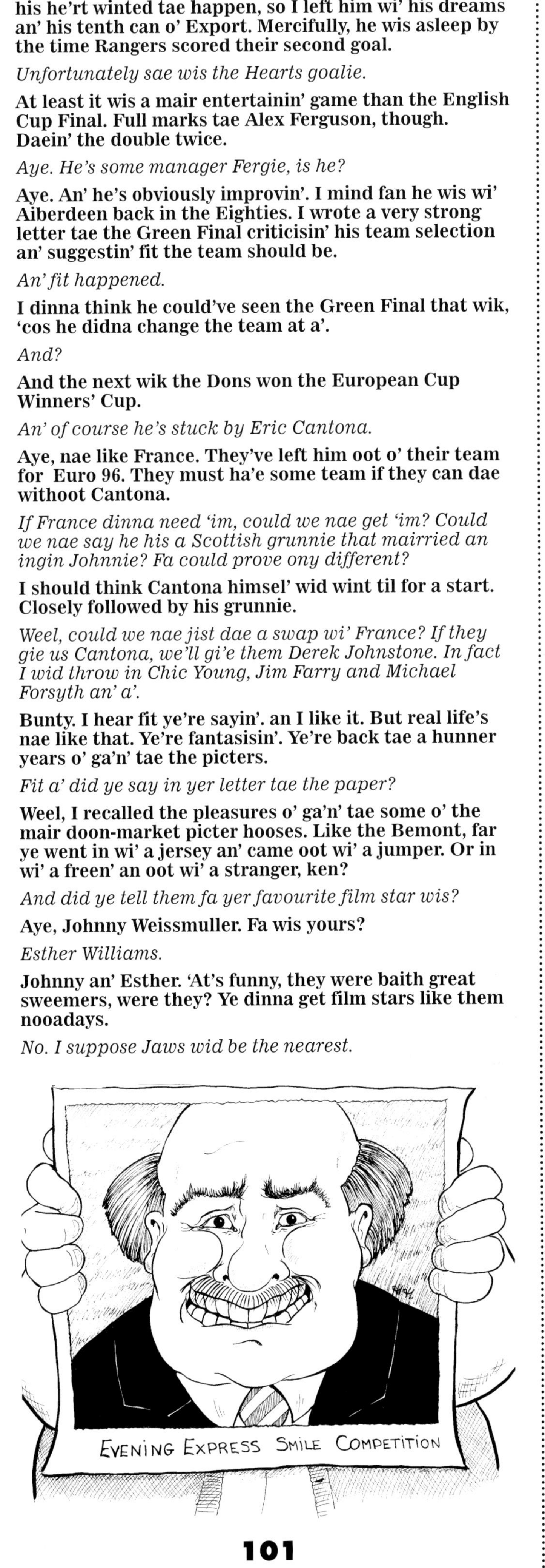

'John Major's got bigger fish tae fry than seagulls'

FAR'S the paper?

Here's it. But it's nearly half past seven. Are ye nae ga'n' tae watch Coronation Street.

No. I've kinda went affa Coronation Street. It's nae the same since Elsie Tanner left.

For ony sake. 'At wis years ago.

I ken, I ken. I wis jist jokin'. Seriously, though, it hisna been the same since Bet Lynch left.

> LITTER campaigners are calling on environmental chiefs to put a lid on the soaring seagull menace.
>
> Sickened by the rubbish left strewn across Aberdeen streets by scavenging birds, they want the council to provide wheelie bins with Common Good cash.
>
> And they're calling on residents to report thoughtless neighbours who put out bin bags long before rubbish collections

Bet Gilroy, ye mean. Ach, you couldna see past Bet.

Nae mony folk could. 'At wis part of her charm, Bunty. So fit's the latest crisis?

Weel, Nicky's disappeared.

Oh, aye. I saw that last wik. Gail wis gettin' real worked up aboot it. I suppose she hid til, bein' his mither. But I bet maist o' the ither folk were gled tae see the back o' 'im. A girny, unattractive loon, I aye thocht.

Ah, but it wis good tae see Gail gettin' a chunce tae be distraught again. Gail used aye tae be gettin' agitated aboot something. We hinna seen her gettin' frantic for ages. She seems tae hiv spent the last twa years ahin' the coonter in the cafe spreadin' loaf.

Richt enough. Mind you, d'ye nae feel ye're slummin' fan ye watch Coronation Street efter watchin' Murder One? Ken? Fan ye move fae baldy Ted Hoffman's office suite in LA tae Jack Duckworth's pigeon loft in Salford. Mind you, I suppose 'at's fit TVs for — tae open a window on the world in all its infinite diversity, ken?

For ony sake, it's nae the real world. They're baith only stories.

Weel, 'at's rich comin' fae you. Fa wis it that wrote tae Rita Fairclough advisin' her nae tae mairry yon creepy Ted Sullivan mannie?

'At wis different.

The last three episodes o' Murder One were magic, were they? Spik aboot excitin'. Imagine the BBC postponin' them for the Olympics.

I ken. The laugh wis the Olympics wis criminal an' a'.

Aye. A' that effort fae Des an' David an' Brendan an' Sue an' Hazel an' Dougie an' Sharon — tae name but a few — an' a' they could produce wis one gold medal. We'll need a' hale new team for Sydney. Chic Young should be gettin' intae trainin' noo.

Did ye see far Britain finished in the medal table? Jist efter Outer Mongolia, jist above the North Pole. I mean, d'ye mind fan we used tae ha'e Coe an' Ovett an' Mary Peters an' Daley Thomson? Far hiv we gone wrang?

Weel, of course, Frunkie Webster blames John Major.

Awa? Fit wye can he possibly blame John Major?

Simple. He blames John Major for a'thing. Life is an uncomplicated business for Frunkie.He even blames

John Major for the seagulls.

Seagulls?

The plague o' seagulls in Aiberdeen. They're a'wye — swoopin' doon on wir black refuse bags an' scatterin' rubbish a' ower the place. An' fair do's tae Frunkie Webster. Fit's John Major daein' aboot it? Naething.

It's nae fair tae blame John Major. He's the Prime Minister — he's got bigger fish tae fry than seagulls. No, no, the folk that are tae blame are the folk that pit their black rubbish bags oot ower early, g'iein' the seagulls the chunce tae spot them 'an rip them open.

I'll tell ye fa's really bad for that — the new folk through the hoose, the Kemps. Weel, late last Monday nicht I went tae pit oot oor bucket — under cover of darkness — an' michty, the pavement was littered wi' rubbish that the seagulls hid got oot o' the Kemps' black bag, 'cos the mannie Kemp hit pit it oot far ower early.

Fan hid he pit it oot?

Friday. An' I'll tell ye something else. Fae fit I could see o't it wis a poor class o' rubbish. This neighbourhood's nae fit it wis, Bunty. I mean, the folk afore the Kemps — the Ritchies — now they pit oot quality rubbish. There wisna much escaped oot o' their black bags, but if onything did, ye could bet yer boots it wid be an empty tin o' Baxters Taste o' Scotland soup or the foliage aff a fresh pineapple. It wis a class act, the Ritchies' rubbish. But the Kemps' —

Aye. They're jist nae satisfactory. Weel, d'ye mind their flittin'? It wis 11 o'clock at nicht fan the van arrived wi' their furniture. Fit kind o' time wis that for folk tae ha'e tae wait up 'til tae watch a flittin'? Spik aboot inconsiderate.

I ken. Mind you, the mannie Kemp's got a car, an' he's offered me a lift tae Pittodrie the morn.

And?

And I've accepted it. Weel, it widna hiv been very neighbourly tae turn it doon.

Will a' the new foreign boys be playin' the morn. Fit aboot this lad Quina? Is he a Dons player yet?

D'ye ken 'is Bunty? I'm nae sure.

I heard a story they were fixin' up digs for 'im in Victoria Road.

Oh — so he wid be a Torry Quina.

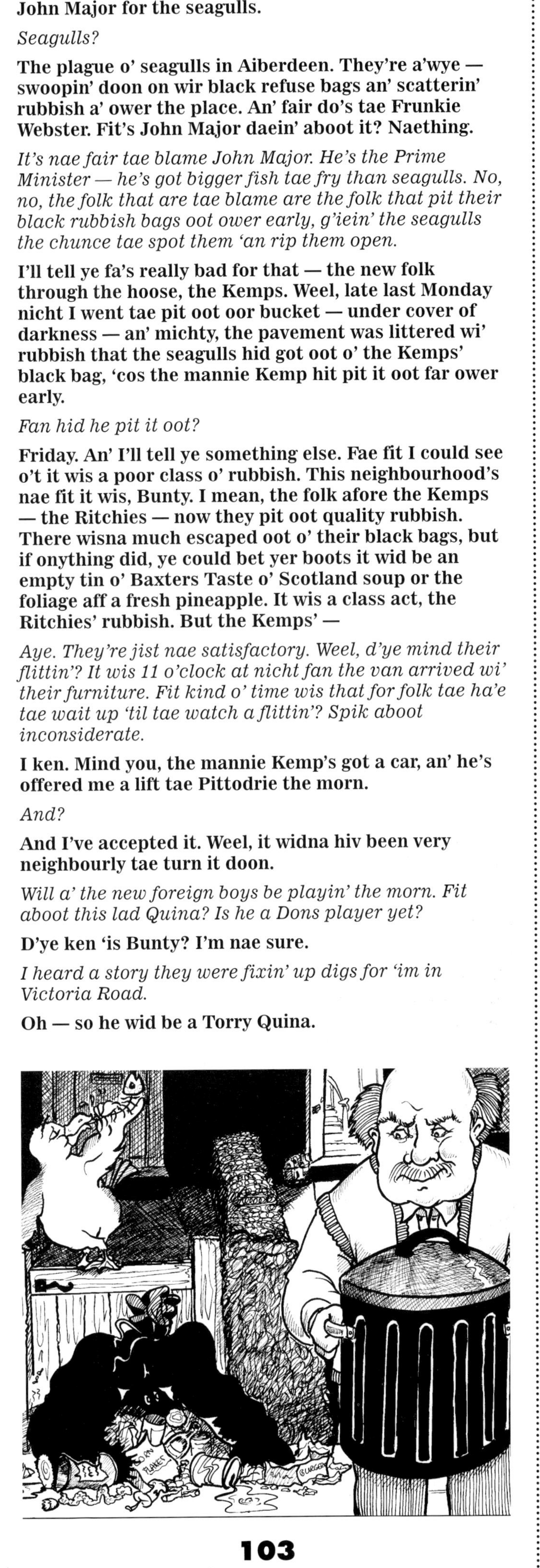

'I've never hid time for her man'

FAR'S the paper?

Ye're nae gettin' the paper. Nae till ye dae fit ye promised. Ye said ye wid mow the lawn the nicht.

I never said I wid mow the lawn. I said I wid cut the dryin' green. Since fan hiv we hid a lawn?

Since I went for my fly-cup tae Mrs Marshall in Rosehil, an' she took me roon' their prize-winnin' gairden. THEY'VE got a lawn, an' I thocht "lawn" sounds a lot better than "dryin' green".

Maybe so. But ca'in' the dryin' green a lawn disna change fit it IS. It disna alter the fact that the last time I cut it I got tangled up in a pair o' my ain long johns.

It wis yer ain fault for wearin' long johns in July. If ye hidna' been wearin' them, I widna hiv tae wash them, an' if I hidna washed them, they widna hiv been on the line.

Saturday, August 10, 1996

NEWS

● NO EXIT: Bingo players at the Mecca in Aberdeen take a short cut over the fence so they can catch the bus.

BINGO!

Mecca to make OAPs' city shortcut official

Weel it wis EARLY July. An' I wisna prepared tae admit the winter wis past.

So fit ye're sayin' is that it's mair than a month since ye cut 'at grass. Weel, fitever it is — a lawn or a dryin' green — awa' ye go oot an' get it cut. THEN ye can read the paper.

Ye're a hard woman, Bunty. An' I've hid a hard day. I've nae energy left tae cut the grass.

Ach, ye're a waste o' space. An' spikkin' aboot space, the American scientists at NASA hiv discovered life on Mars. They'd ha'e a hard job findin' ony in you.

Now, Bunty, there's nae need tae be nesty. But it's wonderful, is it? Tae think that there's life on ither planets.

Weel ONE ither planet. An' it's nae exactly life as we ken it. I mean. Mars is nae full o' folk poppin' oot tae the pub for a drink.

Maybe it is.

Awa! A' that the NASA boys hiv discovered is that millions o' years ago there wis MAYBE some bacteria on Mars. There's nae pubs there.

Oh? Hiv you never heard o' Mars bars? Heh, heh, heh.

Look, cut the cackle, an' get oot an' cut 'at grass.

I'm ower tired, Bunty, my job's gettin' ower much for me. I'm thinkin' o' changin' it. There wis a bit in the paper last wik aboot the Aiberdeen College lookin' for models for the art department. I think I could jist aboot summon up enough energy tae sit aroon' daein' a bit o' modelin'.

You? An artist's model? 'At's a laugh. An' wid ye be — ye ken?

Sometimes I wid, yes.

Gad sake!

Bunty, there is no shame in the human body.

Nae in the HUMAN body, but it's YOUR body we're spikkin' aboot.

Very amusin', Bunty. Very satirical. It's like ha'ein yer tea wi' Ben Elton.

But if we're spikkin' aboot exposed bodies, Mrs Marshall in Rosehill that I wis spikkin' aboot wis tellin' me o' a bad experience she hid comin' awa' fae the Berryden bingo last wik.

Oh, aye. I saw a picter in the paper o' some unusually swack lady bingo-players climbin' ower a fence tae get a short-cut hame. Wis Mrs Marshall in that picter?

No. They did tak' a photie o' her, but it wisna printable. Weel, she tripped ga'n' ower the fence. She went heelster-gowdie, her skirt flew up, an' the Evening Express got a photo o' the 'hale o' her next wik's washin'.

Withoot even ha'en tae send a photographer tae her drying green — I mean lawn — in Rosehill. Of course, I've never hid nae time for her man — Norman Marshall.

Aye, 'cos he's got a nice lawn. 'Cos he gets oot o' the hoose an' mows it regularly.

Bunty, if I wis mairried tae Brenda Marshall, I wid be lookin' for ONY excuse tae get oot o' the hoose regularly. My reluctance tae ging oot an' cut oor grass is a token of my undyin' love for you, Bunty.

It is not. It's 'cos ye're a lazy beggar.

Weel, that an' a'. But I wis ga'n' tae say aboot Norman Marshall — he'll ha'e tae watch himsel' noo we've got the Snoopers' Charter, ken? Noo that we're bein' encouraged tae clype on folk that are swickin' the welfare system.

Oh, aye. Fit did Frunkie Webster ca' it? The new Tory gospel — "Shop thy neighbour".

Aye. Weel, for ages last year Norman Marshall wis drawin' the dole, an' a' that time he wis takkin' in gairdens tae dae for money. An' he wis gettin' peyed cashers as well. Under the new regime somebody that disna like him —

You, for instance.

No, no. I couldna spill the beans. I mean, honour among —

Aye?

Fit I mean is, I couldna be a collaborator wi' Peter Lilley's Gestapo. I mean, this 'hale thing jist proves that the Tory Party is nae the Tory Party of yore — fan it wis full o' real toffs — public school fellas, ken? I mean, fit wis the first rule — the cornerstone — o' the public school ethic? Nae sneakin' on yer mate. Sneakin' on somebody wis the maist henious crime ye could commit at Eton or Harrow.

Aye. Mind you there winna be ower mony Old Etonians on benefit and in a position tae be clyped on.

'At false teeth must've made an impression on somebody'

FAR'S the paper?

Here's it. Listen tae this — here's a surprise: "Aiberdeen tap o' the league table in Scotland."

'At's a joke in very bad taste efter Tuesday's result, Bunty.

No, no. It's nae aboot fitba'. Aiberdeen's tap o' the league table for Divorce. It says here it's a' the fault o' godlessness, immortality an' the ile industry. There's 7.43% o folk in Aiberdeen are divorced. Wait till I see if it gi'es a brak-doon. I bet there's mair men than weemen get divorced.

Bunty, wid ye hand ower the paper, please. 'Cos if ye dinna, Aiberdeen's divorce statistics is ga'n tae get bumped up even further.

City in premier league of divorce

ABERDEEN is the divorce capital of Scotland, new figures show. Research among a 100,000-strong sample of people from throughout the UK shows that 7.43% of Aberdeen people have untied the knot.

Promises, promises. Hey — here's anither good story: accordin' tae a new survey, the man Scottish weemen wid maist like tae see in a kilt is Mel Gibson. Second is Billy Connolly, third is Gavin Hastings. Weel, 'at's fair enough. Then fourth is — oh come on, fa are they kiddin'? Fourth is John Major.

John Major? Div the weemen that voted for him realise he wid wear his kilt tucked inside his Y-fronts?

Surely he wid be like a true Scotsman, an' nae wear onything underneath.

Weel, 'at's richt. He widna wear onything underneath. He wid wear his dra'rs on tap. He ayewis dis, accordin' tae the papers.

He must be getting' worried aboot the sleaze enquiry. Betty Boothroyd his said the Hoose o' Commons his tae get tae the bottom o't. They can vote on fit kind o' enquiry it's ga'n' tae be.

The trouble is Bunty, the MPs is nae a' good men an' true like fit Betty is. But fitever form the enquiry tak's, it's got tae ha'e teeth. Unlike Frunkie Webster at this moment.

Ye mean Frunkie's got nae teeth? Fit happened?

Weel, efter the match on Tuesday we went for a drink tae droon wir sorrows an' try an' think up a tactical plan tae send tae Roy Aitken that wid guarantee a 3-0 win in the second leg. Weel, we never got that far, 'cos the thing wis Frunkie hid went straight tae the match fae his work an' he hidna hid nae tea, so he wid order some pub grub.

Fit did he order?

Cottage pie. An' I think een o' the slates aff the cottage roof must hiv got in ahin' his denture. Fitever it wis, he went tae the gents' an' took oot his teeth. He laid them doon, went tae wash oot his moo', an' fan he turned roon again the teeth were awa'. Nicked.

Stolen? Frunkie's false teeth? Awa'!

I ken fit ye mean. Ye widna THINK onybody wid wint tae pinch a set o' false teeth wi' a fair mileage on the clock, but 'at false teeth must've made an impression

on somebody, 'cos fan Frunkie comes back fae the gents' he comes in aboot tae me an' he says, "Thomebody's thtolen my teeth".

An' fit did you say?

I said: "Yer upper or yer lower plate?"

Wis 'at important?

Weel, as it turned oot, it wisna. 'Cos Frunkie said, "Baith o' them." An' I says. "To lose one plate, Mr Webster, may be regarded as a misfortune; to lose both looks like carelessness."

That hidna pleased 'im.

No, he wis wild. He says, "It with NOT carelethneth. Thome burglar — "I THINK he said "burglar" — "pinched them. Look, I canna thpik. You phone Queen Threet an' report it." So I did. I phoned Queen Street. Engaged. I gied it twa minutes an phoned again. Still engaged. Then I realised fit wis happenin'. Every line wis ta'en up by the bobbies inside Queen Street phonin' oot tae Brian Toppin' complainin' aboot fit's ga'n' on in the force.

Fa is he, this Brian Toppin'?

He's a member o' the Police Board.

Is 'at the same as the Licensin' Committee?

No, no. They're the lot that hiv tae judge whether tae grant the film o' Macbeth a certificate for it tae be shown at the Beach Ballroom.

So they're a kind o' board o' censors, are they? I mean, there's a lot o' cooncillors on it.

'At's richt. Oor elected representatives. The great and the good. They a' come thegither tae watch Macbeth an' they decide whether this master work is something that's suitable for the rest o's tae see.

'At's affa good o' them. 'Cos I widna wint tae ging an' see it if it wisna suitable for me. But I read somewye that een o' the cooncillors that saw it said it wis a smashin' picter — a bit like Braveheart.

So he noticed that baith o' thae picters wis set in Scotland an' took place lang ago. By jove, there's nae much gets past him, is there?

An' anither een said, "A great film — wonderful scenery, wonderful camera work, wonderful music, wonderful actin'. I've jist got one quibble. The dialogue wis rubbish. Far on earth did they dig up the dumplin' that wrote the script?"

'At's the last 99 Flake I'll ever buy!'

FAR's the paper?

Jist gi'e's anither twa meenits. Then ye ca ha'e it.

Bunty, ye'll miss the start o' Coronation Street.

No, I winna. I'll miss that bloomin' advert for Cadbury's chocolate that ye get noo AFORE Coronation Street. Stupid-lookin' thing. I canna be daein' wi't. Huddin' up the start o' my favourite programme. I'll tell ye this, it's fairly pit me aff Cadbury's chocolate. 'At's the last 99 flake I'll ever buy.

Aye, it looks as if Coronation Street's losing' it's grip on us as a family. Fit wi' you takkin' a scunner at the Cadbury's advert an' me bein' really sick aboot Raquel bein' written oot.

Street star films her final scenes

CORONATION Street star Sarah Lancashire was leaving the show today after five years in her role as dippy blonde Raquel.

We'll still see Raquel the nicht, though.

Oh, aye. We'll see her for the next few wiks.

Aye. The next few wiks' episodes is a' in the tin.

Nae in the tin. "In the can" I think you'll find is the expression used in the trade, Bunty. But though we'll see Raquel for the next few wiks, she his been written oot. The deed is done. She's kicked her last ba' for Coronation Street. Like I wish Gazza hid kicked his last ba' for Rangers fan he wis sent aff against Ajax. But no, no. He plays against the Dons, scores a great goal, an' —

An' he disna get himsel' sent aff.

Exactly. I mean, nae gettin' himsel' sent aff — fit plans is Roy Aitken supposed tae mak' tae cope wi' that kind o' totally unpredictable behaviour fae Gazza?

He's an affa Gazza, is he? Div ye nae think his problems is a' in the mind?

Weel, 'at implies he's GOT a mind, an' the jury's still oot on 'at een, Bunty.

Oh, he HIS got brains. But ye feel they're a' in his feet. I'll tell ye, though, things dinna look good atween him an' Sheryl. An' it's nae sae lang since their weddin' got the full treatment fae Hello! magazine.

Aye, the curse o' Hello! strikes again. The number o' folk that hive hid disasters efter gettin' their photies in Hello! There wis an Earl an' a Countess held up an' robbed last wik jist days efter Hello! hid deen a big spread aboot them.

We wid need tae be affa careful an' step up wir security arrangement if Hello! ever did a spread aboot us.

I widna waste ower muckle time worryin' aboot it, Bunty. I mean, OOR photies in Hello!? Us? There's jist a chunce it may never happen.

But if it did? Fit is it you aye say? We should ha'e a contingency plan for a'thing.

Weel, nae quite a'thing, Bunty. Ha'eing a contingency plan for fit we wid dae in the event of Hello! magazine wintin' tae dae a feature on you an me in this hoose wid in my view be a contingency plan too far. Jist 'cos wir home is aye in a state disna mak' it a stately home.

Look, fit did you say fan ye saw that Willie Miller wis gan'n' tae open a new Harry Ramsden's at the beach? You said you wid be first in the queue at the take-away.

Weel, I did say that, 'cos Willie wis a wonderful player for Aiberdeen, a great skipper —

Fae great skipper tae great chipper, eh?

— an' it wid be an honour tae be the first customer at the take-away.

Exactly. an' it could easy be that Hello! magazine wid wint tae dae a photie o'us at hame eatin' the first fish supper sold in Willie's Harry Ramsden shop. I can jist see the caption: "Dons' fans' super supper from former skipper's chipper."

A'richt, I admit, I CAN see that, Bunty. You an' me savourin' a delicious sea-food platter, and a nice bottle on the table to accompany it.

Oh, a bottle? Reid or white?

Broon, Bunty. But listen tae me, while we're on aboot contingency plans, I hope ye've worked oot fit ye're ga'n' tae say tae the Queen.

Eh? Fit ye spikkin' aboot?

There wis a report in the paper that things like the Royal yacht an' the Queen's Flight are gettin' tae be ower expensive, so in future, tae economise, the Royal Family are goin' tae use regular scheduled services for air, sea an' land travel.

So? Fit's 'at got tae dae wi' me? Fit contingency plan should I ha'e?

You should ken fit ye're ga'n' tae say tae the Queen if ye find yersel' sitting' aside her on the Heathryfold bus.

Ye divil! Can ye nae be serious for eence? Come on, gi'e's a serious answer tae this question. Fit div ye think aboot Clare Short findin' her son efter a' this time?

A' richt, I'll gi'e ye a serious answer, 'cos it's a very inerestin' story in terms o' fit it tells us aboot New Labour. Ye see, Clare Short's on the left wing o' New Labour, but even wi' her genes in him her son grows up tae be a Tory.

So?

So on the basis o' that. Tony Blair's twa loons'll grow up tae be Hitler and Mussolini.

Far's the paper?

I'll gie ye the fitba' pages. Ye'll be wintin tae see if the paper's tippin' the Dons tae dae a Clinton an' ha'e a big win the morn.

'Ye'll be in a better mood than ye wis at tea-time last Setterday.'

No, no. There's nae Premier League matches the morn, 'cos Scotland hiv a game on Sunday.

So Aiberdeen winna lose the morn. At least 'at means you'll be in a better mood than ye wis in at tea-time last Setterday. Spik aboot soor! 'At wis the wye I let ye ha'e a look at Baywatch for ten minutes - tae try tae cheer ye up. But it didna mak' nae difference.

Weel, by the sound o't the Dons wis unlucky nae tae tak' something oot o' that game last Setterday.

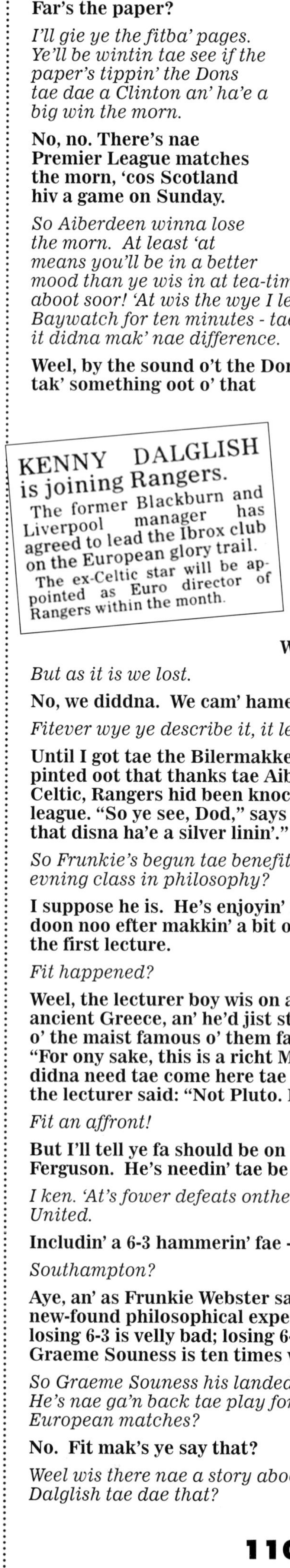

KENNY DALGLISH is joining Rangers.

The former Blackburn and Liverpool manager has agreed to lead the Ibrox club on the European glory trail.

The ex-Celtic star will be appointed as Euro director of Rangers within the month.

Tak' something oot o't? Like fit?

No,no Bunty. "Tae tak' something oot o' a game" is 1990's fitba' spik for "tae get a draw". In fact we micht even hae hiv got a result.

"Got a result?"

Won.

But as it is we lost.

No, we diddna. We cam' hame empty-handed.

Fitever wye ye describe it, it left you wi' a long face.

Until I got tae the Bilermakkers an' Frunkie Webster pinted oot that thanks tae Aiberdeen gettin' beat by Celtic, Rangers hid been knocked aff the tap o' the league. "So ye see, Dod," says Frunkie, "it's an ill-wind that disna ha'e a silver linin'."

So Frunkie's begun tae benefit already fae ga'n' tae his evning class in philosophy?

I suppose he is. He's enjoyin' it onywye. He's settled doon noo efter makkin' a bit o' a feel o' himsel' durin' the first lecture.

Fit happened?

Weel, the lecturer boy wis on aboot the philosophers o' ancient Greece, an' he'd jist started spikkin' aboot een o' the maist famous o' them fan Frunkie shouts oot: "For ony sake, this is a richt Mickey Mouse course. I didna need tae come here tae learn aboot Pluto." An' the lecturer said: "Not Pluto. PLATO."

Fit an affront!

But I'll tell ye fa should be on that course - Alec Ferguson. He's needin' tae be philosophical.

I ken. 'At's fower defeats onthe trot for Manchester United.

Includin' a 6-3 hammerin' fae - fa wis it?

Southampton?

Aye, an' as Frunkie Webster said, drawin' again on his new-found philosophical expertise: "Confucius say, losing 6-3 is velly bad; losing 6-3 to a team managed by Graeme Souness is ten times worse'."

So Graeme Souness his landed up at Southampton? He's nae ga'n back tae play for Randers in their European matches?

No. Fit mak's ye say that?

Weel wis there nae a story aboot Rangers wintin' Kenny Dalglish tae dae that?

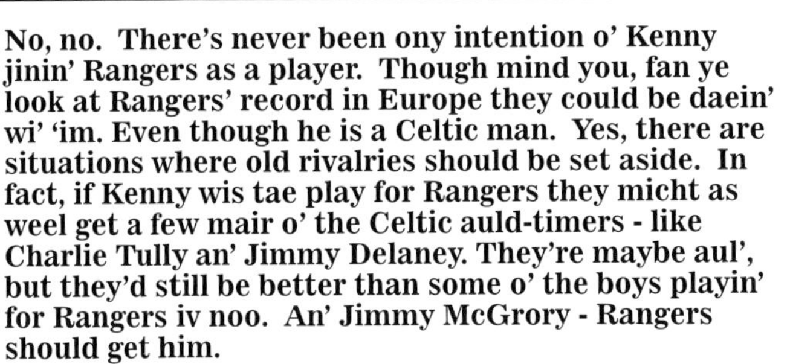

No, no. There's never been ony intention o' Kenny jinin' Rangers as a player. Though mind you, fan ye look at Rangers' record in Europe they could be daein' wi' 'im. Even though he is a Celtic man. Yes, there are situations where old rivalries should be set aside. In fact, if Kenny wis tae play for Rangers they micht as weel get a few mair o' the Celtic auld-timers - like Charlie Tully an' Jimmy Delaney. They're maybe aul', but they'd still be better than some o' the boys playin' for Rangers iv noo. An' Jimmy McGrory - Rangers should get him.

Is he nae deid?

Aye, but he's still be better than some o' the boys playin' for Rangers iv noo.

I'm sorry for that Walter Smith. He seems a decent chappie.

Aye, but fan ye think o't, these are troubled times for some of those accustomed tae bein' the top-dogs - Walter Smith, Alec Ferguson -

God.

God?

Aye, God. He's aye been top-dog. He's supposed tae be omnipotent, right? Weel, nae langer he's nae. 'Cos a' the politicians are jumpin' on the Christianity bandwagon noo - wi' the election comin' up, ken? An' peer God must be sittin' up there sayin' tae himsel': "A' these bloomin' politicians - Major, Blair, Ashdown - they're a' prayin' tae me for a victory. Weel, I canna please a'body."

Absolutely. 'At's one thing he canna dae.

OK. An' if there's one thing he canna dae, he's nae as omnipotent as he's cracked up tae be.

Very good, Bunty. You should enrol in Frunkie Webster's philosophy class. As a matter of interest, fit wye did ye ken he wis ga'n' tae a philosophy class?

Dolly telt me.

But he wisna ga'n' tae let on tae Dolly.

Ah weel, but he did. He hid til, tae pit her mind at rest. Ye see, Dolly came hame ae night an' found Frunkie readin' a big book ca'd Platonic Philosophy, an' she says tae Frunkie: "I ken we've been mairried mair than 30 years, but I'm nae ready for a Platonic relationship yet."

Friday, November 15, 1996

Far's the paper?

Here's it. There's a picter in it o Tony Blair wi' his new hair-style. It's supposed tae mak' him mair attractive tae the female voter.

'I mind fan I got a Veronica Lake hairstyle.'

Oh, aye, I read aboot 'at last wik. An' I thocht I wid gi'e it a go mysel'. So fan I went for my quarterly haircut on Monday, I says tae the lassie, "I'd like tae mak' mysel' mair attractive tae weemen. I ken I hinna got much hair left, but can ye gie me a haircut that'll mak' me look like a film star?

An' — dinna tell me — she said, "Weel I couldshave it aff an' mak ye look likeYul Bryner, or I could twist the bittie at the back intae a pony-tail an' make ye look like Rin Tin Tin."

No, she didna. She wid never hiv said that. She's never heard o' Yul Bryner or Rin Tin Tin.

So fit did she say?

She said, "I'll jist gie ye a short back an' sides. Weel, 'at's a' I CAN gie ye, 'cos back an' sides is a' ye've got." Cheeky besom.

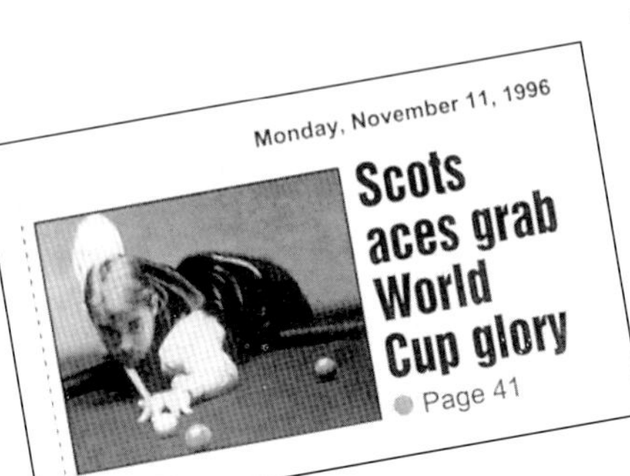
Monday, November 11, 1996

Scots aces grab World Cup glory

Page 41

No, she's nae. It's jist that they're realists, the younger generation.

Weel, I can mind the good aul' days fan hairdressers were prepared tae mak' ye look like a film star.

Richt enough. I mind fan I got a Vernoica Lake hairstyle.

Oh, aye, I mind that. Ye hid yer hair fa'in' seductively ower yer een. But ye didna keep it lang.

No. I changed it efter I walked intae a lamp-post.

It wis roon' aboot then that I says tae my barber, "I wid like tae be like Errol Flynn." An' the barber says, "Weel, we'd a like tae be like Errol Flynn, but fan ye bide in Park Street ye dinna seem tae hae the same opportunities. Or the time."

Or, efter standin' on yer feet cuttin hair a' day, the energy.

Richt enough. He wis an affa Errol, wis he? It said in a programme on the TV this wik that he slept wi' twelve thoosand weemen.

Faraboot? Wembley Stadium?

Nae a' at eence, ye dumplin! One at a time, weel usually one at a time. Yes, twelve thousand weemen, in the course o' a not particularly long, but — let's face it — eventful life.

Eventful?

Weel, compared wi' some.

Compared wi' you, for instance?

Weel —

You've hid jist as eventful a life as Errol Flynn hid.

I suppose so. It's jist the events hiv been a bittie different, ken? I mean Errol never enjoyed the excitement o' a BB camp at Finzean, or the thrill o' playin' in goal for Lewis United in a blizzard at Inverdee. I mean, while I wis relishin' baith these experiences, peer Errol wis probably confined tae bed somewye.

I suppose the thing aboot Errol Flynn wis that for the

young blokies o' your generation he wis a role model.

Aye. Expect there wis neen o' us got the number o' rolls he got. D'ye mind 'at aul' joke — "Fit's Errol Flynn's favourite breakfast? A roll in bed with honey".

If we could get awa' fae the Lewis United dressin' room humour, I wis gain' tae mak' the serious point that 'at lassie Ffyona Campbell could hiv been a richt role model for youngsters, walkin' roon' the world, but —

Aye, she's blotted her copy-book, Ffyona. Getting a lift for big chunks o' the wye in America. It wis a real shock tae read aboot that efter a' this time. It wis like findin' oot that efter Captain Oates walked oot o' that tent in the Antarctic he found a McDonald's roon' the corner on the next ice-flow an' he sat doon tae a Big Mac an' Fench fries. Or F-french f-fries, tae keep up the analogy wi' Ffyona.

Spikkin' aboot role models, div ye think the Scottish team that won the Snooker World Cup are good role models for a' the young loons in Scotland?

Oh, I dinna think so, Bunty. Jist think o' the aggregate amount o' misspent youth 'at three boys must've totted up tae be able tae play snooker as well as that.

Weel, better oot playin' snooker — daen' something — than sittin' in front o' the TV watchin' endless fitba', like fit you'll be daein' next Wednesday. I suppose you were een o' the thoosands that said they'd raither watch Manchester United than Rangers.

Bunty, I'd raither watch LEWIS United than Rangers.

Gettin' back tae far a' this started — Tony Blair's haircut — I think it's an insult tae weemen tae mak' oot that they're influenced by fit a politician looks like.

Absolutely, Bunty. Weel, locally, if you wis in a pollin' station on election day, the ballot box in front o' ye, an' yer choice wis atween Raymond Robertson an' Nicol Stephen — ?

Nae contest.

'It wisna the Grand March, it wis the Grand Hirple.'

FAR'S the paper?

Here's it. Listen tae this story: "After the match at Pittodrie last Sunday a number of Aberdeen louts threw bottles at the Rangers' bus AND MISSED."

They missed? They couldna hit a bus? Are they sure it wis Aiberdeen boys? I widna be surprised if it hid been Ally McCoist. 'Cos mercifully Ally wis missin' A'THING last Sunday.

It's nae something tae joke aboot. It's very serious.

Of course it is. Losin' 3-0 tae Rangers? I'll say it's serious!

Dinna try an' be clever. Ye ken fine fit I mean. Ye can be right aggravatin' sometimes. I mean, I wis readin' in the paper that Aiberdeen is now the divorce capital o' Scotland, statistically, ken? Weel, some days you come very close tae bumpin' up the statistics.

I ken ye dinna mean that, Bunty.

Dinna kid yersel'. Foo ofter in the past 20 years hiv I gi'en you yer last warnin'?

Bunty, ye ken as weel as I div that oors is a stable relationship —

Ye mak' it sound as if I wis mairied tae Reid Rum. Or Shergar.

— secure, constant,durable, solid as a rock, made to last, bindin' us thegither tae the exclusion o' a'body else, the one with the ither.

Ye mean naebody else'll ha'e us?

No, no Bunty. I'm spikkin' aboot trust, devotion, respect, things like 'at, ken? Wi' us, mairrage is at a deeper level, on a higher plane. Wi' us, it's nae jist lust, nae jist sex.

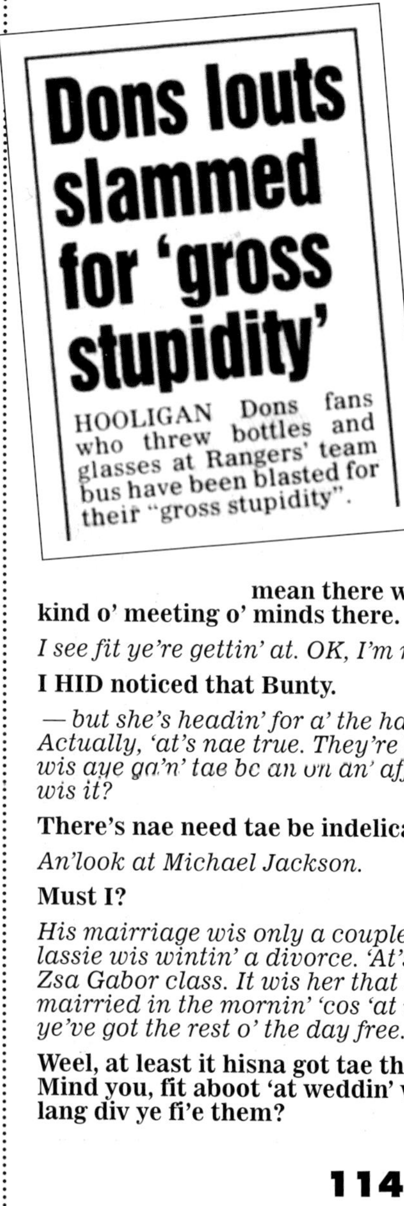
Dons louts slammed for 'gross stupidity'

HOOLIGAN Dons fans who threw bottles and glasses at Rangers' team bus have been blasted for their "gross stupidity".

It widna need tae be.

Look at 'at Pamela Anderson an' her husband. 'At mairrage could only be a torrid, passionate, physical relationship. I pity 'at bloke. I'm really sorry for 'im. I mean there wis clearly never ony kind o' meeting o' minds there.

I see fit ye're gettin' at. OK, I'm nae Pamela Anderson —

I HID noticed that Bunty.

— but she's headin' for a' the hassle o' a divorce. Actually, 'at's nae true. They're back thegither again. It wis aye ga'n' tae be an on an' aff affair, 'at mairriage, wis it?

There's nae need tae be indelicate, Bunty.

An'look at Michael Jackson.

Must I?

His mairriage wis only a couple o' wiks aul' fan the lassie wis wintin' a divorce. 'At's getting' near the Zsa-Zsa Gabor class. It wis her that said it's better tae get mairried in the mornin' 'cos 'at wye, if it disna work oot, ye've got the rest o' the day free.

Weel, at least it hisna got tae that length in Aiberdeen. Mind you, fit aboot 'at weddin' we wis at last wik? Foo lang div ye fi'e them?

Wayne an' Samantha? D'ye nae think 'at'll last?

I gi'e it twa years at the maist. Michty, they were lucky tae get through the reception. By the time we were at the table she wisna spikkin' till 'im, an' three times durin' the best man's speech she kicked him really hard alow the table.

Kicked the best man?

No. She kicked the bride-groom. Three times, richt on the shin, through his kilt stockin's, wi' her chaste pure-white winkle-pickers.

So 'at's fit wis wrang wi' Wayne fan they led aff the Grand March.

Weel, as far as Wayne wis concerned, it wisna the Grand March, it wis the Grand Hirple.

But you wisna at the top table. Fit wye div you ken fit wis ga'n' on at it? And under it? Fa telt ye?

The minister. Fan we baith nipped ootside for a fag. He wis burstin' tae tell somebody, an' he didna wint tae spile the parents' day.

Aw, 'at wis really Christian o' 'im, wis it?

Aye. 'At's the wye I could never be a minister. Behavin' in a Christian fashion must be an affa strain. In his place I couldna hiv helped mysel' fae spillin' the beans tae the parents.

I'm really cut up aboot fit ye're tellin' me, 'cos I canna mind bein' at a weddin' far the two lots o' parents got on sae weel thegither.

Aye. It's kind o' Romeo an' Juliet situation in reverse. The twa families get on great, but the young couple canna be daein' wi' een anither.

Weel, it wis a lovely weddin' onywye. Very fashionable. There wis some lovely ootfits.

Includin' yer ain, Bunty. You were a stand-oot.

I'm sorry I canna say the same aboot you. Well, I can. You did stand oot — like a sair thoomb. Yer kilt's past it, Dod.

Fit? My Gordon Highlanders kilt? Ye're criticisn' the Queen's uniform.

There ye go — I thocht it wisna yours. I can see it suitin' the Queen fine, but it disna suit you. Fan I saw the picter o's that the photographer took, I jist thocht, "I'll never see onybody that looks mair stupid in the kilt than Dod dis." But I wis wrang. Three days later I wis watchin' the Stone of Scone bein' ta'en in tae Edinburgh Castle, an' —

I ken fit ye're ga'n' tae say.

I saw Michael Forsyth in the kilt.

'For once Frunkie's luck wis in.'

FAR'S the paper?

Ye hinna time tae read the paper. We're ga'n' awa' oot first-fittin'.

Oh, gi'e's a break, Bunty. We spent maist o' yesterday trailin' aboot. We've been a' efterneen the day at the sales, an' hand tae hand combat tak's a lot oot o' ye. I could really dae wi' a rest the nicht.

Weel, I bumped intae Brenda Gerrard this efterneen. Her an' Alec are ga'n' tae be first-fittin in this neck o' the wids the nicht, an' if we're in they'll look in on us.

Quick! Far's my coat an' my bonnet?

I thocht ye wis exhausted.

Bunty, there's exhaustion an' exhaustion. But if it's ga'n' tae expose ye tae a visit fae Brenda Gerrard — weel, there's nae exhaustion THAT exhaustin'.

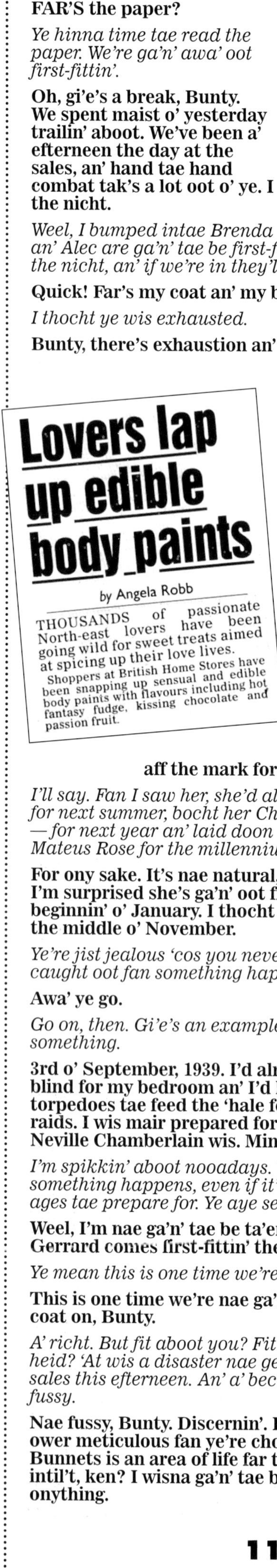

Lovers lap up edible body paints

by Angela Robb

THOUSANDS of passionate North-east lovers have been going wild for sweet treats aimed at spicing up their love lives.

Shoppers at British Home Stores have been snapping up sensual and edible body paints with flavours including hot fantasy fudge, kissing chocolate and passion fruit.

Aye, she is a pain in the neck, Brenda.

I wid locate the pain a bit lower doon, Bunty.

A pain in the tonsils?

Lower! Lower!

Now, Dod. There's nae need tae be vulgar. Brenda's nae the worst.

She is now that Hitler's deid. Far did ye see her this efterneen?

I saw her at the sales. Afore I met you.

Oh, aye. She'd be quick aff the mark for a bargain, Brenda.

I'll say. Fan I saw her, she'd already booked their holiday for next summer, bocht her Christmas cards — half price — for next year an' laid doon half-a-dizzen bottles o' Mateus Rose for the millennium.

For ony sake. It's nae natural, bein' as organised as 'at. I'm surprised she's ga'n' oot first fittin' the nicht — at the beginnin' o' January. I thocht she'd hiv got it ower wi' by the middle o' November.

Ye're jist jealous 'cos you never look aheid. You're aye caught oot fan something hapens.

Awa' ye go.

Go on, then. Gi'e's an example o' you bein' prepared for something.

3rd o' September, 1939. I'd already cut oot a black-oot blind for my bedroom an' I'd laid in a stock o' liquorice torpedoes tae feed the 'hale femily wi' during' the air raids. I wis mair prepared for the Second World War than Neville Chamberlain wis. Mind you, at's nae sayin' much.

I'm spikkin' aboot nooadays. Ye're aye caught oot fan something happens, even if it's something that ye've hid ages tae prepare for. Ye aye seem tae be ta'en by surprise.

Weel, I'm nae ga'n' tae be ta'en by surprise fan Brenda Gerrard comes first-fittin' the nicht.

Ye mean this is one time we're nae ga'n' tae be caught oot?

This is one time we're nae ga'n' tae be caught IN. Get yer coat on, Bunty.

A' richt. But fit aboot you? Fit are ye ga'n' tae wear on yer heid? 'At wis a disaster nae gettin' a bunnet for ye in the sales this efterneen. An' a' because ye're sae bloomin' fussy.

Nae fussy, Bunty. Discernin'. Discriminatin'. Ye canna be ower meticulous fan ye're choosin' a new bunnet. Bunnets is an area of life far taste an' judgement comes intil't, ken? I wisna ga'n' tae be fobbed aff wi' jist onything.

An' efter mair than twa hoors in one shop tryin' on bunnets —

E & M's jist didna ha'e naething that suited me.

'At wis bad enough. But fan we couldna find yer aul' een that ye'd been wearin' fan we went in —

I still think 'at assistant lassie selt it.

No, no. She wid never mak' a mistake like 'at.

I ken she widna. It wisna a mistake. She did it deliberately. I got the impression she didna like me. I've got a sixth sense for 'at kind o' thing.

Ye're right. She didna like you.

Oh? Did you get 'at feelin' an' a'? Fit made you think that?

I got a wee clue fan she said tae me, "Fit wye div you pit up wi' this dumplin'? If he wis mine I wid strangle 'im". That wis a bit o' a give-away.

Onywye, the pint is, by the time we hunted — wi' nae luck — for my aul'bunnet, we were ower late tae ging onywye else, an' noo I've got naething tae wear on my heid an' it's a caul' nicht —

Ye'll jist ha'e tae wear yer reid an' white Dons toorie.

It's droopin' a bit these days, Bunty.

Ach, come on. It brocht ye luck at Gothenburg.

An' nae a lot since.

The rest o' 1997 could be different.

Frunkie Webster thinks that. He's pit on a five quid double — the Dons for the Scottish Cup an' Labour tae win the General Election.

Ye've got tae hand it tae Frunkie. He aye wis an optimist.

He aye wis an eejit. But ye're richt, he IS an optimist. D'ye ken fit he gi'ed Dolly for her Christmas? Chocolate body paint fae British Home Stores. He's aye funcied himsel' as a homer painter.

Chocolate body paint! But Dolly wid never —

Ye're richt. She widna. Once bitten, twice shy.

Once bitten?

Aye. Mair than 30 years ago. I mean, ero'ic chocolate body paint? Frunkie an' Dolly hiv been there, deen that, got the T-shirt. They were years aheid o'their time. it wis fan they were nae lang mairried, they went tae see Psycho at the Gaumont, an' Dolly wis 'at scared she forgot a' aboot the bar o' Cadbury's Dairy Milk in the pooch o' her cardie. Weel, fan they came oot o' the picters it hid a' melted an seeped richt through her twin set.

Gad sake! So did she ging straight hame an' intae the shower?

Weel, for once Frunkie's luck wis in. Efter seein' Psycho, Dolly wis terrified tae tak' a shower, so —

Dinna tell me she let Frunkie —

Weel, fit div YOU think? They were real hard-up, an' they wer'na ga'n' tae waste perfectly good chocolate.

'I'm some feart Dolly's chocolate's meltin'.'

'You can look real dignified fan ye pit yer bunnet on.'

FAR'S the paper?

Here's it. It's real thick the nicht.

Oh, 'at's good. 'At maybe means there's a couple o' pages o' Voice Personals the nicht. Personal ads, ken? I enjoy readin' them.

Oh? Ye div, div ye? An fit div you wint tae read the Voice Personals for? Fa are you hopin' tae meet? Cos ye needna bother. There's one big obstacle that mak's you unsuitable for the Voice Personals scene: ye're NAE AVAILABLE.

Calm doon, Bunty. I ken I'm nae available. I'm nae lookin' for onybody. I jist enjoy readin' them. They're very entertainin'. If ye ever finish Middlemarch.

Awa'.

Weel, maybe no. But they're certainly mair entertainin' than that book that's been voted the best book o' the century, Lord of the Rings, ken?

Oh, I tried tae read 'at book eence. I couldna' finish it. I didna like it fan the loons that were marooned on the island started gettin' nestier than grown-ups.

'At's Lord o' the Flies, ye dumplin'.

Ach, they're a' the same, 'at Lord books. Onywye, the pint is, ye dinna need tae tell me aboot the Voice Personals. I aye read them an' a'.

Oh, ye div.

Aye. Like last wik, there wis this een that said: "Easy-going, friendly fun-loving guy, Gosh!" An' anither that said: "Caring, thoughtful, professional male, enjoys wine, music, cinema, Gosh!"

Gosh?

Aye. A lot o' them said "Gosh". I couldna mak' oot fit it meant. I thocht maybe some o' the blokes hid enclosed a photie an "Gosh!" wis the typist's reaction fan she saw it. If it wis, there must've been some richt hunks hid written in. It wis aye in capital letters an' a'.

Wait a minute. Capital letters? GOSH? 'At wisna GOSH, it wis GSOH.

GSOH? It is maistly Japanese chappies that write in, or fit?

No, no. GSOH means "Good sense of humour".

Oh. So the een I saw that said "Thrice divorced single dad with two-year-old twin grandchildren and Lada with wheels stolen, GSOH —

'At's richt. He's got a "Good sense o' humour".

He wid need tae ha'e.

I like readin' the eens pit in by weemen that are sikkin' men. An' it's amazin foo often I seem tae be the very man they're lookin' for. They're nearly a' lookin' for a tall, good-lookin', intelligent, reliable man, sociable and fun-loving, with varied interests, for friendship and possible relationship.

That's fit maist o' them are efter?

Aye.

Oh, weel. I can relax. There's nae fear o' onybody snappin' YOU up.

Tommy Nicholson at the Bilermakkers pit a Voice Personal ad intae the paper. It wis a few wiks ago. Jist

efter the Dons hid lost at hame tae Dunfermline. He said something like, "Fiftyish, well-preserved, dependable bachelor, season-ticket holder at Pittodrie, GSOH" — I thocht 'at wis pushin' it a bit — "seeks considerate, understanding, supportive lady, capable of providing sympathy on Saturday evenings with a view to romance or the development of an interest in rugby."

An' did he get only replies?

He sure did. We could be ga'n' tae a weddin' seen, you an' me. Tommy an' Lily.

Lily?

Aye. This Lily responded tae the ad. An' ye ken Tommy's real doon-the-toon fan he spiks, ken? Weel, tae posh up his voice for his recorded greetin', he did his impersonation o' Victor Meldrew an' it did the trick. So they met, they clicked, an' it could be weddin' bells.

'At wis quick. An' wis Lily a'thing he thocht she wis ga'n' tae be?

Aye. There wis jist one little detail she hidna telt 'im aboot in advance. She's a bittie deif. An' fan Tommy said tae her, "I'm an Aiberdeen fan, an' the wye things is ga'n', very often on a Setterday I'm ga'n' tae need an evenin' o' compassion," she didna hear him richt.

She didna think he said "compassion"?

She didna hear the first syllable, Bunty. And —

And?

And, the rest is history. So fit IS in the paper the nicht. Is — Hey. I've jist remembered. Ye hinna time tae read the paper. I wint ye tae ging for twa or three messages tae the corner shoppie.

"Handsome, athletic, intelligent male with many interests, GSOH, seeks female companion who will NOT send him oot tae the corner shop afore he reads his paper."

Come on. It winna tak' ye a minute. I'll gi'e ye a list.

I never ken far tae look for things in that shoppie.

Jist ask Mrs Barclay ahin' the coonter. She'll get the things for ye.

It's nae very dignified, ha'ein' tae ask Ina Barclay. I winna feel like the noble savage in the aul' days that went oot wi a spear tae hunt for food for his wife an' bairns.

Ga'n' tae the corner shop is jist as effective. An' you can look real dignified fan ye pit yer bunnet on.

But there's nae thrill. There's nae the danger ye get in spearin' a wild animal.

Look, in this weather, fan her rheumatics is playin' her up, there's less danger in spearin' wild animals than there is in speirin' at Ina Barclay.

'Frunkie wis up an' doon like a yo-yo

FAR'S the Paper?

Hiv ye time tae read the paper? Are ye nae ga'n' oot delverin' election leaflets wi' Frunkie Webster the nicht?

I'm nae sure.

Nae sure? Ye've been oot wi' 'im every ither nicht this wik. In fact, I've been surprised that ye've been willin' tae let folk see fit wye ye're ga'n' tae vote.

I hinna let naebody see fit wye I'm ga'n' tae vote. No, no, Bunty, my vote is a secret between me, my conscience and the ballot box. I've went oot leaflettin' wi' Frunkie for two reasons; number one, Frunkie hisna got a great directional sense.

Ye mean he disna ken if he's comin' or goin'?

No, no. He needs somebody tae caddy for 'im, tae get him roon the course, 'cos he's often nae sure fit street connects on tae fit ither streets, ken? Whereas I've aye been something o' an expert on the geography of Aiberdeen.

So that's reason number one. Fit's reason number two?

Every nicht we ging oot he promises tae buy me a pint fan we're finished.

So you've been caddyin' for Frunkie, did ye say?

In a manner o' spikin', aye.

Foo wid ye funcy caddyin' for Tiger Woods? He's some golfer, 'at loon, eh?

Nae bad. But it could be a flash in the pan, Bunty. He could turn oot tae be a one-win wonder. Like Jimmy Chapman in Middlefield Terrace.

Jimmy Chapman never won the US Masters.

No. But ae year he won the prize for the best cooncil hoose gairden in Aiberdeen. But he only won eence. The next year the greenfly got tae his floribundas, an' that wis the end o' Jimmy as a championship contender. Tiger Woods could be like 'at.

No, I canna see Tiger Woods wi' greenfly. I can see him wi' the green Jecket every year fae now on til weel past the millennium.

I hiv tae admit he's got every chance. Certainly a lot mair chunce than Scotland's got o' winnin' the World Cup at Cricket in 1999. Did ye notice they'd qualified for that?

Aye, I saw een o' the players sayin', "This is a dream come true. To qualify for the World Cup finals is a great prize for us to win."

A great prize? Bunty, jist imagine a six fit ten West Indian rinnin' 40 yards towards ye an' hurlin' a cricket ba' at ye at nearly a hunner miles an hoor fae 20 yards awa'. That's the prize. It's the privilege o' bein' on the receivin' end o' that that oor gallant lads hiv won for themsel's. Dream? A nichtmare, mair like.

Gettin' back tae far we started this. Ye've been oot leaflettin' wi Frunkie Webster every nicht this wik, but ye're nae sure if ye're ga'n' oot wi' 'im the nicht. Fit wye's 'at?

He'll need a fitness test afore he gings oot the nicht. I never telt ye the 'hale story aboot fit happened last nicht, did I?

No. Fit happened last nicht?

Weel, the first thing tae pint oot tae ye is that ye'd be amazed foo mony different kinds o' letter boxes there is. Big eens, little eens, vertical eens, horizontal eens at the side o' the door, eens richt doon at the fit o' the door — I mean, fit's the pint o' a letter box six inches aff the grun'?

Is there a lot like 'at?

Aye. Frunkie wis up an' doon like a yo-yo.

Michty, 'at hidna deen naething for his lumbago.

I'll say. It wis yarkin' like naebody's business.

Peer Frunkie.

But that wisna the worst o't. Ye get a modern kind o' letter box nooadays that's supposed tae be a draught-excluder. It's got a kind o' furry linin' that ye canna get the leaflet through, an a solid metal flap that snaps shut really hard. It's like deliverin' a leaflet tae a crocodile.

So fit exactly happened tae Frunkie last nicht?

Weel, he arrived at ae hoose that hid een o' that vicious letter-boxes doon at the bottom o' the door. He wis pushin' his leaflet through, fan the letter-box clanged shut on his fingers.

Oocha! I can jist aboot feel it mysel'. So fit did you dae?

As you wid expect, Bunty, I remained in control of the situation. I says tae Frunkie, "It's Casualty for you, sunshine." An' I took him straight tae Woolmanhill, nae messin'.

Very good. It's jist a peety Casualty's at Foresterhill noo. I wid hiv thocht somebody that's an expert on the geography o' Aiberdeen wid hiv kent 'at.

I ken it noo, Bunty. 'Cos last nicht fan we got tae Woolmanhill, there wis nae sign o' the Casualty Department. Some clown hid moved it. I says tae Frunkie, "I'm affa sorry, Woolmanhill USED tae be a hospital. Now it's a roundabout."

An Frunkie said: "At's the Tories for ye." It wis the last thing he said afore he passed oot. I hiv tae admit Frunkie is a bit irrational at election times.

Fit's different aboot election time? But 'at wis a terrible wye tae finish the evenin'.

I ken. He never bocht me my pint yet.

'Ye canna muck aboot wi' Coronation Street.'

FAR'S the paper?

Hud on, I'm still readin' it. I'll gi'e ye it in a minute.

Fan Coronation Street starts?

Aye. Thank goodness it's on at the richt time the nicht. Fan it's nae on at half past seven it must knock the 'hale country a' tae pot.

Like Wednesday o' this wik? It wis shifted for the fitba'.

Aye, but even worse, on Monday it wis shifted tae half past eight, tae let them pit oot an election programme. Weel, I hid asked Dolly Webster roon' so's we could watch Coronation Street thegither, 'cos last wik's episode hid been really exciting'. We sat doon, fine pleased wi' wirsel's, ready tae watch the homicidal maniac Don Brennan, an' fit came up on the screen? The face o' Robin Cook. Fit a scare we got! It wis really frightenin'.

> LEADING Dons fans today rallied behind manager Roy Aitken and called for calm from others amid claims of increasing unrest among the Red Army.
> A morning newspaper has published protests from around 10 season ticket holders who say they won't go back to Pittodrie until Aitken has been sacked.

It must hiv been. But I really worry aboot the TV programme planners — pittin' the General Election afore Coronation Street. Far's their sense o' priorities? I mean, General Elections come an' go, but Coronation Street is a constant — permanent, unchangin' an' immu'able. Or it should be immu'able. It shouldna ha'e its time changed. Cos it's a symbol o' the nation's stablility. Ye canna muck aboot wi't like fit they've been daein' this wik.

Thank goodness the election'll seen be past, an' we can get back tae normal.

Aye, We can jist settle doon an' coont the days till the millennium. There's less than a thoosand tae ging noo.

Eh?

There's less than a thoosand days tae ging till the millennium's here.

Oh, that's good. 'Cos we hinna hid a millennium in Aberdeen for ages.

Weel, nae for a thoosand years.

No, no. Nae as lang as that. But we hinna hid een since Watt an' Grant's closed. My mither aye got her hats fae Watt an' Grant's millennium.

I think ye mean "millinery" Bunty.

Oh, is that different?

Weel, a millennium is a period o' a thoosand years. It's got nothing tae dae wi' hats. An' fit I'm sayin' is it's less than a thoosand days till the new millennium. 'At's if ye tak' 1st January, 2000 as the first day o' the new millennium. Which it isna, really. The first day o' the new millennium is 1st January, 2001. 'Cos the year 2000 isna the first year o' the new millennium, it's the last year o' the aul' millennium. Ye see, we winna actually hiv hid twa thousand years till we reach the last day o' the year 2000 — the 31st December, 2000. So the next day, January 1,2001, is the first day of the next millennium.

I'll take yer word for it. But the year 2000 still seems a lot different fae 1999. Ye feel fan we get tae the start o' 2000 there's been a big change o' some description.

I wonder if there'll be a change in the Government next wik. Ye widna ken fae fit the polls say.

Fit div the Poles ken aboot it? We're a lang wye fae Poland.

Nae the Poles, the POLLS.

Oh.

We're gettin' conflictin' evidence fae the various polls, Bunty. A couple o' wiks ago it jist seemed tae be a question o' foo big Labour's majority wis ga'n' tae be, an' fa wis ga'n' tae be the new leader o' the Tory Party. Howard an' Portaloo an' Dead-wood were a' gettin' gee'd up for it, an' even Douglas Hogg wis gettin' ready tae throw his hat in the ring.

Yon stupid hat o'his? He shouldna throw it in the ring. He should throw it in the bucket.

Stephen Dorrell — he's anither dark horse that could be the leader.

No. He's nae a leader. He could be a gaffer. He's aye makkin' them.

Makkin' fit?

Gaffes. But onywye he's nae clever enough. He wis bein' interviewed by Jim Naughtie last wik, an' Jim spoke aboot Dorrell bein' involved in a rammy. Weel, Dorrell didna ken fit a rammy wis. It's pathetic, 'at. I mean Dorrell went tae Oxford. Jim Naughtie's jist a loon fae Keith, an' HE kent fit a rammy wis.

I'll tell ye far there wis a richt rammy last Sunday — at the Bilermakers' efter the Dons' match wi Celtic hid been on the TV. Feelin's were rinnin' high. I can tell ye. Frunkie Webster wis tryin' tae get the boys back tae discussin' the essential criteria for Britain's entry intae a single European currency, but naebody seemed affa keen tae spik aboot it. Weel, as Eddie Mutch said, gnashin' his teeth, "Dinna spik tae us aboot Europe. I canna see us ever bein' in Europe again, if they keep playin' like 'at."

Aye, things is nae good at Pittodrie iv noo, are they?

They are not. An' tae add insult tae injury, fa did we see the next day playin' a blinder for Coventry City? Gordon Strachan. Aged 40!

Is 'at richt? Weel, could Stewart Milne nae buy him back?

Now there's a thocht. It wid be money weel spent — half a million quid for Gordon Strachan an' a hunner quid for a regular supply o' bananas.

'Mither preferred travellin' in Tory cars'.

FAR'S the z-z-z-z-?

Far's the fit? Dod! Wakken up!

Z-z-z-z

Wakken up, Dod. 'At's the last time I let you sit up half the nicht watchin' the election results. Wakken up, min!

Z-z-z-z

For ony sake. I dinna ken fit wye ye got through a day's work. Ye didna come tae yer bed till six o'clock, an' ye wiz up again at quarter past seven. I mean, fit did ye dae a' day?

Z-z-z-z

I get it. Ye slept. I mean, could ye WALK?

Z-z-z-z

I get it. Ye sleep-walked. Weel, I must admit I didna get up till the bell rang at ten o'clock. It wis Sandy Chalmers fae the Bilermakker's tae say you hid won a prize in their General Election Draw, an' this wis him very kindly bringin' it roon'. It's a bottle o' whisky.

Fit kind is it?

Aye, aye. I'll aye ken fit tae say tae wakken you up in future. I'm nae sure fit kind it is, but here it is in this bag. Sandy Chalmers said it wis very appropriate for you.

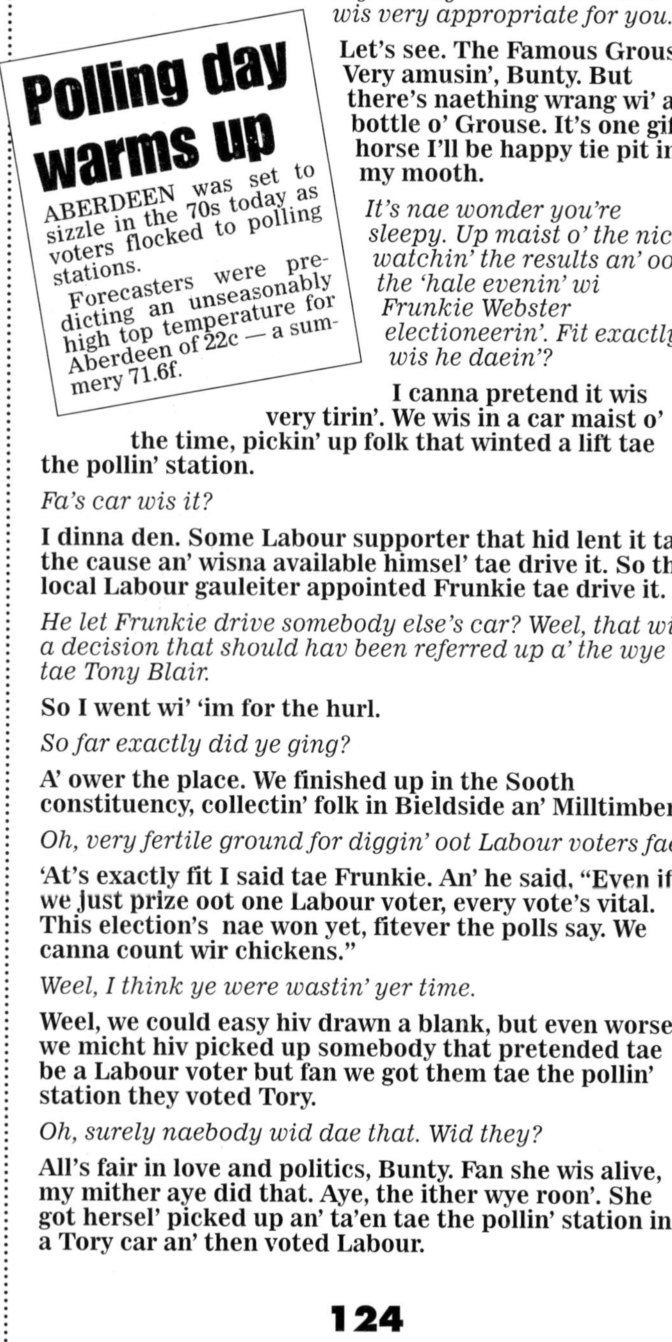

Polling day warms up

ABERDEEN was set to sizzle in the 70s today as voters flocked to polling stations.

Forecasters were predicting an unseasonably high top temperature for Aberdeen of 22c — a summery 71.6f.

Let's see. The Famous Grouse. Very amusin', Bunty. But there's naething wrang wi' a bottle o' Grouse. It's one gift horse I'll be happy tie pit in my mooth.

It's nae wonder you're sleepy. Up maist o' the nicht watchin' the results an' oot the 'hale evenin' wi Frunkie Webster electioneerin'. Fit exactly wis he daein'?

I canna pretend it wis very tirin'. We wis in a car maist o' the time, pickin' up folk that winted a lift tae the pollin' station.

Fa's car wis it?

I dinna den. Some Labour supporter that hid lent it tae the cause an' wisna available himsel' tae drive it. So the local Labour gauleiter appointed Frunkie tae drive it.

He let Frunkie drive somebody else's car? Weel, that wis a decision that should hav been referred up a' the wye tae Tony Blair.

So I went wi' 'im for the hurl.

So far exactly did ye ging?

A' ower the place. We finished up in the Sooth constituency, collectin' folk in Bieldside an' Milltimber.

Oh, very fertile ground for diggin' oot Labour voters fae.

'At's exactly fit I said tae Frunkie. An' he said, "Even if we just prize oot one Labour voter, every vote's vital. This election's nae won yet, fitever the polls say. We canna count wir chickens."

Weel, I think ye were wastin' yer time.

Weel, we could easy hiv drawn a blank, but even worse, we micht hiv picked up somebody that pretended tae be a Labour voter but fan we got them tae the pollin' station they voted Tory.

Oh, surely naebody wid dae that. Wid they?

All's fair in love and politics, Bunty. Fan she wis alive, my mither aye did that. Aye, the ither wye roon'. She got hersel' picked up an' ta'en tae the pollin' station in a Tory car an' then voted Labour.

The crafty aul' besom!

Aw, fair play, Bunty. I mean, she wis only IN a car once every five years fan there wis a General Election, an' she preferred traivellin' in Tory cars. She aye said the Tories hid a superior class o' vehicle.

So hid ye ony interestin' experiences oot at Milltimber?

Weel, we hid. We were drivin' alang this road, an' Frunkie hid just said: "We canna count wir chickens," fan I said, "I dinna ken aboot chickens, but I can coont half a dizzen rabbits fae here. Watch oot, ye're ga'n tae rin that een ower." Weel, he'd tae stop the car. We wis jist opposite this big hoose, so Frunkie gings tae the door an' rings the bell.

Fa's hoose wis it?

Weel, it turned oot tae be Donald an' June Waters' hoose. He's the heid bummer o' Grampian TV. But it wis June that came tae the door. Frunkie says til her: "Is that your six rabbits oot there on the road, madam? 'Cos they are interruptin' the democratic process by huddin' up an official Labour Party car contrary to the Representation of the People Act, 1932".

The feel gype. I hope she telt him tae get lost.

No, she wis very nice aboot it. She said: "Oh, these rabbits! They come into the garden out of the fields. There's another 30 of them at the back. Well, 30 at the last count. But you know what rabbits are like. There could be 50 by this time." And I says — very wittily, I thocht — "Maybe we should tak' a' the females tae the pollin' station tae vote. It sounds as if a lot o' them could be in Labour. Ha, ha!" An' at his pint Donald Waters comes tae the door tae see fit a' the hilarity wis aboot.

So di Mrs Waters laught at yer witticism?

She didna. I did. Onywye, Donald introduced himsel' an' telt us fa he wis. An' Frunkie says til 'im, "Michty, ye're oot the door wi' rabbits here, ye could get Robbie Shepherd oot here an' film the Sheepdog Trials wi' rabbits instead o' sheep. It wid save a bob or twa an' bump up Grampian's profits even higher." Weel I could see Donald wis seriously thinkin' aboot it, fan June very kindly asked us in for a cup o' tea. An' Frunkie says tae her, "I must congratulate your husband on Coronation Street. Grampian mak' a really good job o't. It's the maist popular show on television. It's very true tae life."

Weel, except that durin' the past six wiks naebody in Coronation Street his mentioned the election. I mean, we're in an ordinary street in Salford an' ye widna ken there wis a General Election on.

"At's fit I said tae June Waters. I said, "Though I hiv tae say, for the past six wiks there's been naething on Coronation Street aboot the election." An' she said, "That's why it's the most popular show on television."

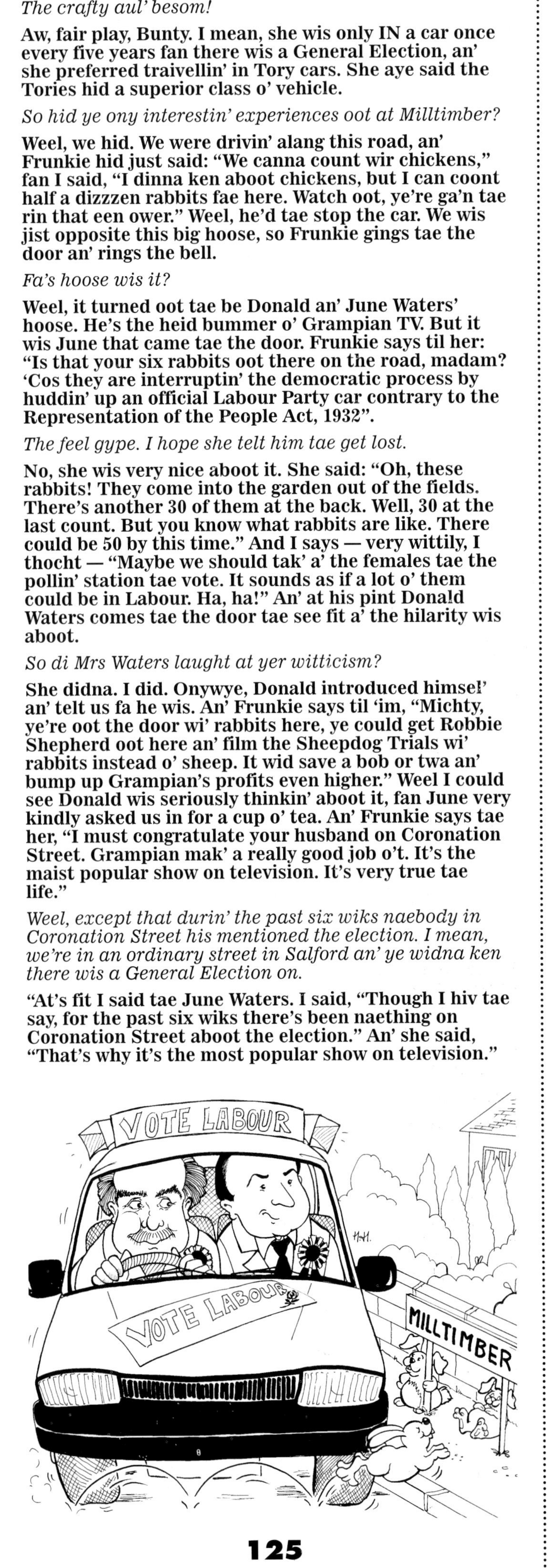

Friday, May 9, 1997

FAR's the paper?

Here's it. Seagulls spreadin' rubbish, an' a big row aboot late flights intae Dyce. It's great tae get back tae normal efter a' the election coverage.

'At's shockin' weather. I blame the government.'

Aye. Mind you, I hiv tae admit, fan the election finally came, it wis pretty excitin'. Frunkie Webster wis sayin' the only thing that wis wrang wi' the nicht o' the election wis that it wis ower short. He winted it tae ging on forever.

He went tae Pittodrie, didn't he? Tae the thrash for the Labour Party workers.

Aye. He said it wis the first happy experience he'd hid at Pittodrie this year.

It must hiv been. Dolly wis tellin' me he didna get hame till tea-time on Friday.

'At's richt. Fan the pairty at Pittodrie finally broke up, Frunkie wandered awa' an' found himsel' in the home team dressin' room. Weel, he hung up his jecket, got up on the treatment table an' fell fast asleep. Till denner time on Friday.

Michty, that'll mak' him the auldest man tae hing up his jecket in the Dons' dressin' room till Jim Leighton comes back next year.

Onywye, there wis Frunkie ower the moon at Pittodrie for the first time this year, fan I arrived tae see fit hid happened til 'im, 'cos he hidna been at his work a' Friday mornin'. An' I wis able tae bring him up tae date on the latest results 'cos he hidna heard them a'.

Did he nae ken there wisna nae Conservative MPs left in Scotland?

No, he didna. An' fan I telt him, he said, "So Aiberdeen's the only place in Scotland that's still got a Torry. Get it, Dod?"

It sounds as if this election win's made him even worse than he wis afore.

Weel, I'll tell ye — he's sufferin' fae withdrawal symptoms, nae bein' able tae ha'e a moan at the government. But he's gradually gettin' intae the wye o' findin' things tae praise the NEW government for. He's already gi'en Tony Blair the credit for Britain winnin' the Eurovision Song Contest.

He wis jokin', surely.

I'm nae sae sure. An' he's pretty touchy noo that the Labour boys are in. Ye canna be critical. Even in jest. I mean, on Tuesday, fan we hid the teuchit storm or the dab o' May or fitever ye like tae ca' yon affa day o' rain an' sna', I says tae Frunkie, "At's shockin' weather. Of course, I blame the government." He wisna best pleased.

Fit wye d'ye ken?

It wiped the smile off his face. He'd been smilin' non-stop since Thursday nicht, an' at' stopped 'im.

It wis amazin' on Friday — I saw Gordon Broon smilin' AND Robin Cook. AND Donald Dewar. Ye never usually see ony o' them smilin', div ye?

Weel, of course, they dinna need til. Tony Blair smiles enough for the 'hale lot o' them. Say fit ye like, ye must admit 'at teeth o' Tony's is a great advertisement for the nation's dental services under the Tories.

Weel, dinna say THAT tae Frunkie Webster, even in fun.

No, seriously, Bunty, it's OK. He's a'richt. He's positively oozin' good humour. Especially towards me. I'm really in his good books.

Fit wye you?

Weel, it's a bit like Greek drama, ken? I wis readin' aboot it in the Readers' Digest. It wis a risky business bein' a messenger in ancient Greece. If ye brocht good news, it wis OK — ye wis rewarded. But if ye brocht bad news, ye got the chop.

Fell on yer sword?

Ye didna even get tae fa' on yer sword. There wis plenty o' boys ready tae stick their swords intae ye.

But fit's 'at got tae dae wi' YOU bein' in Frunkie's good books?

'Cos it wis me that telt him Michael Portillo wis oot. I wis the messenger bearin' the good news, an' I think I'll be in Frunkie's good books for the rest o' my days. An' tae pit the icin' on the cake I SANG the good news til 'im.

Ye sang it? Fit did ye sing?

Weel, I pit up my hands tae shade my eyes, an' I sang:
"I see by a river a big Tory twit,
Portillo, Portillo, Portillo.
No longer in Parliament does that twit sit,
Portillo, Portillo, Portillo"

A'richt. 'At's enough, 'at's enough.

Of course, ye ken Frunkie's latest ploy?

No.

Weel, ye ken he's the Branch Treasurer, so it's him that's in chairge o' the Branch's roll-over social entertainment fund.

Social entertainment fund? Ye mean yer kitty.

Weel, Frunkie's written tae Eddie George sayin' he wid like tae place oor kitty under the operational control o' the Bank o' England. Some o' the boys wisna too happy aboot it, but Frunkie said, "Weel, if it's good enough for Gordon Broon, it's good enough for me."

Gettin' back tae Frunkie's escapade at Pittodrie on Friday, did ye say you went roon' at denner-time an' rescued him?

Aye, an' fan I arrived at Pittodrie, there he wis bein' shown oot by Roy Aitken.

Kicked oot, mair like.

No, Roy wis bein' very civil aboot it. Frunkie wis wearin' this great big reid rosette, an' Roy says til 'im, "Fit's 'at rosette ye're wearin'." An' Frunkie says, "This is my SPECIAL reid rosette. I only wear it at General Elections an' Cup Finals. So it's up tae you, Roy. I wint tae wear it fower times afore the next General Election."

Friday, May 16, 1997

'At boys in the ER at Foresterhill is reid hot.'

FAR'S the paper?

Here's it. Ye'll jist be sittin' at hame readin' the nicht, will ye? Ye winna be ga'n' oot. Nae wi' yer sair leg.

It's a multiple hairline compound sprain o' the unkle that I've got, Bunty. It's nae a sair leg.

Oh, is yer leg nae sair? So ye'll be able tae come through an' gi'es a hand wi' makkin' the tea.

I didna say it wisna sair. I meant ye shouldna ca' it jist a sair leg, fan the boys in the ER at Foresterhill made a specific scientific diagnosis. They're reid hot, 'at boys. They ken fit they're daein'.

They ken fit they're daein'? Weel, you were only there half an hoor an' they sent ye hame. So fitiver's adae wi' yer leg, it's hardly life-threatenin'. But I'm still nae sure fit it wis ye did tae injure yersel'.

Weel, last Setterday we hid a very good Branch Executive meetin' in the coffee shop at the Music Hall. We took a lot o' very sound an' very far-reachin' decisions an' at the end o' the meetin' the chairman says, "OK boys, end o' meetin'. We've a lot tae dae, so let's get oot o' here an' hit the grun' runnin'."

So that's fit you did?

'At's fit I did. Weel, I'd jist been appinted entertainments convener, an' I'd got a remit tae arrange an' outing' tae see the Tall Ships, so I wis oot the door o' the music Hall like a dose o'salts.

Widdecombe silent on Howard

So ye hit the grun' rinnin'?

I hit the grun' greetin'. I tipped ower a lager can an' fell doon the steps — to the severe an' painful dislocation o' various jints an' muscles in my lower limb.

Ye gi'ed yersel' a sair leg?

Nae half. But I didna mak' a fuss. I jist made Frunkie Webster rin doon tae Back Wynd for a taxi tae tak' me tae Casualty.

An' they sent ye hame inside half an 'oor. Weel, I suppose it's the new Government's policy tae ha'e a quicker through-put o' patients.

I think I must be sufferin' fae something pretty complicated. I got the feelin' the doctors wis baffled aboot fit treatment tae gi'e me. Three or fower o' them got intae a huddle in the corner discussin' it, ken? Then een o' them came ower an' said they were of the view — d'ye notice that, they didna jist "think" they "were of the view" that I should ging hame an' rest my leg for a while. An' that's fit I'm daein'.

Six days later!

I micht manage tae ging oot the nicht. I micht manage tae meet Frunkie Webster for a pint. A'n a game o' draughts, maybe.

Dis Frunkie play a good game o' draughts?

Bunty, fan I play draughts against Frunkie, I feel like 'at Russian boy Kasparov playin' chess against the computer.

Of course ye div. Ye're playin' against something that's nae human.

Very funny, Bunty. Very amusin'. You should be on the TV. Aye, on Chammel 5 far naebody can see ye.

Naebody?

Weel, I hinna met naebody that can get a good picter on Channel 5. Ony time I try tae get it, it's aye the same aul' film that's on.

Fit aul' film?

Scott of the Antarctic. It must be. A' ye can see is a blizzard.

So gettin' back tae yer meetin' in the Music Hall, fit were the far-reaching decisions that ye took?

Weel, Frunkie Webster proposed maist o' them, gi'e 'im his due.

Like fit? Tell me een o' them.

Weel, like Gordon Broon ga'n' tae the Lord Mayor's denner, we're ga'n' tae ging tae evenin' meeting's in wir workin' claes — naebody's ga'n' tae wear white tie an' tails. Except maybe Dougie Pratt if he comes straight fae his ballroom duncin'.

Now, that IS a far-reachi' decision. Ony-thing else?

Aye. We're ga'n' tae cut oot formality like fit the Cabinet's daein' at mee'in's we're a' ga'n' tae address een anither by wir Christian names. 'At's anither een o' Frunkie's ideas. He's fairly settin' a Blairite agenda.

So it's New Frunkie noo, eh? An' as a result o' your decision, you're ga'n' tae ca' him "Frunkie" an' he's ga'n' tae ca' you "Dod"? At's nae far-reaching', 'at's earth-shatterin'.

An' we'll ca' Dougie Pratt "Dougie" an' Matt Sinclair "Matt" —

An' Fatty Geddes "Mr Geddes".

No. We're still ga'n' tae ca' him "Fatty".

Ye canna be sittin' at a meetin' an' in the middle o' a high-powered debate ye suddenly ca' somebody "Fatty".

Weel, he prefers it tae Septimus.

Septimus? Is 'at his real name?

Aye. Apparently it's the Latin for "seventh".

So wis Fatty the seventh bairn in the Geddes family?

No. His mither jist liked the name. But Fatty didna. He wis determined tae get a nick-name at the school. 'At's the wye he wis aye gettin' stuck in tae the caramels an' the chocolate fan he wis a loon. It wis a stroke o' luck for 'im that his aul' man wis a traveller for Cadbury's.

Or wis it Fry's?

No, it wis Cadbury's. Though Fatty DID eat a lot o' fries as weel.

Spikkin' aboot chocolate, did ye read 'at story about Dick Lewis, the prison governor boy that got the sack? Can ye imagine onybody wooin' Ann Widdecombe wi' chocolates an' flooers?

I canna imagine onybody wooin' Ann Widdecombe full-stop. But fair play, he denies sendin' her chocolates.

I wid think so. It widna be a kindness tae send chocolates tae somebody wi' her figure. She said that hersel'.

I ken. I warmed til 'er fan she said that 'cos I never used tae like her. Mind you somebody that obviously canna be daein' wi' Michael Howard canna be a' bad. But — an' I'm nae bein' sexist, Bunty — ye hiv tae admit she's nae bonny.

Richt enough, she's nae. I mean, I dinna wint tae be unkind, but nae even her best friend wid ever ca' Widdecombe fair.

Friday, September 5, 1997

'I've aye thought Donald Dewar wis a rare bloke'

FAR'S the paper?

You hinna time tae read the paper the nicht. Nae if ye've tae gi'e that copy o' the devolution White Paper back tae Frunkie Webster the morn's morn. 'Cos ye're nae exactly zippin' through it. Ye've been readin' it for nearly twa hoors. Fit page are ye at?

Page eight. It disna exactly grip ye, Bunty. Jeffrey Archer it's nae.

Page eight? For ony sake. Never mind. I ken it only gings up tae page 43, so ye've only 35 pages tae ging.

Lights up . . .

LASERS filled the sky as Aberdeen's newest nightclub threw its doors open to more than 2,000 clubbers last night.

City residents thought they were seeing UFOs as the colourful display signalled the opening of Amadeus — Scotland's biggest nightclub.

Wrang, Bunty. I'm jist at page eight o' the introduction. There's eleven pages o' an introduction afore the story starts in earnest.

So fit ye're sayin' is ye've anither three pages tae read afore ye get tae page one.

'At's aboot the size o't, Bunty.

Weel, weel, but let's look on the positive side — ye've read eight pages.

Nae really. I've jist STARTED page eight.

OK. Pit it this wye — ye've completed SEVEN pages, right?

I suppose so. Except, oot o' the first seven pages, fower o' them are blank, or practically blank, an' one is a list o' the contents.

Weel, I'll tell ye this. The rate ye're ga'n', ye're nae ga'n' tae ha'e it finished in time tae gi'e it back tae Frunkie the morn.

I ken, I'm jist in the middle o' Donald Dewar's foreword. I'll finish IT, but I winna bother readin' the rest o' the thing. I mean, I dinna wint tae get bogged doon in the small print —

There's nae small print. The print's the same size a' the wye through.

— it's the principle o' the thing that's important. An' if Donald Dewar's in favour o't, it must be OK. I mean, politically I've aye rated Donald.

An' I've aye thocht he wis a rare bloke, ever since that first Sooth Aiberdeen Labour Party cheese an' wine in 1966 fan he drew the raffle an' picked oot oor ticket. So fit's Donald sayin' in the foreward? Is he tellin' a'body tae vote Yes-Yes.

Aye.

Ye mean "Aye-aye".

Actually I saw Donald on the TV last wik, an' he wisna exactly recommendin' a Yes-Yes vote. It wis mair a Yes-er-um-yes vote. But ye got his general drift.

So fit aboot Frunkie Webster? Is he a Yes-Yes man?

The last time I spoke til 'im he wis. But he hisna read the White Paper yet. I'm jist a bittie worried that if he dis read it, it'll jist confuse 'im an' he disna ken FIT tae dae. So maybe I shouldna gi'e 'im it back at a'. For his ain good. Incidentally, Bunty, I should hiv telt ye — accordin' tae Frunkie, it's a' richt tae visit Sooth Africa. Frunkie hid a wordie wi' Bob Hughes aboot it last wik, an' Bob says it's OK. Politically correct, ken? So I think we can tak' it, Bunty, that you an' me hiv got the green licht tae ging there next month.

I still can hardly believe the bairns hiv clubbed thegither tae gie us a trip tae Sooth Africa. I mean, fit a retirement gift tae get!

Better than a pair o' bools an' a bunch o' flooers for you, Bunty.

I can jist picter them a', the fower o' them — Lorraine an' Alan an Gary and Michelle — the fower conspirators hatchin' up their plot tae gi'e us this trip. An' ye ken far they met up tae dae their conspirin'? In Aiberdeen's latest hot-spot. The big new night-club Amma-juice.

No, no. Nae Ammajuice. A-M-A-D-E-U-S is pronounced Amma-day-us.

Fit dis Amadeus mean?

For the love o' God, Bunty, fit wye should I ken?

There's nae need tae be blasphemious, Dod. I happen tae ken it's Beethoven's middle name. Alan telt me.

Weel, Alan got it wrang. Beethoven's middle name wis Van. Ludwig Van Beethoven.

Dinna be feel. Fa wid gi'e a big nicht club a stupid wee name like Van. No, no. It's Amadeus it's ca'd.

Give me strength!

Ony wye, 'at's far they met an' decided tae gi'e us this trip.

I gi'e maist o' the credit tae Lorraine. She's the een that wid hiv minded I'm retirin' in October.

Weel, but it wis Gary I wis spikkin' til recently fan I said Sooth Africa wis a place I wid really like tae visit.

An' I'll bet it wis Michelle that suggested they should ha'e a whip roon' amon' themsel's an gi'e us a retirement trip. She's a darlin', at lassie. We are blessed in oor daughter-in-law, Bunty. An I'm pleased tae see she subscribes tae the bare belly fashion that's a' the rage iv noo an' jist aboot hid me walkin' intae a lamp-post in Union Street yesterday.

An' fit aboot Alan? Fit wid his motivation be in helpin' tae gi'e us a trip tae Sooth Africa?

He jist wints rid o's for a few wiks. Him an' Lorraine div gi'e us wir supper every Sunday, an' some wiks you really punish his Tio Pepe bottle.

Dod! Ye're richt coorse tae Alan. I ken for a fact it wis him that phoned Auntie Vi in Capetown an' persuaded her tae pit us up.

Weel, 'at wis good thinkin' gettin' Alan tae dae't. Auntie Vi's aye hid a soft spot for Alan. 'Cos he's fae Edinburgh. An' Vi loves Edinburgh.

So she widna ha'e ony problem aboot votin' for a Scottish Parliament in Edinburgh.

Aye, she widna even bother readin' this bloomin' White Paper.

But YOU'VE got til. I think I'll leave ye til't. Ye're takkin' aboot as lang tae read it as they took tae finish 'at new bit o' dual carriageway on Anderson Drive.

'It's nae like you tae be apathetic, Bunty.'

FAR'S the paper?

I've got it here. I'm jist readin' a story aboot a peer Kincorth wifie that got her handbag pinched in the St Nicholas Centre. Fan Dolly Webster reads it, she's ga'n tae be furious.

Dis Dolly KEN the wifie?

No. But the wifie's 61, an' she's described as "an elderly woman." Weel Dolly's 63, an' she certainly disna consider hersel' elderly. There wis anither story earlier this wik aboot a wifie that wis in an accident — 63 an' "elderly". But this een's worse. Twa years younger than Dolly, but she's still elderly.

It's nae often I agree wi' Dolly, but we chronologically challenged folk hiv got tae stick thegither. We should campaign against arbitrary ageism in the Press. I mean, fit's the cut-off pint for bein' elderly? Is it 60? An' is "elderly"aul'er than "auld"? An' if "elderly" is younger than "auld" fan div ye stop bein' "elderly" an' start bein' "auld"? An' if "elderly" is AUL'ER than "auld", foo auld hiv ye tae be afore the paper SAYS ye're auld? These are important questions, Bunty.

Jim Farry visited distillery as the world waited

THE calls for SFA chief executive Jim Farry to quit increased today after fans learned he went for lunch at a Highland distillery as the world waited to hear when the Scotland v Belarus match would be played.

A poll on ITV and Channel 4's teletext resulted in an 86% majority calling for Farry to resign after the way the SFA handled the rescheduling of the game.

I hear fit ye're sayin', Dod —

Weel, ye're maybe elderly, ye're maybe auld, but at least ye're nae deif.

— an'fit I wint tae ken is, fit are ye afore ye become "elderly" or "auld"?

"Middle-aged," I wid say.

An' far dis IT start? An' fit are ye AFORE ye're middle-aged? Young?

Youngish, I wid say. "Youngish" is aul'er than "young." An' if ye're a young man THAT'S fit ye wint tae be ca'd, nae a youth. 'Cos hiv ye noticed? It's youths that commit crimes. Ye never read aboot a crime bein' committed by a young man. It's aye a youth. "Youngster" is a' richt. It's got an air o' freshness an' innocence aboot it. I'd be happy enough if the papers ca'd me a youngster. But nae a youth.

Weel, neither description's very appropriate. Nae for you. Nae for somebody that's dodderin' somewye atween auld, elderly, aged, ancient an' on his last legs. Onywye, here's yer paper. Referendum Special. Read all aboot it. An' I hope ye will. 'Cos I canna be bothered.

Now, Bunty. It's nae like you tae be apathetic. Pa'thetic, yes. Apathetic no. 'Cos apathy's a terrible thing. Always remember the old sayin: "For evil tae triumph, it only needs good men tae hud their tongues."

Fit's 'at got tae dae wi' the price o' fish? I mean, devolution tae a Scottish parliament is hardly EVIL, is it?

Weel, 'at boy Michael Ancram thinks it is. He gave a warnin' aboot the evil o' devolution jist like Churchill did aboot the evil o' Hitler.

Oh, come on. A pucklie second-stringers in Edinburgh arguin' the toss aboot the Skye Bridge tolls an' Lochaber Primary School? It's hardly the Third Reich.

I'll tell ye, though, Bunty. Ye've got tae hand it tae Tony Blair. It wis only a short campaign, but there wis time for him tae play a master stroke.

Visitin' Edinburgh himsel' on Monday?

That wis good, but no, nae that.

Gettin' Sean Connery tae come an' support the 'Yes' campaign?

No, nae that either. Though that wis good an' a'.

Good? It wis brilliant. 'At's fit got my vote.And every one o' the ladies in my boolin' club. They wid follow Sean onywye.

Weel, he's their age group. He's "elderly" accordin' tae the Evenin' Express's yard stick. AT LEAST "elderly". But it wisna that. Tony did something even better than that.

Fit? I gi'e up.

He arranged for Mrs Thatcher tae come up an' support the "No" campaign.

Tony didna arrange that.

He must hiv, Bunty. Naebody on the "No" side wid hive arranged it. Nae even William Hague or Raymond Robertson wid hiv been as feel as that, I mean, fit an enormous boost it gave tae the "Yes" campaign. There wis hunners o'folk switherin' or nae intendin' tae vote or didna really understand the issues — as seen as they saw Maggie wis a "No" supporter, bingo! They a' voted "Yes". It wis a stroke o' genius gettin' Maggie up. It mus've been Tony's idea. Or possibly Peter Mandelson's. He's a clever divil.

Did ye see John Prescott named a crab efter Mandelson?There's nae love lost atween 'at twa.

Spikkin' aboot crabs an' things like 'at, it's nae lang since we were spikkin' aboot the Ashvale Chipper sellin' lobsters, mind? Hiv ye heard the latest? They're sellin' oysters noo.

Fit are they like, oysters?

They're a kind o' up-market buckie.

Aye, but fit else d'ye ken aboot them? 'Cos the young couple across the road, the Campbells, came hame fae the Ashvale last nicht wi' a couple o' oyster suppers. He works for Shell, ken?

So, it's nae surprisin he likes Shell-fish. Get it, Bunty?

An' they were tellin' me oysters hiv aphrodisiac properties.

Weel, if the Campbells hiv been eatin' them, 'at's fairly cairryin coals tae Newcastle. They canna keep their hands off een anither, 'at pair. An' on a Sunday they're never oot o' the hoose. Their curtains are never open.

'At's nae true. He wis at the Scotland-Belarus match at Pittodrie last Sunday. I aye forgot tae ask — did ye enjoy 'at match?

Aye, it wis great. An' it wis good it a' went aff fine efter a' the to-do durin' the wik.

I ken. I wis real sorry for the SFA Secretary.Fit's his name again?

Farry. As you were, Farrynuff. As in "I could've seen him Farrynuff."

Onywye, ye enjoyed the match.

Oh aye. Mind you, it wis a bewilderin' experience for Frunkie Webster an' me an' a' the rest o' the Dons fans. Neen o's could mind fit we should dae fan the team we're supportin' wins 4-1.

"Yes." 'At's fit I wint tae hear fae you ladies.

'The Welsh could only cope wi' one question in their referendum'

FAR'S the paper?

Here's it. There's nae word o' onything excitin' happenin' in Aiberdeen this wik-end — naething tae compare wi' the hysteria o' last wik-end fan Oasis wis here.

Aye, it wis a proud wik-end for Aiberdeen. As Frunkie Webster said tae a big-heided Celtic supporter comin' awa' fae Parkheid last Setterday. "If ever GLESCA is Oasis's only Scottish venue, THEN ye can get cocky aboot foo good ye are at fitba."

An' did you tell me Frunkie wis actually ga'n' tae SEE Oasis? On Friday nicht? Far did he get the ticket?

Nine suspended in 'trips for votes' scandal

NINE Glasgow Labour councillors at the centre of an alleged "trips for votes" scandal were today suspended by the party's National Executive Committee.
The move came after a two-hour meeting at Labour Party HQ in London, attended by the Prime Minister.
A spokesman said Tony Blair, who left after an hour, was not present for discussion about the Glasgow councillors, who now face an investigation into allegations of misconduct against them by a special inquiry team.
The nine are Deirdre Gaughan, Heather Ritchie, Jim Sharkey, Elaine Smith, the Lord Provost Pat Lally, Labour group leader Bob Gould, and their deputies Alex Mosson and Gordon Macdiarmid, and parks and recreation convenor Jim Mutter.
Jean McFadden is to be the interim leader of Glasgow City Council with a new leader appointed in three weeks.
A Labour spokesman said: "No charges have been laid against any councillor. That will be a matter for the evidence collected by the inquiry team."
The misconduct inquiry centres on allegations of overseas trips being swapped for votes on the council.

Let's jist say that Frunkie, bein' a bit o' a mover an' shaker himsel', has his sources.

An' did he enjoy the concert?

He never got til't. He wis mugged by a pair o' nine-year-aul' thugs an' they nicked his ticket.

For ony sake. Could he nae cope wi' twa nine-year-aul' loons?

They were'na loons. It wis twa nine-year-aul' quines.

Oh, that's different. So did he report it tae the police?

He did. He telt a bobby. He says, "If you come intae the Conference Centre wi' me, I'm sure I could identify the little divils."

An' fit did the bobby say?

He said, "Nae fear. I'm nae ga'n' in there."

So Frunkie hid a bad nicht on Friday at Oasis, an' a bad day on Setterday at Celtic Park. An' even Thursday wisna great for 'im — the Welsh referendum. 'At wis as near a draw as ye could get fae a referendum.

Weel, of course, I think it wis a bittie early, 'at referendum.

Early? Early for fit?

Early for the Welsh. They're nae mature enough, politically, compared wi' us. Ye'll notice we got two questions in oor referendum. They could only cope wi' one.

Ony wye, we'll be crackin' on wi' oor Parliament in Edinburgh. Fa d'ye think'll get elected til't? Are ye nae feart it'll be a lot o' chuncers fae the Central Belt? Fae the Glesca Labour Party, ken?

Weel, it canna be. As of this wik they're a' suspended.

So fa WILL it be?

Weel, I think we could ha'e quite an interestin' crop o' MSPs.

MSPs?

'At's fit they'll be ca'd for short.

MSPs? Mannies Spikkin' Posh? It will be in Edinburgh efter a'.

No, no. For one thing they winna a' be mannies, there'll be a lot o' weemin. Ye could ha'e a go yersel', Bunty. I mean, you've been president o' yer boolin' club. So ye've hid experience o' the heat o' battle. You could ging richt tae the tap. Look fit's happenin' in Ireland. Fower candidates for president, an' they're a' weemen. Includin' Dana. I mean, you're a better SINGER than her for a start.

I mind seein' Dana in a pantomime at the Capital a few years ago. Snow-White an' the Seven Dwarfs. She wis Snow-White.

Ye're pullin' my leg, Bunty. Are ye sure she wisna Grumpy or Sneezy?

We hid some great nichts at the Capitol, you an' me, hid we, Dod?

Aye. I've fond memories o' the Capitol, 'cos it wis the first picter hoose —

That you ever took me til.

No, it wis the first place I saw Tarzan's New York Adventure, number one in my all-time list o' great movies.

Awa'. It wisna that great.

It WIS. I sat through it twice that day at the Capitol, even though it meant that I hid tae sit twice through the boy on the Hammond organ. Mind? Ye used tae get an interlude o' live organ music at the Capitol. "Capitol punishment" we used tae ca' it. Weel, I sat through it twice so's I could see Tarzan's New York Adventure again. If ever there wis proof o' a picter's greatness —

Aye, it wis a great picter hoose, the Capitol. Tae think that Ian Donald's thinkin' o' sellin' it.

Ian Donald, Chairman o' the Dons?

Aye. An' owner o' the Capitol. An' he's thinkin' o' gettin' rid o' the Capitol.

The wye they're playin'. I think I'd get rid o' the Dons an' keep the Capitol.

Dod! I'm ashamed o' ye. Ca' yersel' a supporter. A'body should be rallyin' roon' the Dons tae get them through this bad patch.

Richt enough. I wis only jokin', Bunty. The Dons'll come again. I think Rangers are gettin' worried already. They're tryin' tae get Richard Gough back.

Peer bloke. Efter he thocht he'd escaped tae America.

Weel, he could be recaptured an' brocht back tae Ibrox. An' I'll tell ye, if he is, HE should stand for the Scottish Parliament.

Richard Gough?

Aye. It's the only wye he'll ever represent Scotland. An' he's the kind o' person that SHOULD stand for the Scottish Parliament. We should forget aboot politicians. There's lots o' talent in Scotland — folk fae a' walks o' life could become MSPs. Like fae sport. Nae jist Richard Gough. Big Colin Montgomerie, wee Stephen Hendry — they could be members.

Oh, come on. Jist 'cos ye can judge a putt or a pot, disna mean ye've the judgment tae be a Member o' the Scottish Parliament.

Weel, fit aboot Ian McGeechan, the rugby coach? He's turned doon coachin' England an' signed up for Scotland — ye canna ask for better judgment than that. So there's a good member. An' folk fae Scottish show business. That actor boy, Robert Carlyle, that we saw last wik in TheFull Monty.

Oh, I quite agree. Now THERE'S a splendid member.

FAR'S the paper?

Afore ye read the paper, ye'd better read the day's mail — twa bills an' a post-caird fae Frunkie Webster fae the Labour Party Conference.

Let's see the bills. Their literary style'll be a lot better than Frunkie's.

'There's maybe SOME civilised folk in Govan.'

Peer Frunkie. Apparently the great King Tony hid laid doon there wis tae be nae triumphalism at the conference, nae gloatin', ken? Weel ae nicht in the bar, Frunkie wis ha'ein a wee gloat, an' a blokie says til'im, "Are you a triumphalist?" An' Frunkie says, "No, Church o' Scotland. Fae Aiberdein." An' the bloke says, "You'll maybe know my father. He's a retired minister and he lives at Insch."

So — dinna tell me — it wis Gordon Broon? Did Frunkie recognise 'im?

Nae till the blokie bocht a packet o' crisps an' made a complete hash o' coontin' his change. Then Frunkie realised it could only be the Chancellor o' the Exchequer. An' ye'll see fae the post-caird Frunkie bumped intae Bob Hughes at the conference. I beg his pardon — LORD Hughes.

Aye, Lord Hughes of Widside — 'at's fit he's ta'en as his title.

Wid he be Widside's first lord? Fan we were bairns in Hilton, I dinna mind ony peers in Widside, div you?

Peer folk, yes. Peer craiturs, yes. But peers, no. Neen that I can mind o' onywye. I played fitba' for Hilton School against Widside School. An' I'm pretty sure neen o' the loons in the Widside team hid a lord for an aul' man. Pit it this wye — if ony o' that loons wis the sons o' lords they concealed it very well. There wis some real hard men in the Widside Primary team. They played in an all-white strip. An' a' the ither schools ca'd them "The Ghosties".

Because o' their all-white strip?

No. Cos they terrified a'body.

So in oor young days wid the Widsiders hiv been an Aiberdeen version o' EastEnders?

No! 'At's an affa thing tae say. I wid never say that aboot onybody.

Did ye see there wis a big row efter the episode o' EasterEnders that wis set in Dublin? The Irish folk said it reflected badly on Ireland.

Fit are they complainin' aboot? Wik in, wik oot, EastEnders reflects badly on LONDON. Fit a miserable bunch they are. A'body in London canna be as soor as that.

Aye. It's a bit like Rab C Nesbitt. IT gies a misleadin' impression o' GOVAN.

'At's richt. I've never met naebody fae Govan that wis half as nice as Rab C Nesbitt. Mind you I've never met onybody fae Govan except at Ibrox. There's maybe SOME folk fae Govan that are civilised.

> **About 100 fans staged a demonstration outside Pittodrie after a 2-1 defeat by Dunfermline which kept Aitken's Aberdeen anchored at the foot of the table and**

Weel, you ken een o' them; Fergie — een o' yer heroes.

Of course. A great man, Bunty. I'm delighted tae see he's gettin' an honorary degree fae Robert Gordon University — an Ll.B.

Ll.B? Fit's 'at?

Bachelor of Laws, Bunty. It'll mean, he winna jist be

able tae buy an' sell fitba' players. He'll be able tae buy an' sell hooses.

I'll tell ye anither sportsman that should get an honorary degree fae SOMEWYE: Seve Ballesteros. I mean, fit can ye say aboot the Ryder Cup? It wis something else, yon.

Yes, fantastic, Bunty. I mean, even if ye dinna PLAY golf, it his tae be the world's greatest sportin' event. It's got the lot, the Ryder Cup, Atmosphere, excitement, tension, brilliant play —

Aye, it's jist a peety they got sic rotten weather for it. Yon wis affa rain. Ye dinna expect 'at in Spain. An' of course it's the players that get worst o't. The spectators can bide under their umbrellas a' the time, but the peer golfers — every time they play a shot they get soaked.

Yes, Bunty, as the song has it, the rain in Spain falls mainly on them playin'.

So div you agree wi' me — it should be an honorary degree for Seve?

Certainly, Bunty. Mind you, while I'm a great fan o' Seve an' Jose Maria an' Bernhard an' a' wir gallant Continental comrades, an' nooadays I dinna even mind Nick Faldo —

Oh, I like Nick Faldo, I aye think he looks like Harrison Ford.

— the great thing is, fan the chips were doon — an' there wis a few chips went doon in the Ryder Cup — fan the chips were doon, it wis Scotland that got the crucial half pint that won the Cup for Europe. I mean, the wye Colin Montgomerie played that last hole. A'body else ga'n' aff their heid wi' excitement, but Monty — weel, there wis naebody calmer in Valderama.

I ken. He really wis the cool Monty.

Bunty, that — if I'm nae mistaken — wis yet anither reference tae that picter we saw a couple o' wiks ago — the Full Monty. It certainly seems tae hiv made an impression on you. I thocht ye wid hiv forgotten aboot it by this time.

Weel I wid hiv, but — I micht as weel own up — I went in tae see it again last Setterday efterneen.

Fit?!

Weel, Dolly Webster wis feelin' affa doon at the thocht o' Frunkie ga'n' awa' tae Brighton this wik tae the conference, so I took her tae the picters tae cheer her up. I mean, it wis up tae Frunkie tae dae that, really.

But you did it. I'm prood o' ye, Bunty.

Aye, there wis me — sacrificin' my Setterday efterneen daein' a bit o' urgently needed social work, while you an' Frunkie wis awa' enjoyin' yersel's watchin' the Dunfermline match at Pittodrie.

'This is a respectable neighbourhood, this is nae Rubislaw Den Sooth.'

FAR'S the paper?

Ye'll jist ha'e tae wait for it. I'm needin' tae ha'e a quiet ten minutes wi' the paper tae steady my nerves.

Steady yer nerves? Fit wye are yer nerves needin' steadyin'?

'Cos I'd an affa experience this efterneen. I'd a stand-up row wi' Mrs Christie ben the hoose.

A stand-up row?

A real up-an'-dooner. Oot in the front gairden. It wis mair than a shoutin' match. We practically came tae blows.

For ony sake, Bunty. It sounds like an auld-fashioned stairheid row. I hope neen o' the neighbours saw it.

Maist o' them did. Saw it AND heard it. An' nae jist the neighbours. A pucklie folk standin' at the bus-stop wis watchin' it.

They were watchin' the bust-up fae the bus stop?

Aye. An' they were that hooked on fit wis happenin' fan their bus came neen o' them got on til't. They a' waved it on.

Fit an affront! Bunty, this is a respectable neighbourhood. We dinna ha'e stairheid rows here. This is nae Rubislaw Den Sooth. Fit wis it aboot onywye? Hid the Christie youngsters been misbehavin'?

No. It hid naething tae dae wi' them. In fact, eventually they came oot an' stopped it — they telt us tae stop behavin' like bairns.

A PLUSH home in Aberdeen's most exclusive residential area turned into a bizarre battleground for the two warring households under its roof.

Lavish Rubislaw Den, home to some of Aberdeen's wealthiest and best known figures, is the unlikely setting for the bitter neighbourhood barny.

So fit WIS it aboot?

Weel, we were ha'ein' a discussion aboot the Bill for the abolition o' fox-huntin' — ken? The een that went through the Hoose o' Commons last wik.

A discussion?

Weel, a' richt — nae sae much a discussion as an argument.

An' I tak' it you were against fox-huntin' an' she wis in favour o't?

'At's richt. An' efter a while things got pretty heated.

But nae tae the pint o' violence, Bunty.

Weel, I think fit triggered it aff wis fan I said tae her: "Fox-huntin' is like fan your man comes hame for his tea that you've cooked for 'im — the unspeakable in pursuit o' the uneatable." Weel, she took exception tae that.

She didna, did she? Some folk.

An' it went doonhill pretty rapidly efter 'at. But there's one good thing came oot o't. We winna be invited tae their bring-yer-ain-bottle Hogmanay pairty this year.

Will we nae? Michty! Some folk are richt touchy, are they?

I widna care, we'd agreed aboot a'thing else we'd spoke aboot.

Oh, aye?

We agreed we didna think much o' Earl Spencer wi' his 12 fancy dames.

Aye. Freend Spencer maybe bides near Table Mountain, but he disna exactly occupy the moral high ground.

We agreed it wis a scandal the amount o' money the Lord Chancellor's spent on decoratin' his hoose — three

hunner thoosand.

Three hunner thoosand for decoratin' his hoose? I think we can tak' it that he didna get twa Corporation pinters tae dae a homer like fit we did the last time we got ony decoration deen.

An' wid ye believe? 'At included fifty-nine thoosand quid for his wall-paper.

He didna get it at B an' Q, 'at's for sure.

I widna thing so. Mind you, I wis at B&Q last wik an' there wis this couple — they were lookin' for wallpaper, but they didna like ony that they saw. The mannie says tae his wife, "There's neen o' this is good enough." Could that hiv been the Lord Chancellor?

No, Bunty. Ye wid ken the Lord Chancellor. He wears a wig a' the time. Ye couldna mistake 'im.

Weel, this mannie wis wearin' a wig. Ye couldna mistake IT.

Far ye WERE mistaken wis fan you an' Mrs Christie got on tae fox-huntin'. Ye should've kent. Her man's a Rangers supporter. She's bound tae be in favour o' blood sports.

If we're on tae fitba', fit aboot 'at panel o' experts that picked Pele as the best fitba' player ever?

'At wis fair enough, I suppose. But they should've hid Jim Baxter on their list somewye.

Jim Baxter o' Rangers? That's high praise comin' fae you.

An' the experts that picked 'at list o' great players — they'd clearly never seen Ernie Winchester or Norrie Davidson. Ah, they were giants in those days.

Weel, Jim Baxter wis.

I hiv tae admit he wis the best fitba' player I ever saw, Bunty. Of course I never saw Pele. Ye mind, you aye pit yer fit doon ony time I suggested we should ging tae Brazil for the Trades Fortnicht.

An' then the last thing me an' Mrs Christie agreed aboot wis we agreed Malky Bruce hid a good chik advisin' Gordon Brown tae get married —

Absolutely. Malcolm Bruce is Gordon's MP, nae Gordon's mentor.

— an' we agreed if Gordon Brown ever WIS lookin' for a wife, we wid baith volunteer, cos we baith think he's a bit o' a hunk.

Aha! So passions wis already beginnin' tae rin a bittie high.

An' then we got on tae fox huntin'. An' in nae time at a' it wis like El Alamein. Weel, I'll tell ye foo bad it wis. At the end o't een o' the wifies fae the bus queue came in aboot an' said, "At wis terrific. 'At wis some stooshie. The nearest I've seen tae that for nestiness wis fan I wis in a shop in Glesca earlier this wik an' I saw twa grannies squabblin' ower the last o' the Teletubbies."

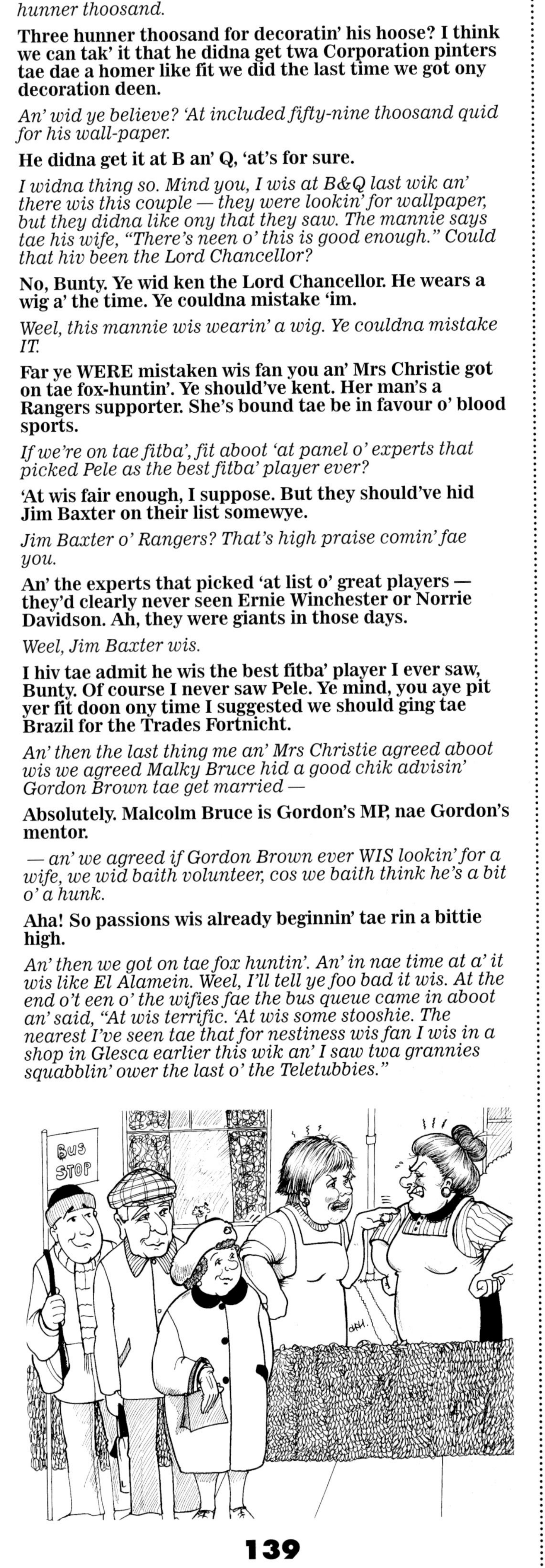

Liz McLeod really performed — in and oot o' school.'

FAR'S the paper?

Here's it. Tell me, Dod, are you like me? Are you fed up readin' aboot this American boy Fossett that's been tryin' tae ging roon' the world in a balloon?

Absolutely, Bunty. I'm wi' ye a hunner per cent . I widna care, he didna mak' it. But michty me! The number o' news items aboot 'im that there's been on the TV. I mean, fa's interested? Even if he'd succeeded, wid you hiv cared tippence. Wid yer mither? Wid ONYBODY in Heathryfold? Wid onybody in BRITAIN? But he didna even succeed, he failed. An' yet he's never aff oor TV news. I mean, on New Year's mornin' Frunkie Webster an' me — OK, we'd hid a drink or twa — but the pint is, we failed tae circumnavigate Queen Victoria's statue atQueen'sCross. But did ye see us on the TV news? No! Ye never saw Anna Ford or Martyn Lewis or even John Duncanson pittin' on their serious faces an' spikkin' aboot oor failure in hushed tones.

Liam is croon jewel after Des O'Connor sparks arrival

There's some word aboot Queen Victoria's statue maybe bein' shifted. Something tae dae wi' the park'n'ride, I think. I'm nae richt sure, but it dis look as if they micht move it.

They're ower late. They should've moved it early on New year's mornin' afore me an' Frunkie started bumpin' in til't.

Fit a pair you an' Frunkie are! Ye couldna even get roon Queen Victoria's statue! Ye couldna even achieve that! Ken 'is! I thocht aboot you twa fan I wis readin' aboot this new Government report that says loons are under-achievin' at school. Compared wi' the quines, that is. Of course, I dinna find 'at surprisin'. There's naething new in loons under-performin' at school. Fan we wis at Hilton School, a' the loons under-performed. It wis the quines that performed. D'ye mind Liz McLeod that wis the dux o' the school in oor year? Now she really performed in school.

She really performed OOT o' school, if I remember richt.

Dod! Fit evidence hiv ye got o' that?

Only hearsay, I'm afraid.

Hearsay, aye. I can jist see a' you loons in a corner o' the playground sniggerin aboot Liz McLeod. See? there wis a laddish culture on the go even then. An' 'AT'S fit this new report says is the problem the day. It says boys are under-achievin' because there's a laddish culture in schools that gi'es learnin' a sissy image. A' I'm sayin' is it's naething new.

So fit else did the report say?

It says the loons nooadays need tae ha'e role models, so there should be a lot mair male teachers recruited that the loons can look up til.

Fair enough. Though mind you, a loon's aul' man's got a part tae play an' a'. Look at oor Gary. He hid me as a role model.

I ken. I canna understand fit wye he's deen sae weel. Mind you, he worked hard at school. Oh, he could be as laddish as onybody, but he didna think learnin' wis sissy, an' he did work hard.

An' he didna ha'e Liz McLeod tae distract 'im.

He'd plenty ither lassies tae distract 'im.

Ah, but nae Liz Mcleod. If ye wis a reid-blooded Hilton loon, he couldna' learn naething if Liz wis in yer class. D'ye mind Ernie Allen? He wis besotted wi' her. He

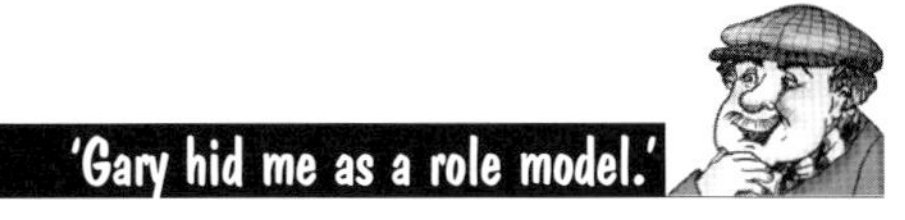

couldna think aboot naething else. An' fan we got yon poem tae learn — mind? "Daffodils" —

Oh, aye. "I wandered lonely as a cloud."

Exactly. Except fan it wis Ernie's shottie tae recite it, it wisna "I wandered lonely as a cloud," it wis "I wandered home wi' Liz McLeod."

Onywye, I think I agree wi you, a faither dis ha'e a responsibility tae be a role model.

Aye, but it's nae enough for a faither jist tae be a role model. Ye've got tae be a bit o' a disciplinarian. Look at Jack Stra'. He's a good role model. There's naething wrang wi' his loon aspirin' tae be Home Secretary like his Da. But in the meantime his Da should be gettin' a grip on 'im, ken?

It's easy for you tae say that. But naebody can keep an eye on a teenage loon every minute o' the day an' nicht.

Look, Bunty, fan ye're a parent ye ken if yer bairns are steppin' oot o' line. I mind fan I wis a loon, there wis a few o's went oot ae nicht tae pinch aipples fae the posh gairdens in Clifton Road. Weel, my Da got tae hear aboot it, an' I wis in deep shtook, I can tell ye. 'At wis some nicht. I can remember the pain tae this day.

Is 'at richt? Hid ye a sair dowp efter it?

I'd a sair BELLY efter it. The aipples wer'na ripe.

So you went oot pinchin' aipples? See? Anither laddish pursuit. You've aye been laddish. Even afore there WIS sic a word.

Weel, we'd a' been tae see Errol Flynn in Robin Hood. So we thocht WE wid rob fae the rich tae gi'e tae the poor, namely wirsel's.

So if we're spikkin' aboot role models, een o' the earliest influences on you wis Errol Flynn?

Aye, but bairns hiv got different influences nooadays, an' thanks tae the TV they're exposed tae them a lot earlier. Look at 'at Torry bairn — Liam, wis it? — that wis born on New Year's Day. Did ye read that story? His first experience in the world wis hearin' Des O'Connor on the TV. Peer we sowel. An' he wisna even born at 'at pint.

Aye, I read that story. Fanever his mither heard Des on the box, she had a strong physical reaction. Her contractions started really bad.

'At's richt. I can understand it; the sicht o' Des on the box his aye produced a strong physical reaction in ME. Different fae hers, of course, but jist as violent.

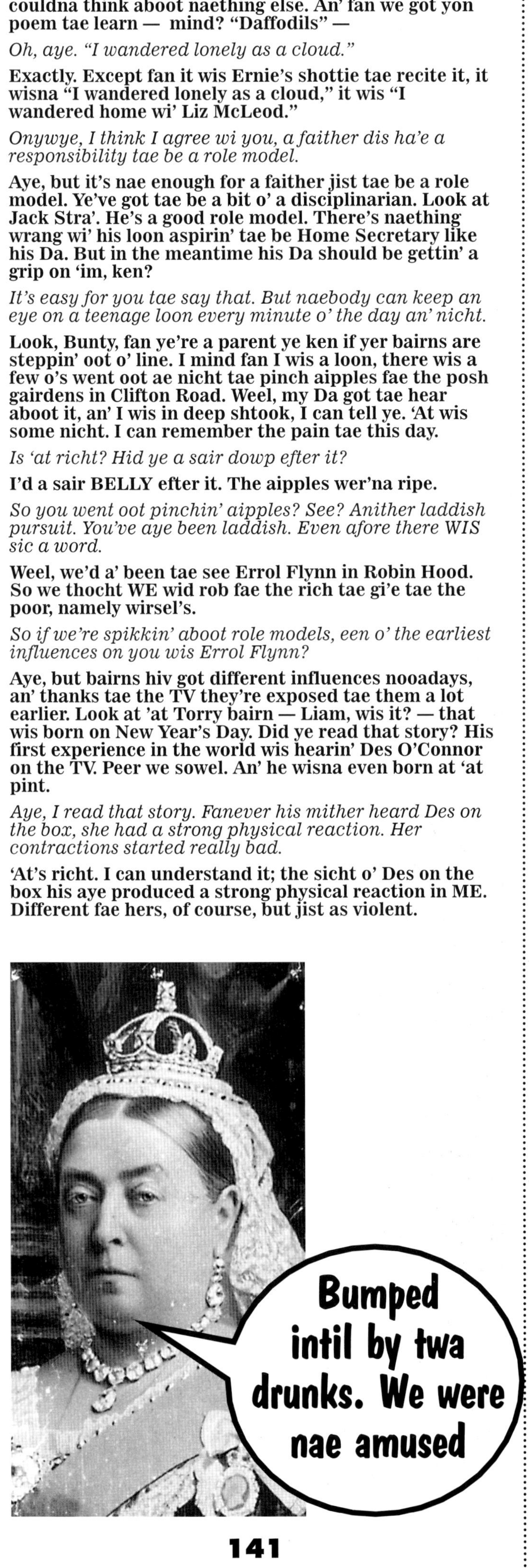

FAR'S the paper?

Here it is. Catch!

Aw, dinna throw it, Bunty. Dinna throw it, Dinna!

Too late. Aw, for ony sake. Fit wye did ye nae catch it. It's nae dangerous. Fit did ye dodge it for?

'It wis pathetic. Frunkie strugglin' roon ASDA by himsel'.'

I wis practisin' my dodgin'. Did ye read aboot the asteroid that's on a collision course wi' the earth? I wint tae be able tae dodge IT.

For ony sake, Dod. The asteroid's nae due till 2028.

Weel, it's nearly quarter past eight noo.

Look, I meant it's nae comin' till the YEAR 2028. An' the latest calculation says it's nae ga'n' tae hit the earth efter a'. An' onywye, by that time I dinna think you'll be dodgin' onything. D'ye realise foo auld we'll be by the time the asteroid arrives?

Rock shock for Earth

ARMAGEDDON could be
hurtling towards the Earth in
the shape of a mile-wide as-
teroid which – if we are un-
lucky – may bring civilisation
to an end in just over 30
years, scientists revealed
today.
The object, known as 1997
XF11, is certain to pass within
the distance of the Moon from
the Earth, 240,000 miles. But it
may come much closer – per-
haps less than 30,000 miles –
and there is a small but real
chance of the Earth being hit.
Astronomers have even come
up with a precise time for
what might be the end of the
world: 1.30pm Eastern Day-
light Time, Thursday, October
26, 2028.
An expert said today that if
XF11 collided with the Earth it
would explode with the force
of 100,000 hydrogen bombs.
The impact would trigger
devastating earthquakes and
blot out the Sun with dust,
producing a "nuclear winter".

Aye. But it's Frunkie Webster I'm sorry for. He'll be an aul', aul' mannie wi' a bairn tae look efter.

A bairn?

Aye. Hiv ye noticed? Dolly's reached the stage o' knockin' twa years aff her age every birthday. At that rate fan the asteroid comes, she'll be a wee bairn an' Frankie'll ha'e tae look efter 'er.

As if he disna dae enough noo. He gings a' their messages. 'At wis pathetic last nicht, fan we wis in Asda doein' wir shoppin' thegither, as a team, bondin' ken?

An' we bumped intae Frunkie Webster daein' the shoppin' on his ain.

Correction — YOU bumped intae him. Wi' oor trolley. I never touched 'im. Weel, nae till I helped 'im up. But it wis pathetic, Frunkie strugglin' roon' Asda by himsel'.

It's his ain fault. D'ye mind he went on a course on delegation an' management skills for Trade Union Officials? Weel, fan he came hame he should've kept quiet aboot it.

Dolly did tell me he pit her in the picter aboot fit he learned on the course.

Exactly. An' if ever a little learnin' wis a dangerous thing — weel, Dolly took it a' in, an' noo she's applied modern delegation an' management techniques tae the rinnin' o' their hoose.

I ken. She telt me a' aboot it. But Frunkie's the big boss. He's top management. Dolly's jist middle management.

'At's richt. But did Dolly tell ye the wye it works? Tak' yesterday fan we cam' across Frunkie daein' the shoppin' in Asda. Let's jist analyse the management decisions that led tae that situation.

Eh? Weel, we ken fit happened. Dolly sent Frunkie oot wi' a lang list tae get a great hillock o' messages.

Ah, but there's mair til it than that. First of all, Dolly in her capacity as middle management recommends tae top management — that's Frunkie — that there should be a shoppin' expedition tae Asda. Frunkie, as top management, accepts the recommendation an' tak's the policy decision that a shoppin' expedition should tak' place. He conveys this decision tae middle management — 'at's Dolly — an' delegates tae her the task o'implementin' the decision. Middle management acts at once, an' deploys the work force tae carry oot the actual work involved.

The work force?

Frunkie. Wearin' a different hat. Weel, wearin' his bonnet, actually. Which he wid never wear in his ither role o' top management.

So let me get this richt: the Websters hiv got a sophisticated management system in place wi' Frunkie as top management an' Dolly as middle management. An' the result is —

Frunkie gings a' the messages —

Weel, 'at's fit I said at the start o' a' this.

— fan Dolly tells 'im til.

It's pathetic. It's nae real. It's like something oot o' Monty Python.

Did ye see they're maybe ga'in' tae be makkin' a come-back?

Aye. It's pathetic. A bunch o' aul' mannies desperately tryin' tae raise a few laughs.

Of course fashions in comedy hiv changed since their hey-day. They could weel discover that for 1998 they've got tae mak' it a lot dirtier.

'Cos comedy as a whole is a lot nearer the knuckle. I mean, some o' the alternative boys — gee whiz!

Aye, ye widna tak' Grunnie tae see them.

Grunnie? Ye widna tak' Uncle Joe tae see them, an' he wis a stoker in the Navy.

Aye, it's changed days. The great comedians o' the past — they didna need tae be dirty tae get a laugh.

Aye, like the five that are gettin' their heids on the stamps. Five great examples o' comic genius.

Mind you, there's a pucklie even better examples hiv been left oot — Max Miller, Hancock —

An' fit aboot Scotland? There's a few Scottish comedians are richt up there wi' the greatest. Dave Willis, Will Fyfe — an' Harry Gordon.

Aye, it wid hiv been good tae hiv hid Urquhart Road represented on the Royal Mail. But think, Bunty. Fa wid you say wis the Scot that you've hid the maist laughs at on the TV.

It his tae be Chic.

Chick Murray? Ye're absolutely richt.

No. Chic Young. He mak's the 'hale o' Scotland laugh. He disna mean til, but he dis.

Weel, we were spikkin' aboot the Monty Python team, an' I hiv tae admit they were never as funny as Chic Young. Chic his a surreal quality the Monty Python team couldna match. But like I said, if they div mak' a come-back they'll discover that folk'll expect the 1998 Monty Python tae be a lot dirtier than the original een. So I think we can expect —

The fool Monty?

'I thoucht computers wis supposed tae be smairt.'

FAR'S the paper?

Here it is. Hey, d'ye see that? Tony Blair's surely nae weel. He's on aboot some bug that's botherin' him.

No, no, Bunty. It's nae a bug as in "germ". Or as in "virus". No, no it's the millennium bug that's buggin' 'im. Ken? Fan the year 2000 comes, a' the computers in the country could ging a' tae gyte, an' we could really be in deep shtook.

Fit wye?

Weel, it wid appear that the concept of 2000 bein' the next number efter 1999 is something a computer canna understand.

Michty, I thocht computers wis supposed tae be smairt — able tae dae things that humans canna dae. But if they dinna understand 2000 is the next number efter 1999 — weel, they must be thick.

Millennium warning

TONY Blair today issued a wake-up call to British business over the problems posed by the so-called "millennium computer bug".

The Prime Minister has been alarmed by recent evidence by economists suggesting a world recession could be triggered unless action is taken.

The fear is that older computer systems, unless adjusted, will cause chaos around the globe in the year 2000 because their chips can only recognise 20th Century dates.

While the Government has already taken action to avoid the potential catastrophe, Mr Blair has decided to take a personal lead during the new year to give the threat of the bug a higher public profile.

He has arranged a series of meetings and initiatives to place the issue high on the agenda of the British presidency of the European Union and of the G8 group of industrialised nations during 1998.

Bunty, ye canna blame the computers. Naebody's ever telt them years hiv fower digits an' nae jist twa, so they're used tae workin' wi jist twa digits. 'At means fan they get tae the end o' 99, they'll ha'e tae ging back tae square one — or possibly circles two — zero, zero, ken? So some computers'll ging back tae 1900 an' as for the rest — naebody kens fit they're ga'n tae dae, but it winna be pretty, Bunty — their intimmers could end up lookin' like discarded chewin' gum. Are ye with me? Get the picture? D'ye understand?

Nae entirely.

Nae ENTIRELY?

Weel, nae at a', really. For the last twa or three minutes I hinna understood a single word ye've said.

For ony sake, I dinna ken fit wye I bother. Civilisation is headin' for disaster, an' I hiv tae discuss it wi' a computer illiterate. Fit are ye, Bunty? A computer illiterate. Ye're een o' the computer illiterati.

Like Bernie Paterson?

Bernie Paterson?

Him that used tae work aside you. He came in tae his work every day fae Portlethen, an' he never read a newspaper — he jist looked at the picters in the Sun. You said he wis a commuter illiterate. Wis 'at the same thing?

No, that wis a wee joke, Bunty. A computer illiterate is a bittie different. It means somebody that disna ken naething at a' aboot computers. An' its naething tae be prood o', Bunty. 'Cos computers are playin' a bigger an' bigger part in a'body's lives. There's very few things nooadays that dinna depend on chips.

Weel, a battered haddock widna be the same withoot them for a start.

Fit's the pint? You refuse tae tak' onything seriously.

It wis a wee joke, Dod. I jist winted tae show ye ye're nae the only een that can mak' terrible jokes. But I hiv tae say I'm really impressed by foo much ye ken aboot computers.

Dinna be. I dinna ken naething aboot computers. I jist ken fit a computer illiterate is. Ye're spikkin' tae een.

Weel, ' at maks twa o's. We'd better change the subject.

So fit else is in the paper? Fit's the big news this wik?

Weel, BMW his bocht Rolls Royce. 'At's a big story.

So Rolls Royce is now a German company? For ony sake, dear me. I mean, fa won the war?

Dod! The war's been finished for 50 years. We're a'

Europeans noo.

I ken, I ken. But I'm only human, Bunty. I ken I should be magnanimous in victory, but there's a limit. I canna help it. I've been thinkin' for a while aboot buyin' a Rolls Royce, but I'm nae ga'n til noo.

Weel, the sale o' Rolls Royce wis big news, but there's nae doot the biggest news story this wik his definitely been Deirdre gettin' pit in the jile.

Bunty, 'at's nae a news story. 'At's something that happened in a soap opera. I mean, Dreary's nae a real person.

It disna metter. It's the injustice o't. Folk are really kittled up aboot it. There's nineteen million o' them ready tae jine a campaign tae "Free the Coronation Street One".

Is there? Weel, ' at proves it - there's nineteen million born every minute.

Yon wis an affa scene fan Ken Barlow wis visitin'her in the jile an' he said: "Deirdre, ye're ga'n' tae be in here for a long time afore ye get oot."

Weel, HE should ken. He wis in the very first episode o' Coronation Street an' he hisna got oot yet.

Look, this is nae laughin' matter. There's an affa mistake been made. Somebody should be cairryin' the can for it.

I must admit, fae fit I chanced tae see o' the trial - nae that I wis deliberately watchin' it, ye'll understand...

Of course ye wer'na. Ye were readin' yer paper, an it jist happened tae slip oot o' yer hands - twice, for quarter o' an hoor at a time.

...it did seem tae me tae call intae question the 'hale English legal system. I mean, there wis nineteen million witnesses ready an' willin' tae testify tae Dreary's innocence, an' the defence couldna get ONE o' them intae court. There wis inefficiency somewye, Bunty.

Weel, Tony Blair's nae happy aboot it. An' neither's William Hague. Now it's nae often they agree aboot ONYTHING but this issue's above petty party politics - they've baith spoken oot in support o' Deirdrie.

I dinna believe I'm hearin' this. Fit a lot o' absolute rubbish.

An' there's some word o' Tony gettin' the Hame Secretary involved.

That wid be the last straw. An' I suppose Alastair Campbell wid gi'e 'im a dressin' doon for lettin' the 'hale thing happen. Bunty. I think the time has come tae stop spikkin aboot Coronation Street.

Ye're absolutely richt. It's half past seven. Quick! Pit on the TV.

'There's far mair public holidays than fit there wis fan I wis workin'.'

FAR'S the paper?

Here's it. Ha'e a look at the "Fit's on" pages, an' see fit ye think we should dae this wik-end.

Of course this is the Easter wik-end. So a'body's on holiday. 'At's een o' the disadvantages o'bein' retired - ye dinna get the good o' the public holidays. An' there seems tae be far mair public holidays than fit there wis fan I wis working'. A' that folk that are gettin' a holiday this wik-end - I mean, in nae time at a' it'll be Christmas, an' they'll be on holiday again. An' fit's Gordon Broon daein' aboot it? He's the boy that's supposed tae be tryin' tae get a'body workin'. "Get 'em workin' an' keep 'em workin'" - 'at's fit I say.

Gi'e 'im time. He's very determined, Gordon. Gi'e him anither year or twa an' he'll probably abolish Christmas.

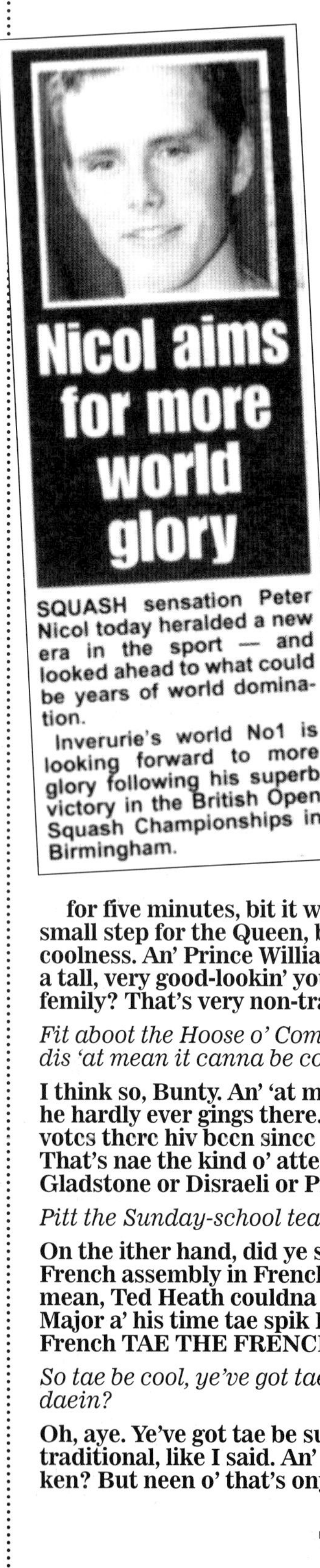
Nicol aims for more world glory

SQUASH sensation Peter Nicol today heralded a new era in the sport — and looked ahead to what could be years of world domination.

Inverurie's world No1 is looking forward to more glory following his superb victory in the British Open Squash Championships in Birmingham.

Weel, mony a true word, Bunty. I mean, Tony Blair wid support 'im in that. 'Cos Christmas is very traditional. A' that turkey an' plum duff an' mistletoe an' Sunty Clas - it's a' very UN-COOL, it disna fit in wi' the cool Britannia image that Tony's sae keen on.

I keep readin' aboot "cool Britannia" but I'm nae sure fit it means.

Weel, Tony Blair's tryin' tae re-brand this dozy aul' country of oors, gi'e it a new vibrant image, ken? Get awa' fae the oot-o'-date traditional view o' Britain that foreigners hiv - that we hiv wirsel's for that metter. So tae be cool ye've got tae be non-traditional.

Weel, 'at means the Royal familiy's nae cool.

Ah, but the image-makers are workin' on it. Ye'll hiv noticed the Queen stepped through the door o' a pub last wik. It wis her first time in a pub an' it wis only for five minutes, bit it wis pretty momentous - one small step for the Queen, but one giant leap towards coolness. An' Prince William - he's cool. Weel, look at him - a tall, very good-lookin' young man - I mean, in the Royal femily? That's very non-traditional.

Fit aboot the Hoose o' Commons. It's very traditional. So dis 'at mean it canna be cool?

I think so, Bunty. An' 'at must be fit Tony Blair thinks, 'cos he hardly ever gings there. He's only attended 5% of the votes there hiv been since he's been Prime Minister. That's nae the kind o' attendance record ye got fae Gladstone or Disraeli or Pitt the Elder or his son.

Pitt the Sunday-school teacher?

On the ither hand, did ye see that Tony addressed the French assembly in French? Now that was VERY cool. I mean, Ted Heath couldna spik French, an' it took John Major a' his time tae spik English, but Tony spoke in French TAE THE FRENCH. 'At wis really cool.

So tae be cool, ye've got tae mak' a good job o' fit ye're daein?

Oh, aye. Ye've got tae be successful. Ye've tae be non-traditional, like I said. An' modern an' fresh an' innovative, ken? But neen o' that's ony eese unless ye're successful.

For example, wearin' a baseball cap back tae front can be cool, provided ye dae it in the course o' some successful activity, or EFTER ye're hid a success — like efter ye've won a game o' fitba' or tennis or fitever. Like 'at boy Peter Nicol fae Inverurie that's just won the British Squash Championship. HE wid be entitled tae wear a baseball cap the wrang wye roon'.

I dinna ken naething aboot squash. Hiv you ever played it?

No. It's the one game I've never excelled at Bunty.

Fit's it like?

Weel, it's like tennis or badminton except insteed o' hittin' the ba' ower a net ye hit it against a wa' an it bounces back.

Oh — a bit like E-I-O that we used tae play in the Hilton School playground.

A bittie mair sophisticated, but the principle's the same. Onywye, if Peter Nicol did pit on a baseball cap the wrang wye roon' efter winnin' the British Squash Championship — that wis cool. But if ye wear a baseball cap backside forrit for nae good reason, or for pittin' oot the bucket or scrapin' up the dog's dirt aff the pavement ootside yer gate —

It jist looks orra.

Nae orra, Bunty. Naff. Ye see, if ye're cool yersel', "naff" is the word ye use fan ye wint tae mean the opposite o' "cool".

So "naff" is a cool word that means "uncool".

Correct, Bunty. An' often there's a very thin dividin' line atween "cool" an' "naff". An' like I wis sayin' aboot the backside-forrit baseball cap, it's a' tae dae wi' whether ye're successful or no. I mean tak' the Millennium Dome. If it works, it'll be cool. If it disna, it'll be naff.

An' look at John Prescott last wik. He wis takkin' part in a photo opportunity — wi' a parrot.

There ye are — the Deputy Prime Minister wi' a parrot — a non-traditional picter that wis found tae succeed in grabbin' folk's attention. So it's cool.

But the parrot bit his finger.

'At's naff.

Is it?

Weel, "naff" is the first word that comes tae mind.

Weel I bet it wisna the first word that came tae Prescott. Bad enough bein' bitten at a'. But a parrot aye repeats things, so efter it bit him it bit him again. He winna be ower keen tae ging near a parrot in future.

A case o' "twice bitten, once shy", eh?

So fit div ye fancy daein' this wik-end? Now that Summer-time's officially here , we can rely on the weather.

We can rely on it bein' rotten. Like it's been since ever we pit forrit the clock.

Oh, aye, the weather's affa.

Par for the course, Bunty. The tradional start tae the British Summer. Tony Blair'll never change that. It'll never be non-traditional. It'll aye be freezin'

Fit ye're sayin' is — Tony can forget aboot Cool Britannia. He's stuck wi' CAULD Britannia.

Friday, April 17, 1998

Readin' Walter Scott aye used tae pit me tae sleep

FAR'S the paper?

Here's it. Look at the middle pages. There's a nice picter o' Tony Blair and his family on holiday in Spain.

Weel, he's earned a holiday efter a' that oors o' negotiation last wik in Belfast. I jist hope 'at settlement sticks. There must be a lot o' merit in it if that eejit Ian Paisley's against it.

Aye. At least Tony'll get a nice rest in Spain. I wonder if he'll ha'e a copy o' Ivanhoe wi' 'im. I wis readin' somewye it's his favourite novel. He said Sir Walter Scott wis his ideal bedside readin'.

I agree wi' him. Readin' Walter Scott aye used tae pit ME tae sleep.

I think I'll start readin' Walter Scott - eence I've finished Middlemarch. It certainly seems tae hiv deen Tony Blair some good. Fit a clever bloke his is. Fan he's on holiday in Spain, he's ga'n' tae teach himsel' flamenco guitar.

Is 'at some obscure Spanish dialect, or fit? Onywye, good for Tony. He's the boy, is he? An' can ye believe it's nearly a year already since he wis elected?

I ken. Me an' Dolly Webster an' twa or three ither ladies in wir coffee school were discussin' Tony's first year in office -

An' foo did ye think he's got on? Fit wis the consensus?

Weel, we debated it for a while, but in the end we a' agreed he's losin' his hair.

An' 'at wis it? Efter a 'hale mornin' o' penetratin' political analysis, 'at's fit ye came up wi'. So much for the verdict of history. But fit else is in the paper the nicht? I hope I dinna get a shock like fit I got last wik fan I opened the paper an' saw a heidline that said: "Country legend dies at 55" an' I immediately thocht it wis my cousin Duncan fae Auchnagatt. But it turned oot it wis Tammy Wynette.

'At wis a stupid mistake tae mak. Yer cousin Duncan's nae a legend.

In Auchnagatt he is. Ever since the day he thrashed the big lad Dinnie at the Lonach.

Donald Dinnie fae Aboyne - in the heavy events?

No. Jimmy Dinnie fae Tarves in the bevvy events. It wis a pints victory - 17 pints tae 14. The publican that hid the beer tent donated the beer for naething as a loss leader.

Weel, you aye said fan it came tae beer yer cousin Duncan wid drink any given amount. I've nae doot ye'll see Duncan the morn. He'll be comin' in for the Rangers match. Did you nae tell me he sits in front o' you, an' comin' in fae Auchnagatt he's aye late for the kick-aff?

Aye. But if he's ga'n' tae Pittodrie the morn, he'll be EARLY for it this time, 'cos the match is nae till Sunday. Oh, I hope we win, Bunty. 'Cos if we div, 'at could stop Rangers fae winnin' the league. Efter a' wir disappointments, it wid mak' the 'hale season seem worthwhile.

● TRIPLE TROUBLE: These Dons fans were among the hundreds who rallied to the EE call to protest against our Tannadice ban by wearing Charlie Allan masks. *Pictures by JIM IRVINE*

'At's pathetic, 'at. At's really negative. Things hiv came tae a pretty pass if the hicht o' yer ambition is tae stop somebody else fae winnin' the league.

Fit d'ye mean, "somebody else"? It's nae jist onybody else. It's Rangers. An' we widna jist be stoppin' them fae winning' the league. We'd be stoppin' them fae winnin' the league ten times in a row. Now never let it be said that I'm anti-Rangers, it disna bother me that Ian Durrant thinks I'm a moron - fitever "moron" means -

It means ye're ignorant.

Is 'at richt? I didna ken that. But I mean, if Rangers won the league ten times on the trot, I think I wid be seriously nae weel. So for my sake you should be wintin' the Dons tae beat them on Sunday. An' there's naething negative aboot wintin ' tae stop Rangers fae winnin' the league. It's a legitimate aspiration tae wint tae dae something tae help the honours ging roon' - in the hope that some day they'll come a' the wye roon' tae us again.

I suppose Ally McCoist'll be playin' for Rangers.

Aye, he's back in the team again.

I'm surprised tae see 'im lettin' fitba' interrupt his show business career. I mean, Jeremy Paxman used tae play a bit o' fitba' but fan he got on tae Newsnicht he gave it up a' the gither. An' 'at wis a wise move. He wid never hiv got University Challnge if he'd still been playin' fitba. An look at Robbie Shepherd. Wid he play fitba' noo? Never!

Weel, certainly never for Rangers.

There ye go, ye see. It's true fit they say aboot Aiberdeen supporters. Robbie wid be a typical Aiberdeen supporter, an' he's anti-Rangers jist like you.

No, no, Bunty. We're nae ANTI-Rangers. We jist canna stand 'em.

Tell me, will ye be wearin' yer Charlie Allan lookalike mask again on Sunday?

No, 'at wis jist for last wik. 'At wis a one-off tae pit the wind up Tommy McLean. Mind you, there WILL be one person wearin' a Charlie Allan mask on Sunday: Frunkie Webster.

Fit dis Frunkie wint tae wear his Charlie Allan mask for?

He disna wint til. He his til. He canna get it aff. He thocht he wid be clever last wik an' stick it on wi' Superglue.

Superglue? I've thocht aboot usin' it for daein' up big parcels for Canada. Is it good? Dis it work?

It works. Ask Frunkie an' he'll tell ye. Weel, he winna actually, 'cos he's nae articulatin' affa weel. He canna move his lips ahin' the mask, an' he's ha'ein' tae feed himsel' through a straw.

Aw, the peer sowel. Fit a predicament! It's bad enough BEIN' Frunkie Webster. But imagine fit it must be like tae BE Frunkie Webster an' LOOK LIKE CHARLIE ALLAN.

FAR'S my titfer?

Yer titfer?

My hat.My hat. My Frank Sinatra hat. The dark saft hat wi' the white band roond it. Ah! Here it is.

For ony sake gi'e's a break. Ye've been singin' yer Frank Sinatra songs ever since we heard he wis deid.

'Frank's songs meant a lot tae us fan we wis coortin"

An' I'm ga'n tae sing them again the nicht — COME RAIN OR COME SHINE.

'At's a'hale wik we've hid naething but Frank Sinatra — night an' day.

There ye go — NIGHT AND DAY, he wis the one. I canna help mysel'. It wis a voice like no other. It wis the sound of oor youth. Bunty. Div Frank's songs nae remind ye o' fan ye were YOUNG AT HEART, full o'HIGH HOPES?

I suppose they div.

They meant a lot tae us fan we wis coortin'.

I suppose they did.D'ye mind oor first kiss?

Div I mind? IT HAPPENED IN AUCHENBLAE.

Ol' Blue Eyes dies

CROONING legend Frank Sinatra, perhaps the world's most famous entertainer, has died. The singer and film star known as "Ol' Blue Eyes" was 82.

● He did it his way, Page 14

A lang time ago.

An' it cairried on inta THE WEE SMALL HOURS OF THE MORNING.

An I'll tell ye — I COULDN'T SLEEP A WINK THAT NIGHT.

Efter that, I bocht you a Frank Sinatra LP. It seemed tae work, ye began tae funcy me.

Maybe I can confess noo, Dod. Nae offence, but it wisna you, it wis Frank that I fell for. I had him an' NOT YOU, UNDER MY SKIN. But I realised I couldna compete wi' Ava Gardner so I settled for you.

So, efter we got engaged — a' that time I wis awa' workin' up north, you wisna exactly desolate?

No. I hiv tae admit I GOT ALONG WITHOUT YOU VERY WELL. There wis a lot ga'n' on in Aiberdeen. IT WAS A VERY GOOD YEAR. Especially the summer. I'd a great time. Maistly wi' Willie McIntosh the butcher. Och, it wis naething serious. IT WAS JUST ONE OF THOSE THINGS — a trip to the moon on gossamer wings —

On gossamer wings? Wi' MAC THE KNIFE? For ony sake!

Weel, wi' you awa' it wis nice tae ha'e SOMEONE TO WATCH OVER ME. He wis a fine loon, Willie.

Wis he nae ga'n' wi' Sadie at 'at time?He went wi' her for years.

Aye, but even then Sadie wis daft on bools. The 'hale summer she wis never aff the boolin' green. So Willie wis kinda unattached. An' sae wis I, ken?

An' fit aboot me? Did ye never think aboot me?

Ach, I kent you wid be ha'e'in a rare time — up in New Pitsligo.

Oh, aye. MY KIND OF TOWN PITSLIGO IS.

Ye wisna in New Pitsligo a' the time. Ye wis in New Deer an' a'.

Oh, sure! NEW DEER, NEW DEER, it's a wonderful toon.The brollies ging up as the stair rods come doon.

Of course fan you came back tae Aiberdeen for us tae get mairried, the weather changed here. On oor weddin' day, it wisna saw much stair rods as 'hale water.

Aye, it wisna a great day, oor weddin' day. There wis jist one consolation — I kent you hid got the beef steak pies for the reception really cheap. Little did I ken ye'd got

them fae Willie McIntosh, an' they probably wer'na as cheap as I thocht.

An' then efter the weddin' we were awa' on wir honeymoon. An' full marks tae ye Dod, ye did tak' me tae the place I winted tae ging til. Cos ye hid asked me, mind?

Aye. An' fan I asked ye, you said —

"FLY ME TO DUNOON".

Weel, I didna exactly fly ye, Bunty. Nae in yon aul' banger o' a Ford Prefect that Frunkie Webster got a hud o' for us. Yon wisna a smart move.

No. The honeymoon wis certainly mair Frunkie Webster than Frunkie Sinatra.

Fan we set aff I hid my fingers crossed, but twa mile oot o' Perth we broke doon, an' I hidna nae LUCK WI' MY LADY THAT NIGHT.

Nae wonder. I wis furious wi' ye. I mind I hacked ye on the shin wi' my new goin'-away winkle-pickers.

Yes, Bunty. On oor weddin' nicht I GOT A KICK OUT OF YOU. Nae the kind I wis lookin' for.

Never mind.It a' came good. An' we've got Gary and Lorraine tae prove it.

Aye. I mind the day Gary wis born. I wis late in gettin' tae the hospital tae visit ye. 'Cos some o' the boys winted tae weet the baby's heid, an' I kept ha'e'in ONE FOR MY BABY —

An' twa mair for the road. Aye, aye. Some things dinna change.

Never mind, it hisna been a bad road Bunty. An' we've baith hid wir sportin' successes. I enjoyed followin' the Dons durin' the glorious eighties — the decade durin' which it wis great tae see RANGERS IN THE SH —

Dod!

I beg yer pardon. I meant it wis great tae see Rangers in a plight.

'At's better.

Weel, nae better — cleaner. An' you've hid a lot o' success wi' yer bools.

I'd hiv liked mair.But 'at wee Sadie McIntosh — Willie's wife — wins oor championship every year. Of course she's aye practisin', she's never aff the green.

Weel, Bunty. THAT'S WHY WEE SADIE IS A CHAMP.

For ony sake, Dod. Fit a pathetic joke. Ye can be richt childish sometimes.

It's the effect you h'ae on me, Bunty. YOU MAKE ME FEEL SO YOUNG. You make me feel so spring is — oocha! oocha! aargh!

Fit's happened?

I wis jist tryin' tae dae a wee dance step, an' I've deen my back in. 'At's the reward I get for serenadin' ye a la Frank Sinatra.

Serenadin' me? Weel, of course, there's mair than one wye o' daein' that. Frank Sinatra wid hiv deen it HIS wye, but —

I ken fit ye're sayin' Bunty. I DID IT MY WAY.

'I've never even met Monica Lewinsky.'

FAR'S the paper?

Here ye are. Ken 'is? I'm richt sorry for Chelsea.

Fit wye? They're dae'in' well. They're tap o' the league.

Nae that Chelsea. Nae Chelsea the fitba' team. Chelsea Clinton, Bill Clinton's lassie. It's a bloomin' shame. I'm he'rt sorry for 'at quine. It must be terrible tae ken yer aul' man's the but o' every smutty joke that's dae'in the rounds in America. Jist imagine, a'wye ye ging, ye hear the sound o' ribald laughter an' it stops fanever folk see ye 'cos they've been hae'in a good laugh at yer aul' man's expense. I mean, oor Lorraine hid tae pit up wi exactly the same, an' it took her a lang time tae get ower it.

Fit d'ye mean? I've never even MET Monica Lewinsky. I've never hid a relationship wi' that woman — appropriate or otherwise.

MANDELSON QUITS

by Bill Doult

SHAMED Trade and Industry secretary Peter Mandelson sensationally resigned today.

He quit over the revelations of a £373,000 loan which he accepted from Paymaster General Geoffrey Robinson.

The news stunned Westminster and marked the first major scalp on the Tories belt after days of demands for Mr Mandelson to go.

Downing Street announced the departure at 12.30, an hour and a half after Mr Mandelson spoke with Tony Blair by phone.

There is now growing expectation that Paymaster General Geoffrey Robinson will also quit this afternoon.

In a letter to the Prime Minister Mr Mandelson says he should not have taken the money, although he insists he has done nothing wrong.

But he accepts he should have told officials at the Department of Trade and Industry earlier about the loan from the Paymaster General, which helped him to buy his home in London's fashionable Notting Hill.

Mr Mandelson wrote: "I should not, with all candour, have entered into the arrangement.

"I should, having done so

● Turn to Page 2

● ON HIS WAY: Peter Mandelson.

No, bit fit aboot the time you wis the spik o' the Bilermakkers? It wis aboot this time o' year, an' efter the carol concert by the Bilermakkers' Madrigal Group you got locked in the gents' lavvy an' ye were in there a' nicht. Weel, eence that story got oot, it sparked aff a lot o' jokes aboot fit you got up til wi' the three old ladies. Needless tae say, maist o' them reached Lorraine's school, an' she wis black affronted. She wis jist at 'at awkward age. It wis her last year at school, an' she'd jist got her first steady boyfriend, Simon. Weel, 'at wis the end o' that romance. Lorraine couldna face 'im.

Ach, she wis better withoot yon bloke. Lorraine wisna cut oot tae be the wife o' a captain o' industry. I mean, if she'd mairried 'at bloke, she wid ha'e a hoose in Rubislaw Den, a cottage on Skye an' a villa in the Algarve — michty, it taks Lorraine a' her time tae rin ONE hoose, never mind three. She's nae exactly Peter Mandelson.

Peter Mandelson disna rin three hooses.

He dis. He's got a hoose in his constituency, in Hartlepool — he his tae rin that, though Hartlepool's nae exactly his scene. He's got the hoose in London that he got the loan for — he rins that.

Aye. So that's twa. Fit's the third een?

The Hoose o' Commons, he rins that. Or he used til. 'Cos he wis Tony Blair's richt-hand man. He wis the power ahin' the throne.

An' of course he wis in chairge o' the Dome. Fit's ga'n' tae happen tae it noo? Will they jist let if fa' doon?

No, no. The Dome cracks on. Chris Smith's in chairge o'it noo. He wis handed that particular poisoned chalice on December 25.

Nae exactly a case o' Happy Chris Smith.

It wis not. I heard him on the wireless the day pittin' a brave face on't, but – .

Spikkin' o' the wireless, we've still never found it again efter yer abortive feng shui exercise on Boxin' Day. Never mind, did ye ken Radio 4 wis askin' listeners tae phone in an' nominate their top personality o' the millennium?

Personality o' the millennium? This millennium that's jist finished?

Aye. Fa's been the greatest human bein' tae live atween the year 1000 an' 2000?

'At's a tricky een, Bunty. 'Cos there's a lot o' the folk that lived durin' that period that I didna ken that weel. But I think, on mature reflection, I wid ha'e tae ging for Leonardo da Vinci.

Dinna be feel. He wisna really on the Titanic.

Nae Leonardo Di Caprio. Leonardo da Vinci. A great man, Bunty. He wis something else.

Wis?

Aye, he's nae alive the day. He wis a man that lived durin' the Renaissance.

So he wis a Renaissance man?

You could say that. He wis a great all-rounder. Mathematician, engineer, artist — he painted the Mona Lisa 'n' The Last Supper. An' I'll tell ye — een o' his cartoons went a few years ago for several million quid.

Several million quid for a cartoon? Michty, een o' the ladies in oor boolin' club kens Helen Hepburn that draws the cartoons for the Evenin' Express. Is 'at the kind o' money she wid be on?

An' he wisna jist an artist. He wis a brilliant scientist — he designed helicopters that wid certainly hiv flown if onybody hid been able tae mak' them.

But wi' a name like that, wid I be richt in thinkin' he wis a foreigner?

Italian.

Ah, weel, ye're nae allowed tae pick him. I should've said — the BBC are lookin' for the BRITISH personality o' the millennium. so that rules oot Leonardo.

It rules oot Johnny Weissmuller an' a'. He wid hiv been my next choice.

So fa div ye think is the British personality o' the millennium?

Weel it's nae easy. Churchill? Shakespeare? Chic Young? Of course it could be a woman. Queen Elizabeth. Queen Victoria. Judi Dench – she covers them baith.

No. If it wis a woman, it wid hae tae be George Eliot. Her that wrote Middlemarch, ken? Fit a rare book. I'll seen be half-wye through it. Eence I've finished it, I'm ga'n' tae gie Dolly Webster a read o't.

Michty I wonder fit millennium we'll be in by the time she gets hud o't.

Dolly wis tellin' me the Websters were oot at their daughter's at Dyce for Christmas. She's jist got the one wee girlie, Siobhan.

I ken. An' Frunkie wis tellin' me that every Christmas Eve, jist afore Siobhan gings tae her bed, they open the front door an' let her look up at the sky tae see if she can catch a glimpse o' Sunty comin'.

Oh, that's nice.

They opened the door this year jist efter half past ten, and as seen as Siobhan looked up — dinna ask me fit wye it happened, but the 'hale sky wis reverberatin' wi't — she heard the maist affa stream o' shockin' bad language, cursin' an' swearin' an' a'thing.

Weel, 'AT wisna Sunty. Fit wis it?

Weel, I telt ye it wis jist efter half past ten. An' I telt ye they bade in Dyce. Fit she wis hearin' wis the pilot o' the plane fae London that hid jist missed the curfew an' been diverted back tae Edinburgh.

The headie wisnae feart tae ha'e a go at Torry

FAR'S the paper?

Jist a minute. I'm still readin' it.

Should you nae be awa oot surfin the supermarkets tae cash in on the New Year bargains?

No. I've deen a' that. I've been roon' a' the supermarkets pricin' a' wir staple necessities, an' I've got a heap o' bargains. Weel, tak' breakfast cereals: there wis 70p aff cornflakes. And 95p aff muesli, so I made a New Year resolution that you an' me are ga'n' tae switch fae cornflakes tae muesli.

I'm nae ga'n' tae eat muesli. I canna stand it.

I ken. So as well as bein' cheaper it'll lest a lot langer. Ken is? You're richt lucky that ye're mairried tae sic a capable manager.

Fit a rare start tae the year: nae fitba'; an' muesli for my breakfast.

Nae fitba did ye say?

'At's richt. The winter break starts this wik. I wish tae God it hid started last wik.

I bet Paul Hegarty wishes it hid started last wik.

NORTH-EAST shoppers are set for huge savings as a massive supermarket price war kicked off today.

Supermarket giant Asda has slashed prices on 2,000 items.

And the bold move is tipped to trigger a fierce price battle, with rival stores firing back.

Aye, last Setterday wis a disaster. I mean January 2nd, and it's already in the frame for finishin' up my worst day o' 1999.

An' it a' started sae promisin', wi' Frunkie Webster gettin' a lane o' that car tae ging doon tae Perth for the match.

Aye, but it went tae his heid, Bunty. For a' that he's a dedicated Trotskyite, Frunkie's a bit o' a Peter Mandelson at heart — he enjoys the trappins o' opulence and the civilised life. So he took me for a cup o' tea an' a bacon bap at the Horn jist oot o' Dundee yonder, an' a pie an' a pint at the Salutation Arms in Perth.

So 'at's the wye ye arrived at the grun' ower late tae get in.

We were there in plenty o' time for the kick-aff. But we were locked oot. Faithful fans locked oot. A bloomin' disgrace.

Aye, 'at wis a real sickener — ye drove a' the wye tae Perth an' didna get in tae see the match.

Aye. Mind you, it wis even worse for the folk that drove a' the wye tae Perth an' DID get in tae see the match. It wisna good, Bunty. They'll need tae be a lot better if they move oot tae Cults. The folk oot there'll expect it.

So ye didna ha'e the happiest o' New Years. Locked oot fae the fitba' on the 2nd o' January an' stuck wi some duff TV on Hogmanay.

Oh, yon wis affa TV on Hogmanay. I mean — naething Scottish.

An' naething for the aul' folk watchin' at hame. Naething but pop music. On every channel. Pop music's for young folk. But the young folk are a' oot on Hogmanay.

Aye, they were a' oot bein' televised watchin' the pop music. Feel, is it? The young folk that wid enjoy watchin' the programmes are nae in, an' the aul' folk that ARE in dinna like the programmes. It's ca'd targetin' yer audience, Bunty.

Aye, an' tae think that this year they could've wheeled oot Scotland's latest knight tae kittle up the aul' folk.

Scotland's latest knight? Nae Sir George Mathewson o'

the Royal Bank?

No, no. Sir James Shand. Knighted this year for services tae the Dashin' White Sergeant.

Of course. An' I wis pleased the Provost got an honour this year. She's been a star. An' Geoff Hadley. Mind? Fan he wis Regional Convener, Frunkie Webster ca'd 'im the boy wi' the beard on the bike.

Fit did he get an honour for?

For services tae fungi, which was fair enough, 'cos accordin' tae Frunkie, even though Geoff wis a serious politician he wis aye very much a fun guy. Of course he wis a lecturer in mycology an' a'.

Fit's 'at?

Mycology? I'm nae fure. It sounds tae me like the study of sound amplification systems. But I could be wrang.

Like ye wis wrang aboot Mandelson, Robinson an' Charlie Whelan? Ye said they wid a' keep their jobs.

Weel, this may come as a shock tae ye, Bunty, but I'm nae infallible. I'll tell ye this, though. It's been a bad wik for Tony Blair an' a'. It's been a big embarrassment tae him — three folk sae close tae 'im bein' at the centre o' a stramash.

Mandelson, Robinson an' Whelan?

No, Ewan, Nicky an' Kathryn. His three bairns — they missed their first day back at school.

Oh, I ken, That wis a poor example for a Prime Minister tae set. Full marks tae the heidie though. He wisna feart tae ha'e a go at Tony.

I mind, awa' back durin' the War, fan I skived aff the school, my aul' man got a letter fae the heidie.

Reprimandin' him?

No. Thankin'him. For nae makkin' me ging back tae the school, 'cos accordin' tae him I wis a disruptive influence.

Ye certainly used tae pinch the ither bairns' sweeties. Ye've aye been a pincher o' sweeties. But nae ony langer. I've made anither New Year resolution — that you're nae ga'n' tae eat ony sweeties in 1999.

Thanks very much, Bunty.

So — ye ken we got twa bugs o' sweeties fae folk that came visitin' us on Hogmanay?

Aye. An' we finished een o' them on Hogmanay, jist afore the bells.

Weel, I've hidden the ither een, an' I'm ga'n tae keep it an' open it as a special treat NEXT New Year's Day.

We're nae ga'n tae eat 'at bug o' sweeties till next New Year's Day?

'At's richt. It'll be oor Millennium bug.

'If Robin Cook wis your husband, wid you nae be bitter?'

FAR'S the paper?

Ye'll ha'e tae wait for it. I'm still readin' it. So ye micht as well ging an' mak' the tea. I canna mak' it the nicht. I can hardly walk.

Fit's adae wi' ye?

It's my corns. They're yarkin' something affa.

I'm very sorry tae hear that, Bunty. There's naething worse.

Naething worse than ha'ein' sair corns?

No. Naething worse than ha'ein' tae mak' yer ain tea.

I micht hiv guessed I widna get nae sympathy fae you. Weel, I'm warnin' ye, if my corns are nae better the morn, you'll hae tae ging oot an' dae the shoppin'

Far will I ha'e tae ging?

Under fire Cook rides out storm

BELEAGUERED Foreign Secretary Robin Cook was today insisting it was "business as usual" after his ex-wife laid bare the details of their failed marriage.

Please yersel'! Ony o' the supermarkets. Asda, Safeway.

I think I'll ging tae Tesco's. I micht see some o' the nudists that are ga'n' tae be shoppin' there.

Dinna be feel. It's the Tesco's in Hastings, doon in the sooth o' England that's considerin' whether tae allow nudist shoppin'. There's nae nudists in Aiberdeen. If there wis then there wid definitely be a crisis in the Health Service. A' the wards in Foresterhill wid be chokka bloc wi' pneumonia cases.

Look, nudist shoppin' could easy come tae Aiberdeen. There's sic a thing as central heatin', ye ken. It's jist as warm inside Tesco's in Aiberdeen as it is inside Tesco's in Hastings or onywye else.

The Tesco's in Hastings is only CONSIDERIN' nudist shoppin'. We dinna ken if they've agreed til't.

We'll phone them up an' ask. Fit's the code for Hastings? 1066?

Even if nudist shoppin' did come tae oor Tesco's, you couldna ging an' jist be a Peepin' Tom. If you went in for yer messages, you wid ha'e tae tak' YOUR claes aff an' a'.

I've nae problem about 'at, Bunty. It widna bother me. There is no shame in the human body.

We're nae spikkin' aboot the HUMAN body. We're spikkin' aboot YOUR body.

Exactly. Ye're spikkin' tae the man that's been ca'd the Chippendale o' the Bilermakkers.

Fa ca'd ye that?

Gloria, that sometimes serves in the bar. Weel, as near as dammit. She went tae see the Chippendales at Amadeus last wik, an' she said there wis jist as good hunky bodies tae be found nearer hame. An' she wis lookin' straight at me fan she said it.

Fit rubbish ye spik. Stop botherin' me. I'm tryin' tae read this book review in the paper. Listen tae this an' tell me fa ye think they're spikkin' aboot. "The book paints a picture of an unstable, ambitious, egotistical man, prey to fits of jealousy and depression, and periodically dependent on alcohol an sleeping pills." Fa d'ye think that is?

Weel, if we add "and chronically afflicted by an irrational adherence to Aberdeen Football Club", it's Frunkie Webster. His tae be.

Dinna be feel. Unstable? Prone to fits of depression? Periodically dependent on alcohol? Dis 'at add up tae Frunkie?

I see far ye're comin' fae. 'At adds up tae ONY Dons fan. But fan ye add in "egotistical and ambitious" 'at narrows it doon tae Frunkie. 'At's the characteristics that come fae the POLITICAL side o' Frunkie's psyche.

Exactly. It's a politician 'at wis written aboot. He's nae quite in the same league as Frunkie as a politician —

Weel, fa is?

It's a book aboot Robin Cook. It's the hottest Cook book o' the year, written by his first wife.

Oh, aye. I've read bits o't. She fair pits the boot intae Robin.

Aye. "A liar and a cheat" she ca's 'im, amongst ither things.

Aye. Coont yer blessin's Bunty. If you wis tae write a book aboot OOR mairiage, ye'd be strugglin' tae find ony juicy bits tae pit in it.

Come aff it. You've deen yer share o' tellin' lees tae yer wife. Ony time you ging oot tae ha'e a drink wi Frunkie Webster ye tell me ye're ga'n tae a meetin' o' the Branch Executive. I mean, fit a fib that is. I ken for a fact there's never naebody else there.

We div get a lot o' apologies for absence.

An' ye spik boot fitba', an' fit ye've been watchin' on the TV — in fact, onything but Branch business.

Weel, wi' jist twa o's there, we hinna got a quorum. So it widna be richt tae discuss Branch business. It wid be unconstitutional. We could be impeached. But tell me this, Bunty. Div you think we can believe a'thing that Mrs Cook's pit in her book? I mean, she's oot tae get 'im. Naebody likes bein' spurned. She's oot for revenge. She must be pretty bitter. Weel, six different weemen fell for 'im an' hid affairs wi' 'im. If Robin Cook wis YOUR husband wid you nae be very bitter?

Nae very bitter. Very surprised. He's nae exactly Mel Gibson. Now, awa' an' mak' the tea.

Oh, gie's a break, Bunty. I mean, dinna get me wrang. I'm willin'. I'm really willin'. But I ken I widna mak' a good job o't. 'Cos I'm like Robin — I'm a bad Cook. Can you nae hirple through an' mak' it.

No, I canna. My corns are gi'ein' me gyp. Look at them. They look angry.

Angry? They look furious.

Exactly. It's purgatory, this. In fact it's worse than purgatory.

Aha! We're back tae Margaret Cook again.

Fit d'ye mean?

Weel, fit you're sayin' is: "Hell hath no fury like a woman's corns."

'Yon anorak ye hid on at Gothenburg hisna dried oot yet.'

FAR'S the paper?

I'm surprised ye wint tae see it. I thocht ye'd be rushin' oot tae the fitba'. Fa is it the Dons are playin' the day?

It's Robin Cook's XI. Livingston.

Fit's Robin Cook got tae dae wi' Livingston?

He's their MP. 'At's his constituency: Livingston.

I bet he disna ken naething aboot the team.

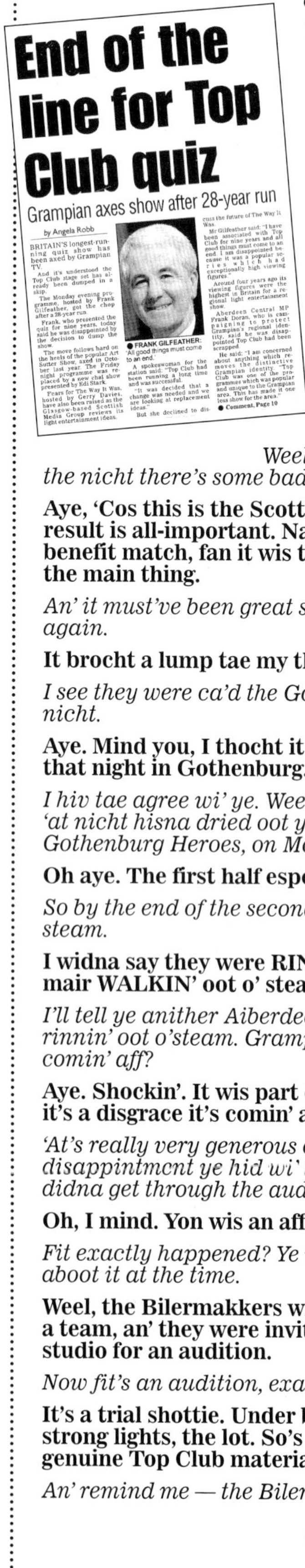

End of the line for Top Club quiz

Grampian axes show after 28-year run

by Angela Robb

BRITAIN'S longest-running quiz show has been axed by Grampian TV.

And it's understood the Top Club stage set has already been dumped in a skip.

The Monday evening programme, hosted by Frank Gilfeather, got the chop after a 28-year run.

Frank, who presented the quiz for nine years, today said he was disappointed by the decision to dump the show.

The move follows hard on the heels of the popular Art Sutter Show, axed in October last year. The Friday night programme was replaced by a new chat show presented by Edi Stark.

Fears for The Way It Was, hosted by Gerry Davies, have also been raised as the Glasgow-based Scottish Media Group reviews its light entertainment ideas.

● FRANK GILFEATHER: 'All good things must come to an end.'

A spokeswoman for the station said: "Top Club had been running a long time and was successful.

"It was decided that a change was needed and we are looking at replacement ideas."

But she declined to discuss the future of The Way It Was.

Mr Gilfeather said: "I have been associated with Top Club for nine years and all good things must come to an end. I am disappointed because it was a popular series which had exceptionally high viewing figures."

Around four years ago its viewing figures were the highest in Britain for a regional light entertainment show.

Aberdeen Central MP Frank Doran, who is campaigning to protect Grampian's regional identity, said he was disappointed Top Club had been scrapped.

He said: "I am concerned about anything which removes the distinctive Grampian identity. "Top Club was one of the programmes which was popular and unique to the Grampian area. This has made it one less show for the area."

● Comment, Page 10

Maybe no. But they ken a' aboot HIM. They've a' read his wife's book. Weel, bits o't. Weel, bits o' the serialisation o't in the Sunday Times. Weel, bits o' the quotes in ither papers fae the serialisation o't in the Sunday Times. Weel, fit folk hiv TELT them aboot the bits o' the quotes they've read fae the serialisation o't in the Sunday Times. Mak' nae mistake, the 'hale nation's fully informed aboot Robin Cook's personal life in a wye that they hinna been aboot naebody else I can mind o'. I mean, his wife's book's been bad news for Robin.

Weel, let's hope that by five o'clock the nicht there's some bad news for Livingston.

Aye, 'Cos this is the Scottish Cup the day, Bunty. The result is all-important. Nae like Monday, in Teddy Scott's benefit match, fan it wis the quality o' the fitba' that wis the main thing.

An' it must've been great seein' the Gothenburg team again.

It brocht a lump tae my throat, Bunty.

I see they were ca'd the Gothenburg Heroes on Monday nicht.

Aye. Mind you, I thocht it wis the fans that wis the heroes that night in Gothenburg. Fit a rain yon wis!

I hiv tae agree wi' ye. Weel, yon anorak you were wearin' 'at nicht hisna dried oot yet. An' did they play well, the Gothenburg Heroes, on Monday night?

Oh aye. The first half especially.

So by the end of the second half were they runnin' oot o' steam.

I widna say they were RINNIN' oot o' steam. They were mair WALKIN' oot o' steam.

I'll tell ye anither Aiberdeen institution that seems tae be rinnin' oot o'steam. Grampian TV.Did ye see Top Club's comin' aff?

Aye. Shockin'. It wis part of oor heritage, Bunty. I think it's a disgrace it's comin' aff. I wis a great fan o' Top Club.

'At's really very generous o' ye, Dod, considerin' the disappintment ye hid wi' the Bilermakkers' team. Fan ye didna get through the audition, mind?

Oh, I mind. Yon wis an affa disappintment.

Fit exactly happened? Ye wis ower shattered tae spik aboot it at the time.

Weel, the Bilermakkers wrote in askin' if they could pit in a team, an' they were invited tae send a team tae the studio for an audition.

Now fit's an audition, exactly?

It's a trial shottie. Under battle conditions. Cameras, strong lights, the lot. So's they could assess if ye were genuine Top Club material, ken?

An' remind me — the Bilermakkers' team wis yersel',

Frunkie Webster an' yon loon, Andy Thornton. Is 'at richt?

Aye. Andy wis aye at the picters. He wis never oot o' the Odeon. So the powers that be, in their infinite wisdom thocht he would be an asset if there wis a lot o' questions aboot the cinema.

Aboot the Odeon?

No, no. Nae ony particular cinema. Jist cinema — the picters generally, ken?

So did he get ony questions aboot the picters?

Jist een. An' it wis his ain question — nae conferrin', ken?

An' fit wis it?

It wis "Who was the star of Tarzan's New York Adventure?"

YOUR favourite picter! An' did he nae ken fa the star wis?

No. "Before my time," he says. Lamely. An' Frunk Gilfeather says "I'll have to hurry you, Andy." An' — weel, I ken I wis oot o' order, but I whispered the answer til 'im. An' I got a yalla caird.

Aw, hard lines.

I widna care, I hid a duff microphone. It hidna been workin' up till then.But as soon as I did my stage whisper tae Andy, it came on, an' Johnny Weissmuller came ower loud an' clear. A'body could hear. There wis folk heard it in the canteen.

An' Frank Gilfeather wis there in person, wis he?

Aye. An' the ither Frunkie — Webster — didna help wir chances by bein' ower chatty tae Frank Gilfeather.

Fit was wrang wi' that?

Weel, for a start he kept ca'in' him Bamber. An' fan Frank asked the members o' the team tae introduce themselves, Frunkie said: "I'm Frunkie Webster fae Widside, readin' the Green Final." Weel, I think the Grampian folk thocht he wis takkin' the mickey.

They didna ken he wis jist stupid?

Weel, either wye it meant we failed the audition.

An' wis Frank Gilfeather good? Foo did ye get on wi' 'im?

I got on fine wi' Frank. He's a nice fella.

He's clever an' a'. I think it's amazin' the wye he kens a' the answers.

He disna KEN them Bunty. He reads them.

Oh, dis he?

The person that KENS a' the answers is Evelyn Hood, the dame that sets the questions. She's nae real, yon dame. She kens A'THING.

So wis it her that kent your team wisna fit they were lookin' for?

She kent 'at at an early stage. Efter Frunkie hid hid five passes oot o' five questions, she said tae us: Boilermakers, you have two minutes to leave the studio — starting NOW."

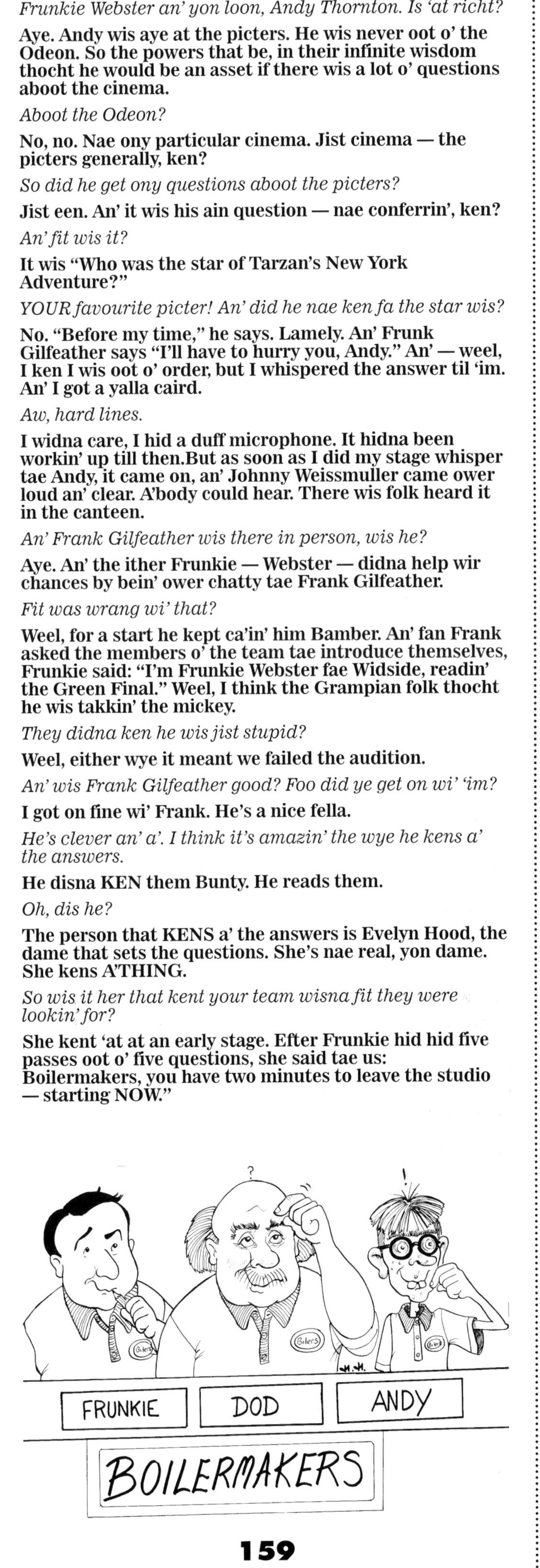

Saturday, January 30, 1999

'Jonathan Aitken's nae een o' the buttery Aitkens, is he?'

FAR'S the paper?

I've got it here. I'm jist cuttin' oot this advert for a trip doon tae London for the Monet exhibition. A hunner an' thirty-five quid, an' ye get there an' back, twa nichts' overnight stay an' guaranteed entry intae the exhibition.

An' fit exhibition is it?

The Monet exhibition.

Money exhibition? Is it in that short supply that they're pittin' it on display? I'd been led tae believe Gordon Brown hid got a grip on things.

Nae money, ye feel, MONET. Monet's different fae money. Monet's a mannie. He's an impressionist, French.

Oh, a kind o' French Rory Bremner?

No, no. Nae that kind o' impressionist. Monet's a pinter. Or wis. The exhibition's at the Royal Academy in London.

He's a pinter? An' decorator?

No, no.

I didna really think he wis. I mean, ye couldna see, say, Kynoch an' Robertson ha'ein' an exhibition o' their work in the Royal Academy. Superior pinters though they are. Of course Hitler wis a pinter. Aye, he wisna a Monet. He wis mair o' a Kynoch or a Robertson. He wis a hoose pinter. He didna pint folk. Ither folk pinted him.

North-east firm sinks £1million into boat race

AN Aberdeen finance firm has sunk more than £1 million into the world's most famous boat race.

The massive sponsorship deal will help keep the historic Oxford-Cambridge universities rowing race well afloat over the next three years.

And it will also raise the profile of Aberdeen Asset Management as the popular sporting event attracts a potential worldwide viewing audience of 400 million.

Martin Gilbert, chief executive of the fund management group, said: "Backing the Oxford and Cambridge University Boat Race represents our determination to become one of the leading players, with a clearly recognisable brand."

He added: "I see enormous benefits in sponsoring the Boat Race.

"Rowing is a sport which Britain truly excels and Oxford and Cambridge are renowned for producing some of the finest world champions.

"The event has a vast worldwide audience which will help raise our profile.

"But equally as important, we will enjoy the affinity with the values of the race including a competitive spirit, character, determination and commitment to performance."

The Boat Race is one of the most popular events in the British sporting calendar, attracting a 250,000 crowd on the banks of the River Thames, six million British TV viewers and a potential 400 million worldwide viewers in 180 countries.

The sponsorship deal exceeds the £1.35 million financial commitment of previous sponsor Beefeater gin.

And it gives Aberdeen Asset Management, which also sponsors world number one squash player Peter Nicol, exclusive rights to the Boat Race for the next three years, with an option for a further three years until 2004.

Race spokesman Duncan Clegg, said: "Aberdeen Asset Management's support means the universities will be able to maintain their investment in coaching, training and equipment.

"And that leads to the improvement in rowing standards in both camps."

● WATER MARK: Martin Gilbert of Aberdeen Asset Management and Donald Macdonald, former President of the Oxford University Boat Club announce the firm's sponsorship deal.

Like Nicky Fairburn, the aul' MP for Perth an' Kinross. It telt ye in the paper last wik - he pinted a portrait o' Hitler.

At's richt, I read aboot 'at. An' noo his widow's pittin' it up for sale. Alang wi' a pucklie mair o' Nicky's picters. She's an art lover, ye see.

An' she's gettin' rid o' Nicky's picters?

'Is it fit I'm tellin' ye: she's an art lover. I mean, Nicky's portrait o' Hitler - it's nae exactly representational, ken? It's got a face, but nae lugs an' nae een, an' the mowzer's a fit abeen his heid.

It sounds as if he pinted it durin' his Picasso period.

Eh?

He pinted it fan he wis under the influence o' Picasso.

He pinted it fan he wis under the influence o' drink, by the sound o't.

Wid Nicky hiv been an admirer o' Hitler's, then? He must've been, tae hiv pinted him.

I dinna think so. But of course HItler wis a fascist, Nicky micht hiv felt there wis some good things aboot fascism. Look at Mussolini - he got the trains in Italy tae rin on time.

So are you sayin' maybe fascism isna a' bad?

I couldn't possibly comment. But a lot o' folk DIV think that. Even Frunkie Webster went through a brief fascist phase. D'ye mind? Atween bein' a Trotskyite an' a Leninist he wis a fascist for six months, an' we a' hid tae ca' him FRUNCO Webster. But he's past a' that, an' he's nae time for fascism noo. He hates it. He wis really annoyed fan he heard that yon Aiberdeen firm Aiberdeen Asset Managers, wis ga'n tae be sponsorin' the Boat Race.

Fit's wrang wi' that? Far dis fascism come intae the Boat Race?

Frunkie's got this daft theory that the sport o' rowin' is a metaphor for a fascist state.

Eh? Fit dis' at mean?

I'm nae richt sure. The trouble wi Frunkie is he reads ower mony books. Fan me an' you are watchin' Coronation Street, Frunkie's probably readin' a book.

I aye did wonder aboot 'im.

Mind you, he disna understand a lot o'fit he reads, but he cairries on, hopin' all will become clear. Which it rarely dis, of course.

So fan he spiks aboot rowin' bein' a metaphor for a fascist state, fit dis he mean?

Weel, first of a' ye've got the boat. 'At stands for the ship of state, right? An' then ye've got eight great big blokes movin' the boat alang by sheer hard graft an' the sweat o' their brow. They're the workforce, OK? An' a' the time that they're bustin' a gut in 'at boat they're gettin' orders shouted at them by the rulin' minority.

At's the cox.

Exactly. ONE bossy wee twerp that dis nae work himsel', but enjoys the fruits o' the workers' labours. An' there ye have it. Rowin' as a metaphor for a fascist state.

So 'at's the wye Frunkie disna like rowin' as a sport.

'At's richt. Cos of course he aye identifies wi' the workers. An' sae div I.

But there's nae fascism in this country. Or is there?

Weel, in this country we've got the public school system.

Public school system? Fit are public schools?

They're private schools. Fit else wid they be?

Is Eton a public school? 'Cos I noticed Jonathon Aitken wis at Eton.

Aye. Peer Jonathon. It wis the sword o' truth that did for him. First he brandished it, noo he's fa'n on it.

Tell me, he's nae een o' the Aiberdeen Aitkens, is he? The buttery folk, ken?

No, no, naething tae dae wi' them.

An' he's awaitin' sentence noo. Fa's ga'n' tae sentence him? It winna be that aul' judge that's jist reached a hunner, will it?

Lord Denning? No, it winna be him. Dinna be feel.

Fit wye? Lord Denning's nae related til'im, is he?

No, no. Lord Denning's nae an Aitken. The nearest he's come tae bein' an Aitken wis that at one stage in his career he wis Master of the Rolls.

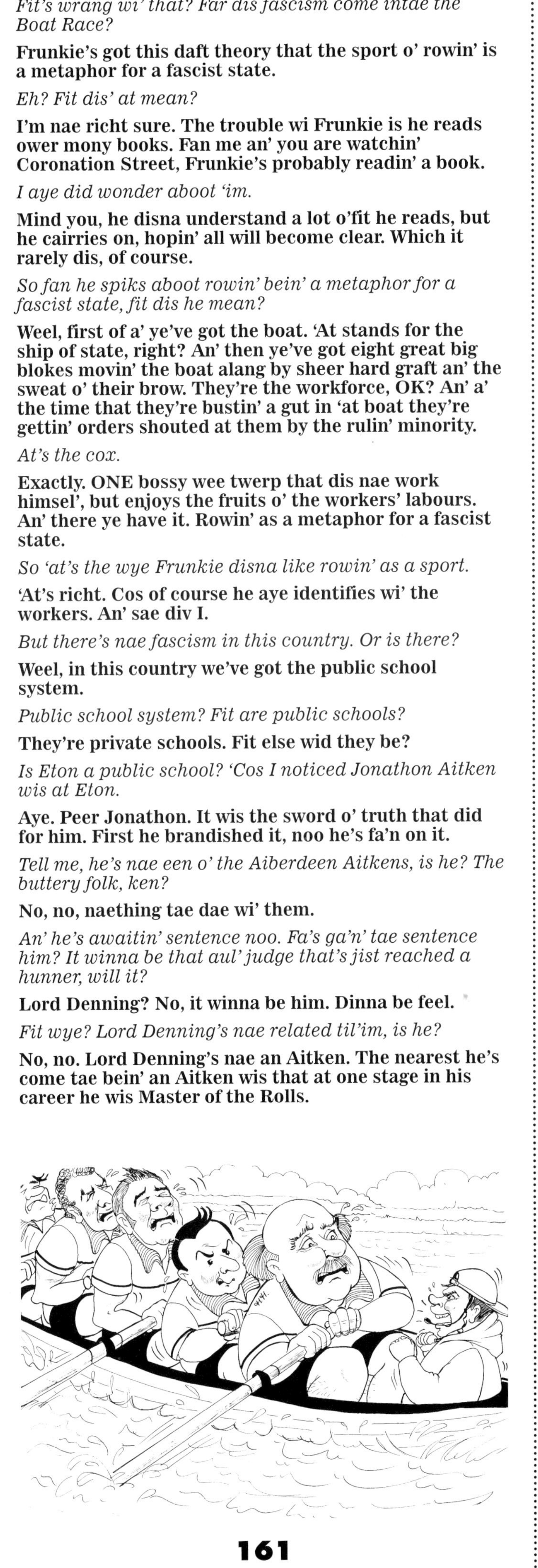

Saturday, February 6, 1999

'Nae wonder Rangers never mak' naething o't in Europe.'

FAR'S the paper?

Here it is. They're still on aboot Glenn Hoddle. It's fairly been the tale o' twa fitba' managers this wik, his it? Glenn 'n' Fergie.

Glenfergie? It sounds like a malt whisky.

I'm affa pleased Fergie's gettin' the freedom o' the city. Fit dis 'at mean? — he's allowed tae march his troops alang Union Street wi' fixed bayonets an' flags flyin'?

I dinna think so. 'At wis in mair colourful times, Bunty. I'm nae even sure if he gets a free hurl on the bus nooadays. Mind you, he's welcome tae a shottie o' my bus pass ony time he likes.

I think he really deserves tae be a freeman.

Definitely, Bunty. He's richt up there wi' some o' Aiberdeen's maist distinguished freemen. He's got the inspirational leadership qualities o' Winsten Churchill, he's got the charisma o' Nelson Mandela and, like Alec Collie, for a few years in the 1980s he wis the biggest man in Aiberdeen.

It hisna been sic a happy wik for the ither fitba' manager, though, Glenn Hoddle. The feel gype.

Yes, Bunty, there's been thoosands o' words written aboot 'im this wik, but as ever you've got straicht tae the crux o' the matter. "Feel gype" sums him up aboot as good as onything.

Weel, there's one good thing: at least we hinna got him at Pittodrie. Or onybody like him. I mean, Paul Hegarty's a straightforward sort o' bloke, isn't he?

Aye. He disna share ony o' Glenn's mair bizarre notions. If he did, he micht think: "I must've been an affa rascal in my previous life tae get stuck wi' managin' the Dons in this een."

Now, Dod, 'at's a pretty harsh thing tae say. Things must be really bad fan a dyed-in-the-wool eejit - I beg yer pardon, FANATIC - like you criticises the team.

No, no. Dinna get me wrang, Bunty. I wid never criticise them. I wis jist makkin' the pint that they must be a pretty exasperatin' team tae manage. Weel, look at last wik. If ye missed oot the first fifteen minutes an' the last five minutes, there wis a period o' play lestin' seventy minutes that Aiberdeen won 2-0. But if ye coonted in that twa short bitties o' play at the start an' at the feenish, they lost 4-2.

An' of course ye DIV coont in 'at twa bitties at the start an' the feenish. So they DID lose 4-2. 'At's the score that went intae the paper. An Rangers got the three points.

We won the lang game, an' they won a wee short game. I ken. D'ye ca' that fair? An' I mean, I'm nae biased or naething, but yon referee wis a shocker. It's nae wonder Rangers never mak' naething o't in Europe - they never get Paisley referees in Europe.

Now, Dod. Ye're jist bein' soor noo. I'm sure we'll a' wish Amoruso an Kanchelskis an' Van Bronchorst an' the rest o' them a' the best next season, fan they're representin' Scotland in Europe.

Ye've got tae be jokin', Bunty.

'At's richt. I AM jokin'.

Weel dinna. There's some things ye dinna joke aboot. Nae mony, but fitba's een o' them.

Fa says?

I say. An' nae jist me. I mean, here in Aiberdeen we're very privileged tae ha'e a Joke Factory. Nae ither toon in Scotland's got a joke factory. Jokes his aye been an essential part o' Aiberdeen's economy. It wis eence fish an' jokes, then granite an jokes, an' then ile an' jokes. But that joke factory his aye played a central role, it's been the one constant factor in Aiberdeen's mixed economy. Granite an' ile may come an' go, but the jokes ging on forever. But naebody's ever gone intae the joke factory an' come oot wi' a fitba' joke. Some things are sacred.

The Joke factory's aye respected that.

Did ye see in the paper the Joke Factory's movin' back tae St Andrews Street?

Aye. It's moved aboot a lot, his it? George Street tae St Andrews Street tae John Street an' back tae St Andrews Street. I mean, fit a territory it's covered! An' a the time it's seen til't that the folk o' Aiberdeen hinna went short o'jokes, baith verbal an' visual.

Visual?

Aye, like big black rubber spiders tae leave in somebody's bath - fit a laugh they are. Or naughty Fidos, ken? Carefully wrought pieces o' broon plastic shaped like -

A' richt! I ken fit a Naughty Fido is. It wis jist last year that Frunkie Webster first-fitted my mither wi' een. She jist aboot hid a Jamaica.

I'm nae surprised. Spik aboot lifelike? They are wonderful examples of the kind of traditional craftmanship that mak's ye proud tae be British. Yes, Bunty, fan ye see een o' the Joke Factory's Naughty Fido's you realise there's nae a lot wrang wi' this great country of ours.

It wis the Joke Factory's funcy dress outfits that I used tae like. D'ye mind the time the Websters an' wirsels were invited tae a funcy dress pairty, an' you an' Frunkie baith bocht Boris Karlof masks an' went as Frunk 'n' Stein?

An' you an' Dolly went as the Brides o' Frunk 'n' Stein.

Aye, it wis lucky we baith still hid wir aul' weddin' frocks.

An' Frunkie an' me took hame the prize for the maist grotesque costume. A pround moment, Bunty.

Aye. Mind you, I wid hiv preferred it if it hid been you twa an' nae Dolly an' me that hid won it.

'Frunkie Webster hid a lot o' time for King Hussein.'

FAR'S the paper?

We hinna got a paper. It hisna been delivered.

Oh, nae again. There's nae excuse the day. Mind you, there wisna ony excuse fan it didna come on Tuesday. I mean — twa or three flakes o' sna' an' the papers didna get through? Fit's the world comin' til? It's pathetic. The younger generation — nae stamina, nae stayin' power, nae commitment. I mind fan I wis a loon an' I hid a paper round — awa' back in the 40s — come rain, sna', hail, wind, or German aerial bombardment, every paper wis delivered every nicht.

It's the big North-east whiteout

You never came under German bombardment fan ye wis daein' yer paper round.

No, but I micht hiv. I got my first paper round in the spring o' 1945. The War wis still on.

The War wis practically ower, Hitler wis in his bunker, an' the Jerries were really up against it. They'd mair tae worry aboot than sendin' ower a plane tae drop bombs on a paper loon in Widside.

The fact remains the papers got through every nicht. Thanks tae me, the folk o' Widside wis kept fully informed o' the wye things wis goin' in the war.

Of course folk hid tae rely on the papers in thae days. There wis nae TV tae tak' ye richt intae the heat o' the action like fit there is the day.

Absolutely. I mean, tak' Hitler's final hoors. If it hid been nooadays, Kate Adie wid hiv been IN the bunker wi' 'im. Daein' an interview. Apologisin' for interruptin' his busy schedule fan he wis keen tae get awa' an' shoot himsel'.

I ken. TV's marvellous, is it? Look at Monday o' this wik. We could sit at hame an' watch King Hussein's funeral mair or less as it happened.

Aye. Frunkie Webster now — wid ye believe he hid a lot o' time for King Hussein? He wis real cut up aboot 'im deein'.

Weel, by Monday evenin' Frunkie wis in pretty good form. He seemed tae hiv come tae terms wi' his grief.

Ah, weel, he wisna ga'n' tae miss yer Boolin' Club outin' tae the picters. 'At wis a great idea for a winter outin.'

Aye. It wis Vera Minty's idea. An' it certainly worked.

Oh, it wis a great nicht. I really enjoyed it. Mind you, I wisna sure I wis ga'n' til. I mean, Shakespeare in Love — I didna think it wid be my cup o' tea. But 'at Gwyneth Paltrow —

I think a'body enjoyed it. The only bit I wisna happy aboot wis yon nesty wee loon that enjoyed bloodshed an' stabbin', an 'ye saw him feedin' live mice tae the cat. An' fan Shakespeare asked him his name he said "John Webster". Now 'at wis a bad mistake. I mean, I ken Jack Webster's gettin' on a bittie, but he wis never on the go in Shakespeare's day.

No. An' I'm sure if Jack hid met Shakespeare, we'd hiv heard aboot it in een o' his books.

Eh? D'ye think Shakespeare wid hiv mentioned it?

No, no. Nae een o' Shakespeare's books. Een o' JACK's books. But ye've got hud o' the wrang end o' the stick, Bunty. That nesty loon wisna Jack Webster. He wis JOHN Webster — anither famous playwright, that came EFTER Shakespeare. An' Webster's plays were full o' the maist affa sex an' violence. He wis the Quentin Tarantino o' the Seventeenth century. Pulp Poesie — 'at wis een o' Webster's. So tae show him in the picter as a bloodthirsty wee loon wis a good joke.

Oh, VERY good. If ye kent fa John Webster wis. Dinna tell

me YOU'D ever heard o' 'im.

No. But the lady sittin' aside me telt me fa he wis.

Oh, 'at wis Miss McKay. She's a retired teacher. So she WID ken fa he wis. She's een o' wir best skips an' a'.

So — a good skip, an' she kens fa' John Webster wis. Two attributes that dinna come thegither in MONY folk, Bunty.

It wis a rare nicht, though. It wis jist an affa peety aboot Vera Minty. I mean, the 'hale thing wis her idea, an' it wis her that made a' the arrangements.

So? Fit happened til her?

Weel. She wid book the seats by telephone on the Odeon filmline, an' fit a palaver! She hid several conversations wi' several different machines, she pressed her star button, her zero button, an' twa or three ither buttons, she wis advised electronically that she wis in a queue of callers an' she wis forty-seventh in it, then a pause an' she wis thirty-third, then nineteenth, then eleventh, then fourth, an' then eventually she found hersel' spikkin' tae a human bein' somewye in the middle o' Leicestershire that winted tae ken nae jist fit her credit card number wis but her name, her post code, her telephone number, an' foo mony concessions she winted. An' 'at wis it. She'd booked the tickets.

Weel deen, Vera!

Aye, but by the time she came aff the phone, she wis a total nervous wreck. She'd tae tak' tae her bed, an' she never got tae the picter.

Weel, Frunkie Webster spotted she wisna there. Gi'e Frunkie his due, he's got a fellow feelin' for ither folk that organise things.

I can understand that. But I canna understand him ha'ein' ony kind o' feelin' for King Hussein, I mean, he wis a fine enough bloke, Hussein, but he wisna exactly an icon o' the trade union movement.

I agree wi' ye Bunty. But the thing is, Frunkie needs somebody tae identify wi'. He identified wi' Clem Atlee, then Harold Wilson, then Jim Callaghan.

But surely he didna identify wi' King Hussein. Fan a's said an' deen, Hussein WIS an absolute monarch, a despot, ken?

I ken but he wis still weel tae the left o' Tony Blair.

Saturday, February 20, 1999

'Vanessa's twa persons inside the same trooser suit'

FAR'S the paper?

Forget aboot the paper. It's tea-time. Jist hand ower the fish suppers that ye've brocht.

A'richt. Here ye go.

Hey! Fit's 'is? I dinna see nae mushy peas.

'At's richt. I winted wir fish suppers tae be as healthy as possible, so afore I went firm on an order o' mushy peas, I says tae the lassie ahin' the coonter, "Are yer mushy peas genetically modified by ony chunce?" An' of course, she didna ken. So awa' she gings an' comes back wi' the heid bummer, a boy in a white paddy hat. An' he says, "I canna answer yer question, but I can tell ye this: oor peas is electronically mushed in a computer-controlled blendin' machine in an EC-approved hygienic environment."

An' did 'at nae satisfy ye?

It did not. I says til 'im. "At's a' very weel, squire, but one process disna cancel oot the ither. If 'at peas wis genetically modified, nae amount o' electronic mushin' is ga'n' tae stop them fae bein' a potential hazard tae my immune system. So tae pot wi' yer mushy peas.

Vanessa's horror at fake guests claim

An' fit did he say tae that?

Weel, he got real ratty. He says, "Look, wid Tony Blair eat mushy peas if he thocht they were some kind o' Frankenstein food? Tony's a keen mushy pea man. An' sae is Cherie." But I stuck tae my guns.

So d'ye wint a medal or something? The result is I hinna got nae mushy peas wi' my fish supper.

'At's richt. But believe me, ye've got a really healthy meal there — Jumbo haddock deep fried in batter an' double chips. An' look — if ye're really missin' yer mushy peas, I'll gie ye a few of my chips tae mak' up for them.

Thanks very much, Dod. I must say I dinna understand this genitally modified vegetables, but it's jist anither case o' things nae bein' fit they seem nooadays. I mean, tak' the Vanessa show on the TV. Apparently some o' the guests on it hiv been fakes. They hinna been real folk at a'.

Thank goodness. There's some o' them I'd be real worried for if they WERE real. Mind you, look at Vanessa hersel'. SHE'S nae real.

Are you sayin' Vanessa's nae a real person?

If ye ask me, she's TWA real persons. Inside the same trooser suit.

Now Dod, dinna be coorse. Mind you, I must admit the main reason I hiv for watchin' the Vanessa show is that it's the only show on TV far I'm slimmer than the presenter.

Aye, the only thing that's fatter than Vanessa is her wallet. Fit a money she maks.

Aye, she maks even mair than the snooker players. Are ye ga'n' tae ony o' the Royal Scottish Championships at the Exhibition Centre?

Aye, me an' Frunkie Webster his got tickets for the final on Sunday.

I can jist picture the pair o' ye sittin' there watchin' twa pasty-faced millionaires in their twenties knockin' coloured bas aboot on a green baize table.

I ken. Two pale, peely-wally-lookin' craiturs that hiv hardly ever seen daylicht or breathed fresh air since they

were bairns. And it shows. And it's nae very pleasant.

Oh, I widna say you an Frunkie are as repulsive-lookin' as a' that. On second thochts... But spikkin' aboot snooker, it's fairly moved up-market, his it? On the TV noo it's a' black ties, waistcoats an' hushed reverential tones fae the commentators.

Aye, naebody steps oot o' line at the snooker. Good sportsmanship — 'at's fit snooker's aboot. Jist like fit Arsenal did last wik fan they accidentally broke the unwritten code, an' offered tae replay their cup-tie.

Aye, can ye remind me fit happened there.

Weel, it's accepted practice nooadays that fan a player gings doon injured, the ba' is kicked intae touch, an' then fan the throw-in's ta'en the ba is returned tae the team that kicked it oot.

But that didna happen in the Arsenal game?

No, it didna. An' the referee couldna dae naething aboot it. 'Cos naebody broke ony rules. It's only a convention — part o' the unwritten code. I mean, I mind fan I wis a loon playin' for Hilton in the Primary Schools League.

Dinna tell me there wis an unwritten code o' conduct in the Primary Schools League.

There wis.

So, if onybody on the ither side went doon hurt, did you kick the ba' oot o' play?

Nae fear.Fit ye did wis ye stepped up yer efforts tae score a goal, as lang as ye enjoyed a numerical superiority. At wis the code in the Primary Schools League. It wisna a rule. It wis an unwritten convention that came fae within the players themsel's.

So are you tellin' me that you nesty little twelve-year-aul' horrors took advantage o' some peer bairn lyin' hurt on the grun'?

Aye. An' it peyed aff. Especially if he wis the goalie. I mind ae game against Linksfield, an' their goalie went doon injured twice, an' baith times Dunter Duncan scored a goal, an' we won 2-1. We burst a few coupons 'at wik. At wis the only time Hilton beat Linksfield in the history o' the Primary League.

An' I suppose that at Hilton School on the Monday mornin' Dunter Duncan wis a hero?

Weel, for once nae as much o' a hero as I wis. 'Cos OK, Dunter scored the goals. But baith times 'at goalie went doon it wis me that clattered him.

'Arpad Pusztai disna sound like an Aiberdeen mannie tae me.'

FAR'S the paper?

Here it is. There's still an affa stramash ga'n on aboot this genetically modified food.

I ken. It mak's ye proud tae belong tae Aiberdeen, dis it?

Eh? Fit wye?

Weel, it's a nationwide stramash, an' it a' started wi' a report by an Aiberdeen mannie, Arpad Pusztai.

He disna sound like an Aiberdeen mannie tae me.

Weel, he is. He works at the Rowett, disn't he? In my book, 'at mak's 'im an Aiberdeen mannie, or at the very least an NE scientist.

A' richt I accept that. So I accept that a' this hoo-ha mak's ye proud tae be an NE person yersel'. Proud to be Scottish, in fact.

Aye. Jist like at the snooker at the Exhibition Centre last wik. Three Scots in the semi-finals an' an all-Scottish final.

Aye. Scotland seems tae be very good at snooker.

'At's because, compared wi' ony ither country in the world, there's mair boys in Scotland hiv hid a mis-spent youth. Per capita.

A mis-spent youth in the Capitol?

No, ye feel. In the billiards saloons. Scruffy, seedy, sweaty, smoke-filled temples tae depravity. Ah, happy days. Me an' Frunkie Webster hid some great nichts at the snooker parlours.

So fit wye are you nae a millionnaire like Stephen Hendry?

I micht hiv been. But playin' wi' Frunkie held me back. I mean, he's sic a strange mixture, Frunkie. There's some things he's hopeless at, there's ither things he's even worse at, an' snooker wis een o' them. He wis useless. "Four away Frunkie" they used tae ca' 'im.

Four away?

Weel, for maist fouls in snooker there's a fower point penalty. An' Frunkie incurred a lot o' them. He wis also possibly the world's greatest exponent o' pottin' the cue ball.

Are ye supposed tae dae 'at

No, ye're nae.

So every time Frunkie did it —

Four away, Bunty. Unless he wis tryin' tae pot the black, pink or blue. Come tae think o't, I canna mind Frunkie EVER bein' in that position.

So are there still snooker parlours nooadays?

Nae a lot. They could be daein' wi a lot mair o' them, if ye ask me. Get the young loons intae the snooker parlours, I say, an' oot o' the night-clubs. 'Cos 'at's far they mis-spend their youth nooadays. Lured by the spurious glamour an' the prospect o' a click. Shockin'!

Weel, ye could be richt. An' I'll tell ye this. If mair young loons played snooker, there micht be a lot less graffiti aboot the place. But tell me this, Dod. Fit wid you dae if ye saw a bairn daein' some graffiti, say on the wa' o' a bus shelter? Wid ye get on til 'im? Wid ye tell 'im tae stop?

Nae fear. He micht turn his cannie on me, an' I'm allergic tae aerosol.

Well, Jack Straw thinks ye should. He says if we see ony petty crime bein' committed, we shouldna jist walk by. We should ha'e a go at stoppin' it.

Awa' ye go. If ye see a loon committin' a petty offence, like writin' graffiti in a public place 'at could've been him jist practisin', an' he's now ready for something a lot less petty, like assaultin' a pensioner.

Awa' ye cooard.

A' richt — like assaultin' a cooardly pensioner.

Oh, come on, Dod. Surely ye wid at least check 'im.

Weel, wait a minute, Foo auld is he, this hypothetical graffiti artist?

Let's say 14.

Nae chunce. I'm OOT o' there.

A'richt 12.

Mmmm —

Eleven? 10? 'At's as far as I'm ga'n'. He's got tae be auld enough tae write, or the scenario's got nae credibility.

Weel, even at 10, things could be pretty dicey. I mean, yer scenario's nae sae far-fetched. It actually happened tae Frunkie Webster last month. He spotted this schoolkid skitin' up on the door o' a lock-up. "Oor heidie's an eejit." Weel, 'at's nae fit ye expect fae an Albyn quine, is it?

Fit?

Jist jokin' Bunty. No it wisna Albyn School. An' it wisna a quine, it wis a loon. So fit did Frunkie dae? Did he (a) walk on by without a word? (b) gi'e the culprit a tellin'-aff? (c) stand ower the little beggar till he cleaned it aff? (d) tak' the culprit's name an' report 'im tae the eejit — I mean the heidie?

Weel, Frunkie's very public spirited. I wid say he did (c) stood ower the loon till he cleaned it aff.

Wrang, Bunty. He didna dae ony o' the fower o' them. He did (e) — corrected the loon's spellin' by tellin' him there wis only one E in "eejit", but he also did (f) — showed fit he thocht o' fit the loon hid deen by borrowin' his aerosol cannie an' skitin' up on the lock-up door. "I hate graffiti".

An' did the loon get the message?

I'm nae sure. Fit he did wis he took the cannie back an' underneath far Frunkie had written "I hate graffiti", he wrote "I hate ALL Italian foods".

Saturday, March 6, 1999

'My vest an' punts are the only saintly things aboot me.'

FAR'S the paper?

Here it is. Affa news aboot Marks an' Spence's.

Oh? Tell me mair.

Weel, it's a terrible story. I'm nae happy wi't at a'.

Weel, if ye're nae happy wi't, ye can exchange it for a story that ye div like. 'At's the great thing aboot Marks an' Spencer's. So fit IS the story?

Weel, there's been a big drap in their profits.

Weel, dinna YOU blame yersel', Bunty. I mean, the amount o' stuff you come hame wi' fae Markie's every Setterday — if Marks an Spencer's profits hiv went doon it's certainly nae your fault.

It looks as if they could be daein' awa' wi' the St Michael label.

Fit? 'At IS serious. I mean, for years I've been able tae sae the only saintly things aboot me hiv been my vest an' punts. Are you sayin' I seen winna be able tae say that?

Weel, it's a possibility. Things is really bad. The're gettin' rid o' 31 managers. Aa at eence.

SFA supremo suspended over Jorge Cadete affair

SCOTTISH football supremo Jim Farry's future was in the balance today as the Jorge Cadete saga took a dramatic new twist.

The Scottish Football Association — Farry's bosses — announced that he has been suspended on full pay, and that Celtic will receive an apology and compensation.

Michty! An' I thocht there wis a fast turnover o' managers at Pittodrie!

Spikkin' aboot turnover rates, an' spikkin' aboot fitba', fit aboot Jim Farry? Secretary o' the SFA, isn't he?

As of now, Bunty, but dinna hud yer breath. By the wye they're spikkin' in the paper, he could soon be oot.

Early bath?

Early retirement.

I dinna ken naething aboot the bloke, but accordin' tae the TV nae mony folk in Scotland'll be sorry tae see him go.

Weel, I will, for a start, 'cos if Farry goes I'll be involved in a bit o' work. 'Cos guess fa's said he'll be an applicant for the job?

I've nae idea.

Come on, think. It's a Secretary's job. Fa div you ken that's a secretary?

Weel, there's Elsie Thomson. An' Celia Barclay — she's mair a typist...

No, no. Nae that kind o' secretary. Fa div you ken that's a BRANCH secretary?

Frunkie Webster? Dinna tell me Frunkie thinks that 25 years' undetected crime as your branch secretary qualifies him for bein' secretary o' the SFA.

In a word, Bunty, yes, he dis. An' efter a', he's been ga'n' tae Pittodrie wi' me for 50 years, so he kens his fitba'.

Fair enough, I suppose he kens mair aboot fitba' than Jim Farry.

Bunty, Elsie Thomson an' Celia Barclay ken mair aboot fitba' than Jim Farry.

Oh, come on. Fair play.

Weel, Frunkie certainly dis. Plus, he's hid 25 years' experience o' bein' an executive officer in a properly constituted, democratically elected organisation that rins like clockwork.

Is 'at as well as being' your branch secretary?

Dinna be chikky, now, Bunty. Let me tell you Frunkie's nae jist thinkin' aboot applyin' for the SFA job. He's got anither iron in the fire. Did ye see Derek Marnoch wis retirin' fae bein' Chief Executive o' Aiberdeen Chamber o' Horrors — as you were — Commerce? Weel, Frunkie's proposin' tae apply for 'at job an' a'.

Oh, come aff it. He's the wrang colour politically, for a start.

Na, na. Stranger things hiv happened, Bunty. Stranger things ARE happenin'. Politics is changin'. New alliances are formin'. Fa wid hiv believed that Ken Clarke an' Heseltine wid ever back Tony Blair like fit they've been daein' on the euro?

Richt enough. Mind you, I hinna gi'en it a lot o' thocht, but I must say fan I saw a heidline last wik that said: "Blair set to get rid of the pound," it did pull me up in my tracks.

Weel, fan I saw that heidline, MY first thocht wis: "If Tony's wintin' only help tae get rid o' the pound, he should rope in Bunty, 'cos I've never kent onybody that could get rid o' pounds as fast as she can."

Ye chikky divil. But jist a minute. I still dinna understand. You said if Jim Farry gets his cards an' Frunkie applies for the job, it'll involve you in some work. Fit KIND o' work?

Weel, Frunkie said tae me: "If I pit in an application for Jim Farry's job, I'll need a referee." An' I said: "Weel, it's a fitba'-related job, I wid suggest Peter Craigmyle. Except he's no longer with us. My aul' man used tae play bowls wi' Peter, so I could hiv pit in a wordie for ye, but I'm afraid I've nae personal links wi' ony o' the new generation o' referees. An' there's neen o' them ever dis the Dons ony favours at Pittodrie, so I dinna think they wid dae you ony favours either."

Ye feel gype. 'At wisna the kind o' referee Frunkie meant. He winted you tae act as his referee fan he applied for the job.

I ken, I ken. He did wint me tae dae that, but nae ony langer.

Fit wye nae?

'Cos I said tae him: "Ye dinna wint me for yer referee, Frunkie. I mean, ye ken me — honest as the day's lang. An' I ken ye ower weel. I ken a' yer failin's. An' I couldna, wi a' honesty, conceal them. So ye see if I wis tae be yer referee, I wid ha'e tae blow the whistle on ye."

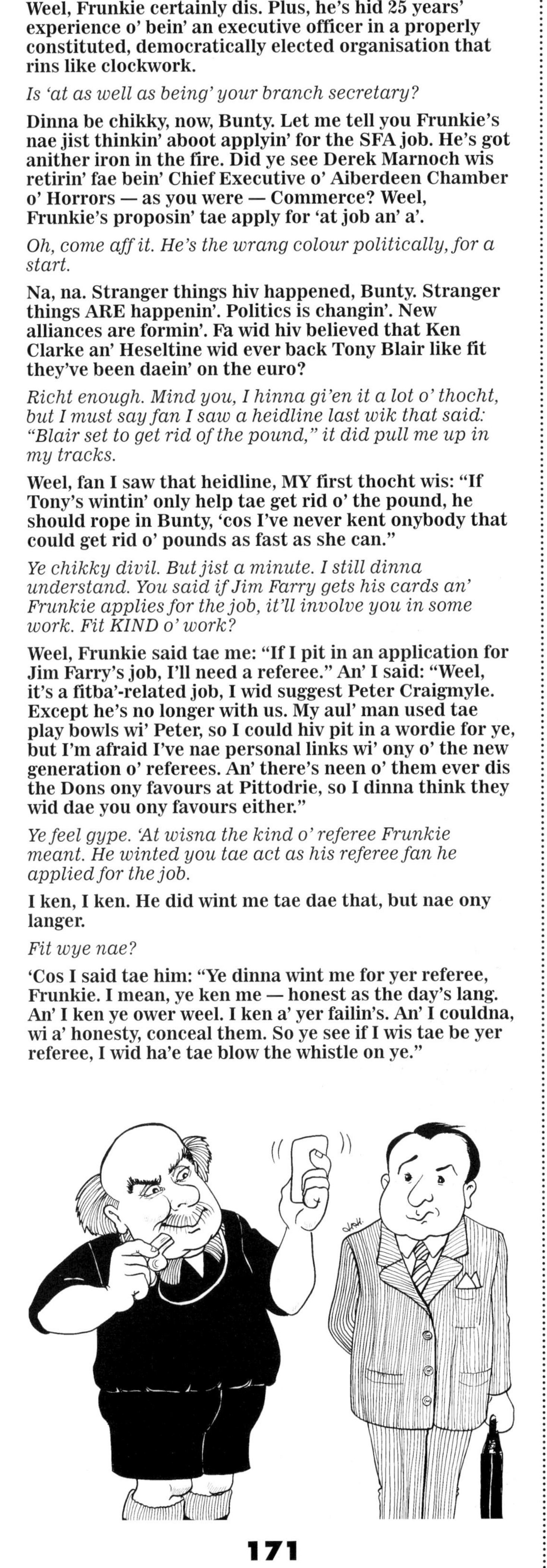

FAR'S the paper?

Ye mean, "Where is the newspaper?"

No. I mean, "Far's the paper?" Fit's got intae ye Bunty?

I wis readin' aboot this wifie Beryl Bainbridge. Hiv ye heard o' her?

Of course I've heard o' her. She's the Speaker o' the Hoose o Commons.

'If ye've a regional accent, it can hud ye back.'

No, she's nae. Nae the een I'm spikkin' aboot. You must be thinkin' o' a different Beryl Bainbridge. The een I'm spikkin' aboot is a novelist.

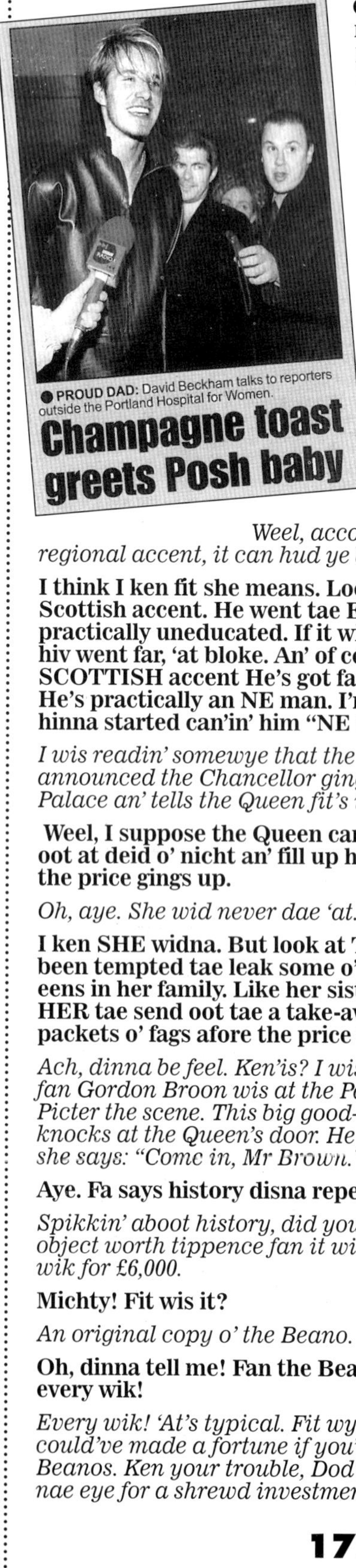

● PROUD DAD: David Beckham talks to reporters outside the Portland Hospital for Women.

Champagne toast greets Posh baby

Of course. Hey! You're nae readin' een o' her novels, are ye? Ye hinna finished Middlemarch yet.

No, I'm nae readin' een o' her novels, but I wis readin' fit she said at a lunch recently. She wis ha'ein' a go at fit she ca'd "uneducated regional accents". An' she said if ye hid een ye should get it cured by elocution. So fan are you signin' up for elocution lessons?

Fid d'ye mean? I hinna got an uneducated regional accent. If I hid een, I wid be quite happy tae get it cured by elocution. But I hinna, so I winna.

Weel, accordin' tae her, if ye div ha'e a regional accent, it can hud ye back.

I think I ken fit she means. Look at Gordon Broon's Scottish accent. He went tae Edinburgh University so he's practically uneducated. If it wisna for his accent, he micht hiv went far, 'at bloke. An' of course he hisna jist a SCOTTISH accent He's got family connections at Insch. He's practically an NE man. I'm surprised the local press hinna started can'in' him "NE Chancellor."

I wis readin' somewye that the nicht afore the Budget is announced the Chancellor gings alang tae Buckingham Palace an' tells the Queen fit's in it.

Weel, I suppose the Queen can be relied on nae tae nip oot at deid o' nicht an' fill up her Daimler wi' petrol afore the price gings up.

Oh, aye. She wid never dae 'at.

I ken SHE widna. But look at THIS budget. She could've been tempted tae leak some o' the details tae the hard-up eens in her family. Like her sister — I widna hiv pit it past HER tae send oot tae a take-away for twa or three packets o' fags afore the price went up.

Ach, dinna be feel. Ken'is? I wis jist imaginin' fit happened fan Gordon Broon wis at the Palace on Monday nicht. Picter the scene. This big good-lookin' Scottish feller knocks at the Queen's door. He says: "It's me, Ma'am" an she says: "Come in, Mr Brown."

Aye. Fa says history disna repeat itsel'?

Spikkin' aboot history, did you notice that a historical object worth tippence fan it wis new in 1938 wis selt last wik for £6,000.

Michty! Fit wis it?

An original copy o' the Beano.

Oh, dinna tell me! Fan the Beano first came oot, I got it every wik!

Every wik! 'At's typical. Fit wye did ye nae keep them? We could've made a fortune if you'd kept hud o' yer early Beanos. Ken your trouble, Dod? Ye never think aheid. Ye've nae eye for a shrewd investment.

'I'd tae be quick tae get my Beano read.'

I couldna help it. I used tae get the Beano on a Tuesday an' very often my mither lit the fire wi't on Wednesday. I hid tae be really quick tae get it a' read. Some wiks Ping the Elastic Man go the complete go-by.

But fit's the world comin' til? £6,000 for an auld Beaon. An look at David Beckham an' Posh Spice. A two an' a half million quid TV an' magazine deal for coverage o' their bairn. Could you nae fix US up wi' something like 'at.

It's nae on, Bunty. We've only eence hid wir picter in the paper. 'At wis wir weddin' photie in the auld Bon-Accord.

I hated yon photie. YOUR moo' wis open, an' MY een were shut.

Nae wonder the Bon-Accord went oot o' business twa wiks later.

But Dod, we've got wir ruby weddin' comin' up. Could ye nae sell the rights tae Hello! magazine?

Nae chunce, Bunty. We're nae the kind o' folk that Hello! magazine gings efter. We're nae celebrities. Tae be precise, we're nae Posh Spice and David Beckham.

Tae say naething o' Brooklyn. Fit a name tae gi'e a bairn. An' the ither Spice Girl — Mel C — ca'd her bairn Phoenix. Is this a new fashion, ca'in' yer bairn efter a toon in America?

Weel, there's naething new aboot it. If it's a fashion, it wis us that started it. We ca'd oor loon Gary, as in Gary, Indiana. Ken?

The word is that Brooklyn an' Phoenix were the places far that twa bairns wis conceived.

Is 'at richt? Weel, it's jist struck me there's naething new aboot THAT either. I mean, look at oor freends Tom and Cathy Shiach. I think I've jist solved the mystery o' far their youngest bairn's name came fae. An' incidentally I've learned a bit aboot their conjugal habits, 'cos I've jaloused far they conceived their three bairns.

Fid d'ye mean? There's naething aboot their bairns names that wid gi'e ye a clue tae far they were conceived.

Oh, no?

No. Their aul'est bairn's ca'd Stewart, the next een's ca'd Victoria — there's naething fishy aboot 'at — an' the third —

Aye, Fit's the third een ca'd?

Oh, I see fit ye mean. I've aye wondered fit wye the third een wis ca'd Westburn.

'Yer stewed aipples strategy will turn pear-shaped.'

FAR'S the paper?

Here it is. There's a picter o' the special countdown clock that's been installed in the St Nicholas Centre. It tells ye exactly foo mony seconds there is tae ging till the Millennium.

Bunty, the exact number o' seconds is neither here nor there. The pint is fan the Millennium comes in jist ower nine months' time, the Millennium bug could come intae play an' a' the computers in the world could ging doon at eence. There could be worldwide chaos and universal mayhem, Bunty. An' fit I wint tae ken is — fit precautionary measures hiv you ta'en?

I've bocht twa tins o' tomata soup.

Terrific!

An' half a dizzen caun'les.

Great! So WE'RE in the life-boat.

There's nae need tae be sarcastic. 'At twa tins o' soup is jist the start o' a stockpile. I'm ga'n' tae build on 'at twa tins.

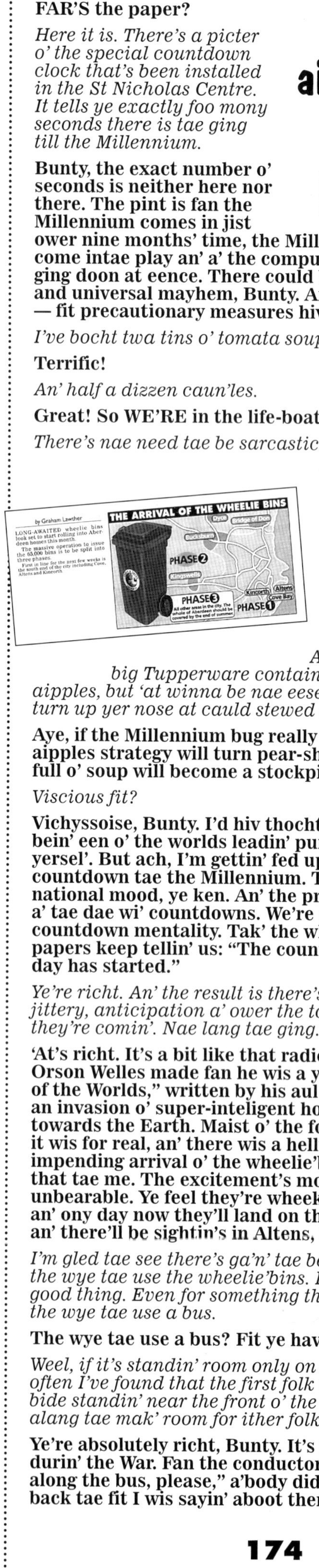

by Graham Lawther

LONG-AWAITED wheelie bins look set to start rolling into Aberdeen homes this month.

The massive operation to issue the 65,000 bins is to be split into three phases.

First in line for the next few weeks is the south end of the city including Cove, Altens and Kincorth.

An' ye'll heat the soup ower the caun'les will ye? 'Cos if the 'hale thing gings gyte, ye winna ha'e a cooker or nathing.

Oh, me. Will I nae? An' I wis ga'n' tae ha'e a big Tupperware container full o' stewed aipples, but 'at winna be nae eese either, 'cos you aye turn up yer nose at cauld stewed aipples.

Aye, if the Millennium bug really bites, yer stewed aipples strategy will turn pear-shaped. An' yer press full o' soup will become a stockpile o' Vichyssoise.

Viscious fit?

Vichyssoise, Bunty. I'd hiv thocht you wid ken fit 'at is, bein' een o' the worlds leadin' purveyors o' cauld soup yersel'. But ach, I'm gettin' fed up hearin' aboot the countdown tae the Millennium. There's sic a thing as a national mood, ye ken. An' the present national mood is a' tae dae wi' countdowns. We're developin' a countdown mentality. Tak' the wheelie-bins. The papers keep tellin' us: "The countdown to wheelie-bin day has started."

Ye're richt. An' the result is there's a sense o' nervous, jittery, anticipation a' ower the toon: "They're comin', they're comin'. Nae lang tae ging."

'At's richt. It's a bit like that radio programme that Orson Welles made fan he wis a young man. "The War of the Worlds," written by his aul' man, HG. It wis aboot an invasion o' super-inteligent hostile Martians headin' towards the Earth. Maist o' the folk in America thocht it wis for real, an' there wis a helluva panic. Weel, the impending arrival o' the wheelie'bins feels a bit like that tae me. The excitement's mountin', the tension's unbearable. Ye feel they're wheekin' in fae outer space, an' ony day now they'll land on the south side o' the city an' there'll be sightin's in Altens, Cove an' Kincorth.

I'm gled tae see there's ga'n' tae be trainin' sessions on the wye tae use the wheelie'bins. I'm sure trainin's a good thing. Even for something that seems simple — like the wye tae use a bus.

The wye tae use a bus? Fit ye haverin' aboot?

Weel, if it's standin' room only on a bus, I dinna ken foo often I've found that the first folk that canna find a seat bide standin' near the front o' the bus an' dinna move along tae mak' room for ither folk tae get on.

Ye're absolutely richt, Bunty. It's nae like fit it wis durin' the War. Fan the conductor said, "Move richt along the bus, please," a'body did. Nae question. It's back tae fit I wis sayin' aboot there bein' a national

mood. Fan we British stood alone against Hitler, the national mood wis that folk moved richt alang the bus.

An' there's anither thing I canna stand aboot behaviour on buses. Yesterday I hid tae stand a' the wye hame, 'cos it wis jist efter four an' maist o' the seats wis occupied by school kids.

Of course.

So I'm standin' in the aisle, an' twa school-kids sittin' across the aisle fae een anither are conductin' a conversation across — and at the level o' — my behind. Weel, it wis embarrassin', yon.

I've got every sympathy wi ye, Bunty. I mean, the day's lang past fan ye'd expect a school-kid tae gie up their seat tae ye, but if you're a school kid an' there's a wifie standin' atween you an' yer chum, across the aisle, ye dinna chat tae een anither across the peer wifie's bum. For ony sake! Show some consideration. Fit div they learn the bairns at the school nooadays?

D'ye ken fa else wis on that bus? Aul' Willie Jamieson. He wis standin' an' a'. He wis tellin' me he's 76 now. Mind you he'd jist gi'en up his seat tae a young lassie.

'At's typical o' Willie Jamieson. He's aye got tae be sae macho. He's aye got tae prove himsel'.

He disna need tae prove himsel', efer fatherin' a bairn at the age o' 75.

Yon wis a piece o' nonsense him mairryin' yon Doreen Alexander dame. He wis 73 an' she wis 37. for ony sake. An' noo they've got a bairn. It's nae natural, yon.

Weel, it seems tae hiv worked oot fine. He says tae me, "In yer seventies is a good age tae ha'e bairns. 'Cos at that age ye're up twa or three times durin' the nicht onywye." I'm tellin' ye, he's fair delighted wi' himsel'.

Weel of course he WID be. Bein' a non-smokin' mairried OAP wi' a young bairn an' a coal fire tae licht in the winter, he's fairly scored aff Gordon Broon's budget.

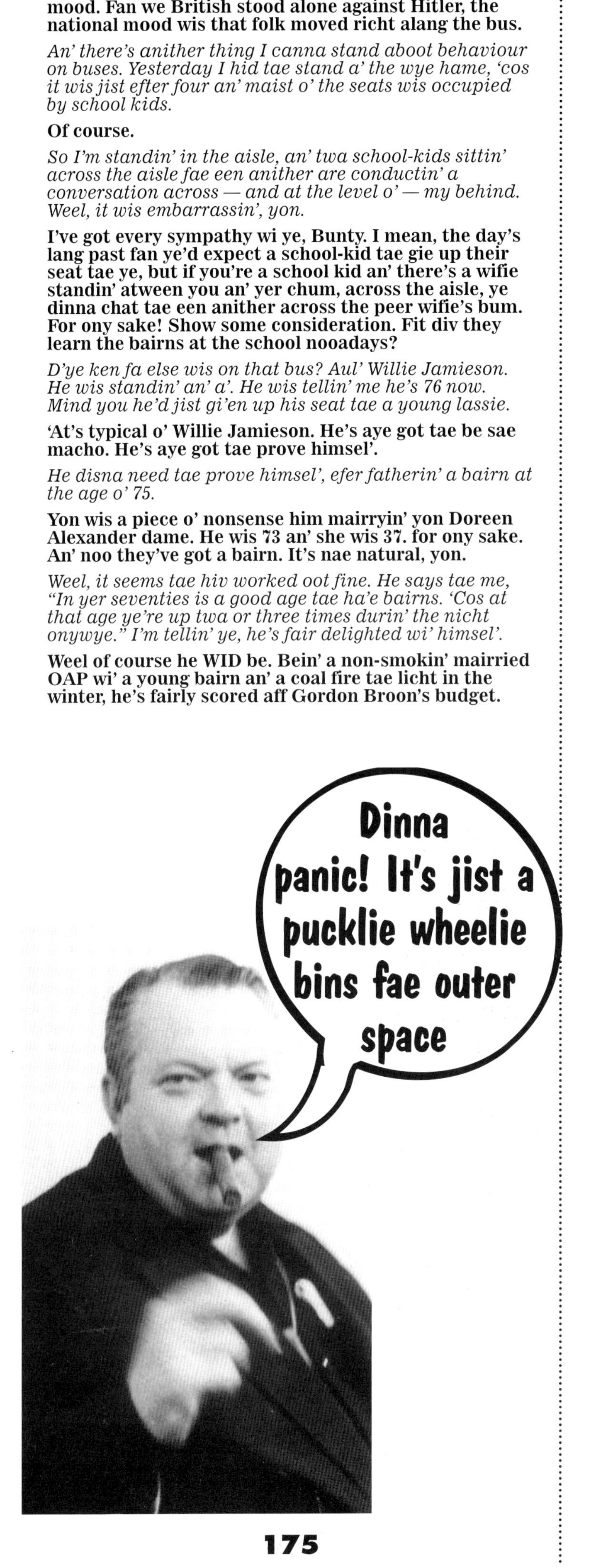

FAR'S the paper?

Hiv ye time tae read the paper? I thocht ye were ga'n' oot tae watch the Scotland match on Sky. Far exactly are ye ga'n'?

I'm afraid the match is aff or I would hiv been ga'n' tae watch it. And it wid hiv been tae licensed premises an' a'. The same pub as last wik.

'Cults is a community without a chipper.'

'Cos it wis a lucky venue for Scotland?

'Cos it wis a lucky venue for US. Every time Scotland scored, a'body in the pub got a dram on the hoose.

So ye'd a fair nicht last Setterday efterneen.

Aye. The only soor note came at aboot 10 tae five fan the Dons' result came through. We kent they'd been winnin' richt up tae the last minute. An' then that baldie mannie, Rowbotham gave Motherwell a penalty for naething at a'. We were sick.

I'll say. Fan ye brocht Frunkie hame for a cup o' tea, ken' is? Fit a pair o' greetin' faces. I never saw the like. Weel, nae till Gwyneth Paltrow's acceptance speech at the Oscars.

Fit did ye think o' the Oscars this year. I wis gled Judi Dench got een.

Aye, for Queen Elizabeth in Shakespeare In Love. I thocht she should hiv got een last year, for Queen Victoria in Mrs Brown. Funny, 'at — anither Queen.

Tears as Brit film scoops a magnificent seven

● IT'S ALL TOO MUCH: Gwyneth Paltrow breaks down as she accepts the Oscar for best actress after her performance in Shakespeare in Love. The film swept the boards last night, winning seven Oscars. See Page 4

Aye, ye could say 'at wis Judi's forte. She's played mair queens than Julian Clary.

There wisna mony surprises in the Oscars this year.

No — though some folk wer'na pleased that 'at mannie, Elia Kazan got a special honorary Oscar for a lifetime's achievement.

Aye. Fit wis it that folk hid against 'im?

Weel, at the time o' the McCarthy hearin's he clyped on various left-wing writers an' directors. So some folk wer'na happy aboot him gettin' an honorary Oscar, 'cos 'at's a very coveted award. Some o' the biggest names in Hollywood hiv never hid it.

Like, for example, your great hero Johnny Weismuller. There's nae mony names bigger than that.

Very amusin', Bunty. But let me tell you, Johnny Weismuller SHOULD hiv got an Oscar at some stage in his career.

Fit for? For bein' Best Performer in Water? I can jist see it: "And for the nominations for Best Performer in Water are: Johnny Weismuller; Esther Williams; the shark in 'Jaws'; the whale in Moby Dick; and The African Queen."

Fit rubbish, Bunty.

So fa wid you hiv nominated? I bet you wid hiv nominated the Titanic, widn't ye? Weel, every one o' that five that I picked performed a lot better in the water than the Titanic did.

A'richt, a'richt. 'Is is a stupid conversation. Fit's the paper sayin' til't the day?

There's a few mair letters aboot fit's the worst eyesore in Aiberdeen.

Is there ony mention o' Dolly Webster's pink shell suit?

No, no. It's a' buiildin's. It wis the Ferryhill Heritage that started it. Een o' them picked oot some monstrosities o' buildin's that wid benefit fae bein' knocked doon.

Oh aye, I saw that. St Nicholas Hoose wis een o' them.

'At's richt. Though, fair play, there wis a mannie spoke oot in defence o' St Nicholas Hoose.

Weel, ye'll aye get cranks will ye?

So fit wid you say wis the worse eyesore in Aiberdeen?

Apart fae Union Grove on bucket day? I dinna ken. We're spiled for choice, really. The new development at the prom hisna a lot ga'n' for it.

I'll tell ye this. They're nae ga'n' tae improve Union Street by pittin' up big pink canopies ootside the Trinity Centre. 'At's the latest feel idea. Did ye read aboot it? I mean, fitever next? A chip shop in Cults?

Weel, there IS some word o' that. Cos ye see, Cults is a community withoot a chipper. It's nae a' beer an' skittles bidin' in Cults, Bunty. I mean, I ken you've aye funcied bidin' there — in yer fantasies, ken? — But if we ever win the lottery — weel, afore ye rush awa' an' buy a hoose in Cults, jist bear in mind there's nae a chipper there. 'At wid fair limit yer options for wir main course at tea-time.

Richt enough. Ken 'is? I'm really sorry for 'at rich folk in Cults nae ha'ein a chipper tae ging til. So there ARE penalties for bein' weel-aff.

Weel, look at the Queen Mum. I saw her on the TV last wik.

Sae did I. Did you think she wis lookin' drawn?

She wis lookin OVERdrawn. An' I'm nae surprised, 'cos she IS overdrawn. Tae the tune o' fower million quid.

Ye div wonder fit wye she could be that muckle overdrawn, div ye?

It's easy deen, Bunty. A bottle o' gin here, a flutter on the gee-gees there, a new hat noo an' again — I mean,the labour costs o' SHIFTIN' een o' that hats must be enormous.

She's a great Queen Mum, is she? Born in 1900, she's spanned the 'hale twentieth century. Can you see somebody makkin' a film oot o' her life story?

I can. An' I'll tell ye fit else I can see. Anither big part for Judi Dench.

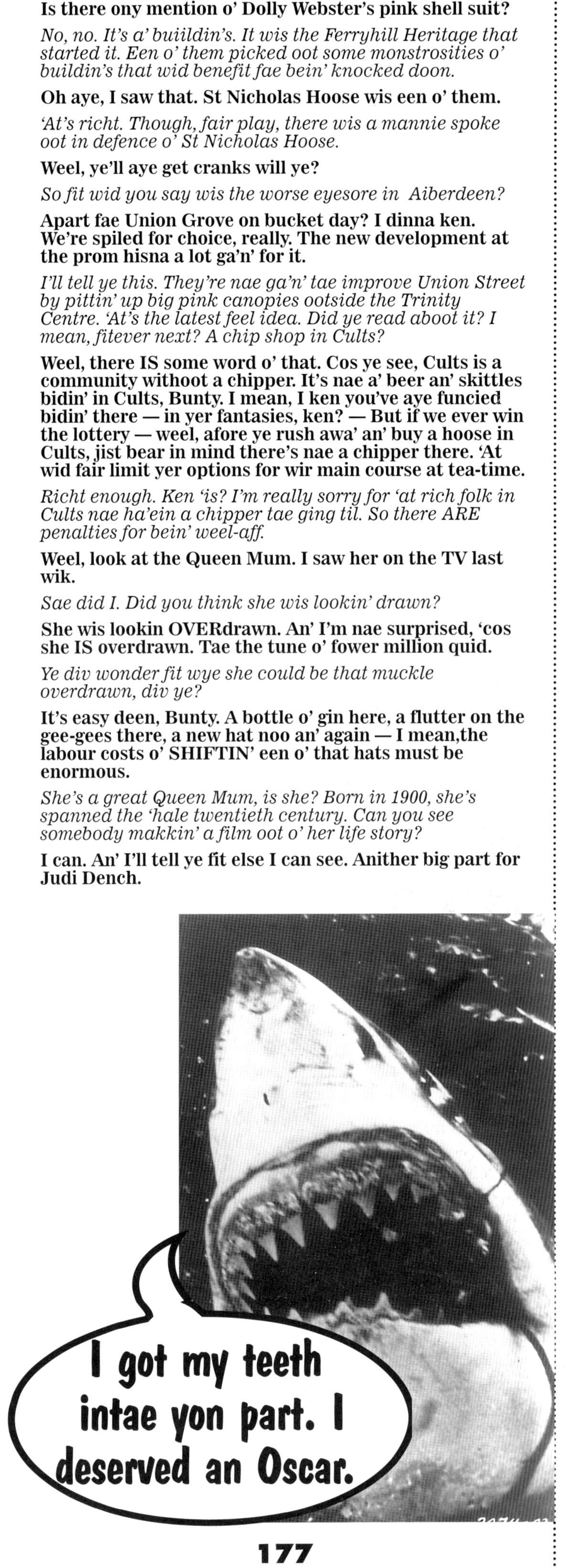

'Molly hid tae ging intae Foresterhill for an epiphany.'

FAR's the paper?

Here it is. I like the "Memories" page, div you? I like seein' a' that nostalgia photies, ken?

Aye. Like the een last wik o' the choir o' John Knox, Mounthooly, in 1936.

My Auntie Ada wis in that choir.

Short o' baritones, were they?

But she wisna in the photie.

I'm nae surprised.

She said the photographer turned up unexpectedly at choir practice the very wik she wis awa' her holidays. Every year. Strange.

Very. There wis anither interestin' picter a few wiks ago o' an ootdoor meetin' at the Market Stance. Frunkie Webster telt me he spotted a boy in it that he used tae ken — Bert Ramsay.

Oh aye. I mind him. He wis a Communist, wisn't he?

Aye. I asked Frunkie if he'd seen him lately, an' Frunkie said: "Ken 'is, Dod, I hinna seen Bert Ramsay since the first nicht o' Dr Zhivago. But I've heard he's nae the Bert Ramsay you an' me kent. In the early 1990s he had an epiphany.

● HAT'S THE WAY: Alex greets some of the fans outside the Music Hall.

At Foresterhill? Molly Fraser hid tae ging in for een o' them.

Bunty, fit Molly went in for wis an endoscopy. Nae an epiphany. An epiphany is a blindin' flash o' realisation or revelation.

Ye mean Bert saw the licht?

He did. Weel, he thocht he did. One day he wis a Communist, the next he became a Thatcherite. An' moved tae Lumphanan. I dinna think there wis ony connection atween the twa events.

Bert became a Thatcherite? Weel, much good it did Mrs Thatcher.

I ken. She'd nae seener got Bert on her side than a' her MPs deserted her.

An' noo the only person that likes her is General Pinochet. Did ye see her visitin' Pinochet? Yon wis pathetic.

Aye I think she's lost the place. Or the heid, mair like.

Spikkin' aboot losin' the heid. I thocht that's fit wis happenin' tae you last nicht fan ye were tryin' tae phone Frunkie Webster.

Dinna remind me. There I wis, fine pleased wi' mysel', sittin' wearin' my new Fergie-style Fedora —

Weel, of course, 'at wis anither thing. Fan I gi'ed ye that hat as a special gift the day efter the freedom ceremony, I didna expect ye tae wear it a' the time — in the hoose an' a'wye else.

Ye'll be gled tae ken I've decided nae tae wear it in my bed ony langer. But only because the blunkets keep knockin' it aff.

Onywye, ye were wearin' it last nicht fan ye were tryin' tae phone Frunkie, an I could see ye were ga'n' spare.

Nae wonder I wis ga'n' spare. Hiv you tried to phone the Websters lately? Fit a palaver. It's a' tae dae wi' Frunkie tryin' tae be switched on an' keyed in. The first thing ye get is an answerin' service.

I hate them. An' on the Websters' een ye get Frunkie's voice sayin', "The Websters can't take your call at the moment. We're not sayin' we're out, as that might attract burglars. If you're not a burglar, please leave your name, number and any message after the long tone."

'At's Frunkie's idea o' a joke. Onywye, ye wait for the end o' the lang tone an' then ye spik. An' if ye're like me, ye feel a right dumplin' — a sentient human being spikkin' tae a machine. I get a' tongue-tied, 'cos it's nae respondin', it's nae gi'ein ye ony help. Then suddenly it DIS answer ye. This very pleasant lassie tells ye ye're in a queue.

'At's richt. She says: "Ye're in a queue, but the number you are dialling knows you are calling. Please wait."

Fit rubbish. She disna mean the NUMBER knows you are calling. Numbers dinna ken naething. She means the folk you are calling know you are calling.

So fit wye div they nae answer ye?

Exactly. The next thing ye hear is the nice lassie sayin'. "Try again later." Weel, I said she wis a nice lassie, but I hiv tae say fan ye remonstrate wi' 'er she never tak's ye on.

I ken. Then fan Frunkie eventually deigns tae spik tae ye, ye canna hear 'im right.

Weel, they've got 'at muckle electronic dirt connected tae their phone, that Frunkie comes across soundin' like a Dalek, an' seems tae be a million miles awa' comin' at ye fae outer space.

'At's richt. But afore that, the nice lassie's been on again sayin', "The Websters can now take your call. If it is on a matter of Trade Union business, press 3. If it is social, domestic or pleasure, press 4. If it is a family matter, press 5. If it is a fiscal matter, and you are by any chance Mr Webster's bank manager, do not proceed to the next step. Do not pass 'Go', you have no chance of collecting £200 or indeed any other sum from Mr Webster this week."

'At wis Frunkie's idea o' anither joke. But I widna care, fitever it is ye're phonin' them aboot, fitever button ye press, fan eventually ye get anither human bein' tae spik tae ye, it's aye Frunkie.

'At's richt. 'Cos Dolly refuses tae answer the phone nooadays. Ever since the nicht the phone rang an' fan she picked it up, a' she could hear wis heavy breathin' at the ither end.

Did she think it wis a nesty mannie makkin' an obscene phone call?

Aye. Weel, she wisna tae ken it wis Charlie Petrie phonin' on union business on a nicht he wis affa bothered wi' his asthma.

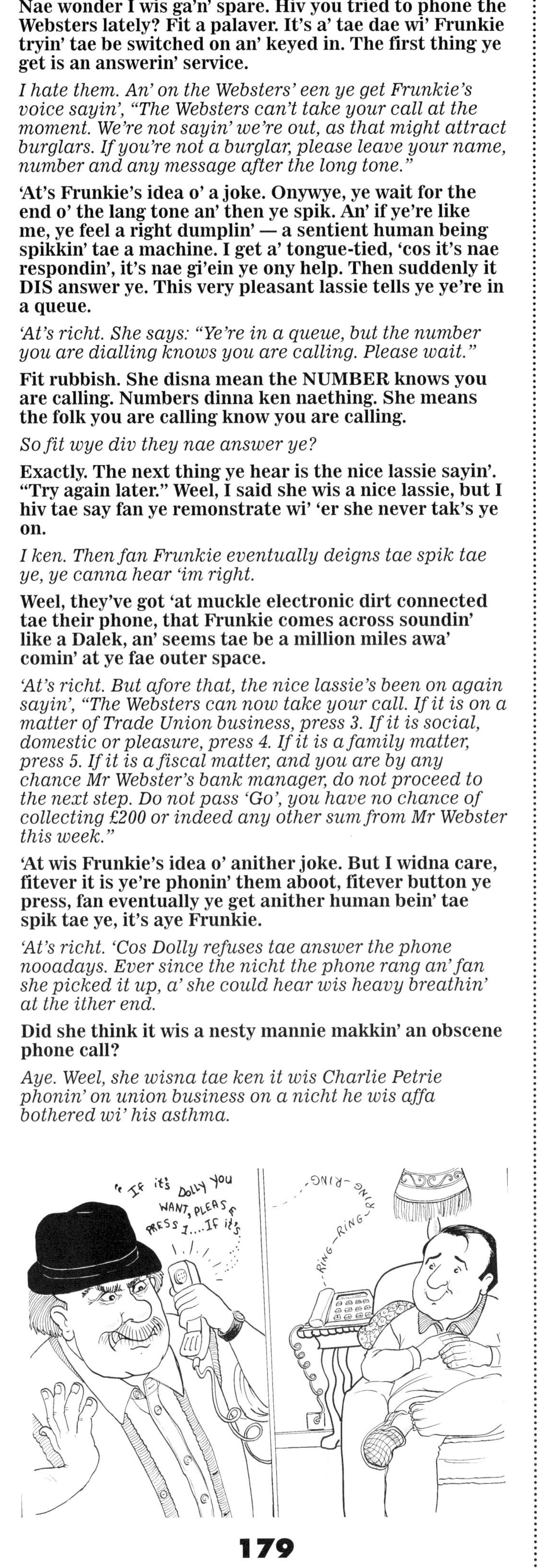

Saturday, April 10, 1999

'You lost an argument wi' Frunkie?!'

FAR's the paper?

Here it is. See if ye can find an advert for Jim Davidson's show. He's on somewye in Aiberdeen this wik-end.

Jim Davidson?

Ye ken. The comedian. The Generation Game. Big Break.

Oh, that Jim Davidson. You wid ca' 'im a comedian, wid ye?

Aye. Of course he's a comedian.

Nae in my book, he's nae.

Nae in your book? Fit div you ken aboot comedy?

Bunty, ye're lookin' at a man that did a show-stoppin' three minute spot at the Soda Fountain comedy club last Thursday.

Is there a comedy club in the Soda Fountain?

Aye, an' they encourage folk tae ging up on stage an' ha'e a go.

An' you've been there an' hid a go, hiv ye?

'Is is fit I'm tellin' ye. Last Thursday. Frunkie Webster hid heard aboot it fae een o' his cooncillor chums.

Well you've aye said the Cooncil's a bunch o' comedians. So presumably they've aa' hid a go.

Some o' them hiv. Onywye me an' Frunkie decided WE wid ha'e a go. An' at first we thocht as a tribute tae the late Ernie Wise we wid dae a Morecambe an' Wise routine.

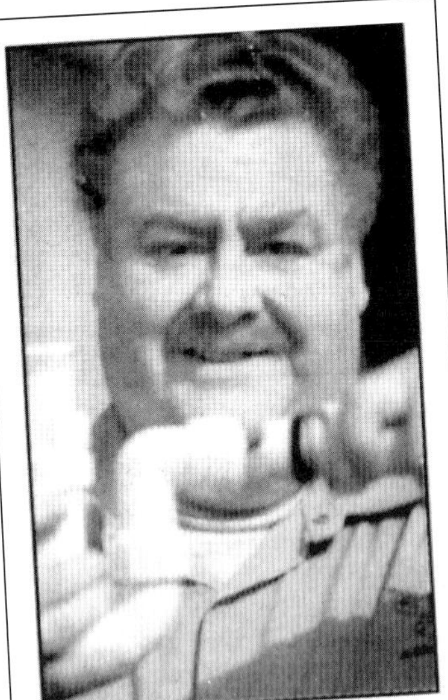

● ALLAN McINTOSH

Allan plumbs the heights of success

AN ABERDEEN plumber has scooped a prestigious prize after being crowned the best in Scotland.

Oh, dae me a favour! You an Frunkie —

But we didna.

Fit wye nae?

We hid irreconcilable difficulties as to the castin' o' the act.

Fit d'ye mean?

We baith winted tae be Eric Morecambe, an' neither o's winted tae be Ernie Wise.

Aw, peer Ernie.

We'd a terrible argument aboot it. An' I could see Frunkie wis winnin' the argument. 'At wis fan I baled oot an' said: "I dinna think a double act is a good idea. I think we should each dae a solo spot."

Wait a minute. You felt ye were losin' an argument tae Frunkie? Weel, 'at mak's you some kind o' first. Naebody else his EVER lost an argument tae Frunkie that I'm aware o'.

Weel, he got me intae a corner. He said: "I dinna ken foo mony times you've telt me I'm nae wise. Weel, if I'm nae Wise I must be Morecambe."

So that wis fan you suggested ye should dae twa separate solo spots? An' did ye say yours wis a show-stopper?

Aye, in the sense that I wis last on the bill, an' fan I finished the show stopped.

An' were ye weel received?

Weel, tae be honest, my material wis above their heids. But I think they liked me. 'Cos I mind eence hearin' Bob Hope describin' the audiences he played til fan he wis a young comedian on the wye up. He said, "If they liked you, they didn't applaud, they let you live." I think the audience at the Soda Fountain wis a bittie like that, an' well — I'm here, Bunty.

But at least they didna boo ye.

Weel, I hiv tae admit some o' them wis booin'! But some o' them wis clappin'.

Ah, but could it hiv been that the eens that wis clappin' wis clappin the eens that wis booin'?

Very amusin' Bunty. You should get yersel' a gig at the Soda Fountain.

Weel, I couldna dae much worse than you, by the sound o't. But fit aboot Frunkie? Foo did he get on? A disaster?

It wisna sae much a disaster as a — fit's the word? "Triumph", I think is how ye micht describe it.

Frunkie had a triumph?

Aye. The eejit! He didna seem tae realise he'd been pit on second-last as a warm-up for me. Onywye, up he gings on tae the stage, an' the compere boy says tae him, "What's your name?" An' Frunkie looks blank an' says, "Eh? Could ye repeat the question?"

An' the compere says very slowly "What is your name?" An' Frunkie says "Can I phone a friend?" An' efter that he never looked back.

I'll tell ye fa else cracks a good joke. Yon plumber we got in tae mend wir burst pipe at Christmas.

Allan McIntosh? Aye, he's a card, Allan. He's jist been named Scotland's champion plumber. It wis in the paper last wik. I bumped intae Allan in Union Street, yesterday, an' I says til 'im, "Fit's this big honour ye've been gettin'? An' he says, "Top plumber in Scotland. I think it's cos last wik I wis mendin' a toilet awa' up on the seventeenth floor o' Gilcomston Land."

He's a great Allan. But fit aboot Jim Davidson. Hiv ye found the advert yet?

Aye. Here it is. He's on at the Exhibition Centre. Oh for ony sake! That's it! We're nae ga'n'.

Fit wye nae?

Weel, look at the advert: "Sunday April 11th at Aiberdeen Exhibition and Conference Centre — Jim Davidson plus support". Plus support? I'm nae peyin' good money tae see a mannie cavortin' aboot the stage in a truss.

'Frunkie's maybe nae as feel as ye think'

FAR's the paper?

OH, ye're ready for the paper noo, are ye? I thocht ye were ga'n' tae be on the phone aa' nicht. Fa wis ye spikkin' til?

Need ye ask? I wis spikkin tae Frunkie Webster, D'ye mind a few wiks ago I telt ye aboot aa' the palaver ye've tae ging through 'afore ye can spik tae Frunkie on the phone?

Aye. There's a disembodied voice that spiks tae ye, but fan ye tried tae argue wi'it, it didna tak' ye on.

Weel, wid ye believe? It's got worse. There's noo a pint, efter ye've been kept hingin' on an' hingin' on, fan the voice says "The number you have dialled knows you are calling. You are now in a queue. If you wish to wait, please hold, and you may enjoy a musical interlude of your choice. For Frank Sinatra singing "My Way" press 1. For Andy Stewart singing "Donald Where's Yer Troosers?" press 2. Or press 3 for the Hallelujah Chorus.

● OUR HERO: Neil Jenkins kicks the conversion which gave Wales a Wembley win over England — and Scotland the Five Nations title.

I dinna ken 'at een. Is 'at Boyzone?

I'm tellin' ye, the hale thing's calculated tae pit ye aff ever wintin' tae phone Frunkie.

Maybe that's the 'hale idea. Frunkie's maybe nae as feel as you think.

An' ye're certainly nae in the best o' tempers fan ye div eventually get through tae him. An' fan I spoke tae him iv noo — weel the last straw wis at the end o' wir conversation fan Frunkie signs aff by sayin', "Talk tae ye later."

"Talk tae ye later?"

Aye. Apparently this is fit folk say nooadays at the end o' a phone call. It's 1990s telephone-spik. I didna let 'im aff wi't. Afore he could hing up, I shouted, "Hey! We finished fit we were spikkin' aboot. I dinna wint you tae talk tae me later. An' I'm certainly nae ga'n' tae phone you up tae talk tae YOU later. I'm fed up wi' the Hallelujah Chorus. 'Talk tae you later'?" I said. "Fit rubbish. Fitever happened tae 'Cheerio'?"

Good for you, Dod. We owe it tae posterity tae preserve the Doric language. We canna stand by an' let good ethnic words like "Cheerio" wither on the vine. There's a thoosand years o' cultural heritage at stake here. Fit were ye phonin' Frunkie aboot onywye?

Ach, it serves me richt. It wis jist a joke. I phoned 'im up tae say I'd been surprised that I hidna found 'im in the Sunday Times list o' the hunner richest folk in Scotland.

It wisna even much o' a joke.

I ken. It wis interestin' readin', at list, though. There wis a good few folk fae the North-east on it. Jimmy Milne, Ian Wood —

An Klaas Zwart. He's 78th on the list wi' a fortune o' twenty million quid.

Klaas Zwart, 'at's richt. It's good tae ken that typical North-east folk can strike it rich. Tak' Jimmy Milne. He

wis jist an ordinary Aiberdeenshire loon, and noo he's a millionaire. It shows ye onybody can dae't.

So far did you ging wrang?

Weel of course, it's the received wisdom that it's makkin' the first million that's the hardest. Weel, it's true. 'At's fit I'm findin'!

'At boy Klaas Zwart that we were spikkin aboot. He disna really belong tae this part o' the world, dis he?

No, no. He's been brocht tae Scotland by the lure o' the big money. He's like maist o' the boys in the Rangers team. And the Celtic team. An' of course Rangers and Celtic are baith through tae the Scottish Cup Final, the first een tae be played at the new national stadium at Hampden. Fit a great Scottish occasion 'at'll be. Gettin' on for a third o' the players on the park could actually be Scottish.

Is 'at a fact? Mak's ye proud, dis it?

I'll tell ye fit did mak' ye proud this past wik-end. The rugby. I mean fitba's my religion — ayewis his been — but last wik-end —

Were ye' thinkin'o' a conversion?

Aye. The conversion that Wales pit ower in injury time tae beat England an' gie us the title.

Oh, yon wis great. I mean, I dinna really understand rugby an' I didna watch the 'hale o' the England-Wales game, but I came back intae the livin' room jist as 'at carroty-heided Welsh boy wi' the big lugs — Neil Jenkins, is it? — wis takkin' at last kick. An' hiv I got it richt? If he'd missed it, England wid hiv won the match and the championship?

Aye.

So fit were you thinkin' as he ran up tae kick it?

I wis thinkin' "Thank God it's nae Kenny Logan."

Kenny Logan? Fa's he?

He's Scotland's kicker. An' it's nae unfair tae Kenny tae say he hisna quite got Neil Jenkins' infallibility.

Princess Anne's a great supporter o' the Scottish rugby team, is she?

Aye. In fact she's sae keen on Scotland I wonder if she'll come up wi' her mither for the openin' o' the new Parliament.

I see the Queen's jist ga'n' tae wear ordinary claes for the openin' — naething ceremonial ken? But 'at disna metter. Naebody's worried aboot 'at. We jist wint her tae ha'e a good day. Will a' the rest o' the Royal Family come up for't.

Very likely. An' I'm sure the Queen WILL hae a good day, provided, fan she gets up in the mornin', she disna let Princess Margaret rin her bath for 'er.

Saturday, April 24, 1999

FAR'S the paper?

Never mind the paper. There's nae fitba' for ye tae ging til the day, so ye can help me wi' the spring cleanin'. Here's a cloot — get dustin'.

'Nae a'body's as thick as you.'

Dustin? Fit a wye tae spend a Setterday efterneen.

Go on. Ye'll enjoy it. Ye'll enjoy it a lot mair than ye enjoyed LAST Setterday efterneen. At Pittodrie.

Oh, dinna remind me. I'll tell ye one good thing; wi' the Dons nae playin' til the morn, at least we winna get nae bad news tae pit us aff wir tea the nicht. But the morn — awa' fae hame against Rangers. Nae exactly the fixture ye wid choose fan ye're on a run o' bad form. I've seen the day fan I wid hiv went doon tae Glesca for 'at match, but —

No. Wait an' read Charlie Allan's report on Monday.

I wis affa pleased Charlie wis voted Scottish sports journalist o' the year.

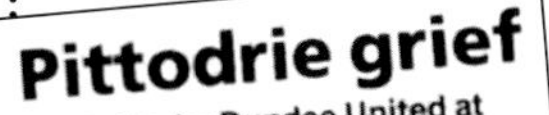

FOUR-NIL by Dundee United at Pittodrie. Can things get any worse for the Dons?
Manager Paul Hegarty is defiantly clinging to his job. Chairman Stewart Milne is standing by him and insists nothing has changed.
True. The Dons are as bad as ever.
What might change is the fans' tolerant attitude, their willingness to spend hundreds on season tickets.
Support is something a club earns, through playing well and winning. It's way past payback time for Aberdeen FC.

Aye, cos fitba' bein' a subject for the back page, 'at means Aiberdeen his got the best back page in Scotland.

The best back PAGE? I'd raither we hid the best back FOUR.

Ye're still a loyal supporter, then? Ye didna throw awa' yer season ticket last wik like some folk?

Nae fear. Frunkie Webster tried til. He thocht the time hid come for one last glorious gesture. So he pit his hand in his pooch tae pull oot his season ticket an' —

Threw it awa'?

Nae quite. He pit his hand in the wrang pooch an' threw awa' half a packet o' Maltesers. An' aboot a dizzen o' them went skitin' ower the five rows o' seats in front o's. Fortunately, by that time, 'at five rows wis empty. Weel, there wis only half an hoor tae go.

Aye, it wis a bad result last wik. Frunkie'll be hopin' for a better result at the election fan it comes. Nae lang tae go noo.

Aye. Did ye see the official advert in the paper earlier this wik, tellin' ye fit tae dae on election day? There's ga'n' tae be some richt stooshies in the pollin' stations, I can tell ye. Three different ballot papers, a' different colours, an' a' sayin' different things. I forecast a landslide victory for the spiled papers.

Look, nae a'body's as thick as you.

Mark my words, Bunty. This election could finish up wi' Donald Dewar bein' elected Labour cooncillor for Kincorth.

Awa'. It'll be perfectly clear fit ye hiv tae dae.

Bunty, ony time ye see an official instruction that begins: "All you have to do — " ye can bet yer boots there's ga'n' tae be a total pantomime. Tak' yersel' as a reasonably intelligent voter. Fan you ging intae that pollin' booth wi' yer THREE ballot papers, purple, peach an' white, ye'll ha'e tae keep yer wits aboot ye.

Nae problem.

Ye say that noo. But eence ye're in there — on yer own — wi' the pressure on — nae allowed tae phone a friend — are ye ga'n' tae keep focussed an' nae lose the heid? Or fan ye get tae grips wi' the peach votin' paper are ye ga'n' tae mistake it for pink an' fill in yer usual six lottery numbers?

Fit ye tryin' tae dae? Get me a' nervous?

I'm jist wintin' ye tae be prepared for a rigorous intellectual examination, Bunty. Yer average voter isna ga'n' tae ken fit's hit 'im. A' the political parties is

worried aboot it — in case some o' their supporters get confused an' end up votin' for the wrang candidate. I mean, on the Labour side, Frunkie Webster is a member o' a high-powered think tank that's addressin' that very problem.

Michty me. Frunkie Webster in a think tank? Daein' fit?

Tryin' tae come up wi something. At this very moment they're ha'ein a brain-stormin' session locked awa' in a smoke-filled room in the Adelphi.

The Adelphi? I see there's word o' it gettin' a re-vamp.

High time. There hisna been a vamp in the Adelphi for years. Nae since Thelma Williamson defected tae the Lib Dems. She wis a goer, Thelma. The only thing wrang wi' her wis —

Look, never mind Thema Williamson. An' never mind the dustin'. We could be watchin' the snooker.

'At's richt. Fa d'ye hope wins it?

I suppose I'd like een o' the Scottish lads tae win it. But I wis disappointed fan the young Irish loon wis knocked oot.

Fit young Irish loon?

Mark O'Fu.

I think ye mean Marco Fu.

'At's fit I said.

He's nae Irish. He's Chinese.

Oh. I'd maybe better change the subject. So fit wis the only thing wrang wi' her?

Fa?

Thelma Williamson. Ye said there wis only one thing wrang wi' her.

She wis an affa snorer. So onybody that slept wi' Thelma didna' actually get ony sleep.

Fit wye div YOU ken?

Dinna worry, I'm nae spikkin' fae personal experience. I'm jist tellin' you fit wis telt tae me by a third party. And a fourth. And a fifth. But spikkin' aboot snorin', did ye notice there wis a survey last wik that showed the Scots wis the world's top snorers?

'At disna surprise me. I mean I dinna ken aboot Thelma, but YOU could snore for Scotland. An' I AM spikkin' fae personal experience. Mind you, I'll gae ye this — ye've never fa'n' asleep an' started snorin' fan I wis spikkin', like fit the Queen hid tae pit up wi fae the Duke o'Edinburgh last wik.
Fit did ye think o' yon?

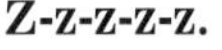

Z-z-z-z-z.

Saturday, May 1, 1999

'At jeans wis ower ticht 30 years ago.'

FAR's the paper?

Here ye are. Ye've earned a look at the paper.

I should think so, efter workin' in the gairden a' mornin'

Weel, efter BEIN' in the gairden a' mornin'. I mean, OK ye must hiv deen SOME work 'cos ye came in wi' an ASDA bug half-full o' weeds —

THREE-QUARTERS full o' weeds. An' a sair back.

But I hiv tae say ony time I looked oot, you were standin' bletherin' tae the mannie Hutchison across the fence.

OK, I did exchange the odd pleasantry wi' Charlie Hutchison. but it wis him that gave ME a shout — nae the ither wye roon'. An' it wid hiv been discourteous nae tae stan' up an' ha'e a news wi' the bloke.

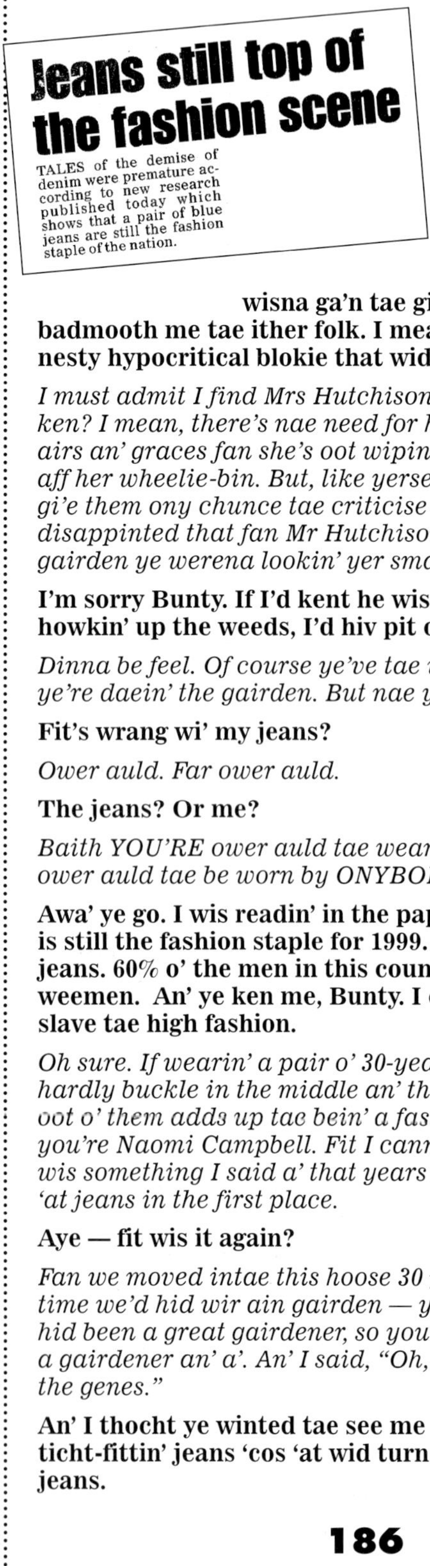

Jeans still top of the fashion scene

TALES of the demise of denim were premature according to new research published today which shows that a pair of blue jeans are still the fashion staple of the nation.

I didna ken ye were that keen on 'im.

I'm nae keen on him at a'. I canna stick 'im. He's a total nyaff. But I wisna ga'n tae gi'e him an excuse tae badmooth me tae ither folk. I mean, he's jist the kind o' nesty hypocritical blokie that wid dae that.

I must admit I find Mrs Hutchison a bittie stuck-up, ken? I mean, there's nae need for her tae pit on a' her airs an' graces fan she's oot wipin' the seagull splashin's aff her wheelie-bin. But, like yersel', I widna wint tae gi'e them ony chunce tae criticise us. 'At's the wye I wis disappinted that fan Mr Hutchison saw you in the gairden ye werena lookin' yer smairtest.

I'm sorry Bunty. If I'd kent he wis ga'n' tae see me howkin' up the weeds, I'd hiv pit on my good suit.

Dinna be feel. Of course ye've tae wear aul' claes fan ye're daein' the gairden. But nae yer jeans, Dod.

Fit's wrang wi' my jeans?

Ower auld. Far ower auld.

The jeans? Or me?

Baith YOU'RE ower auld tae wear jeans. An' THEY'RE ower auld tae be worn by ONYBODY.

Awa' ye go. I wis readin' in the paper that denim jeans is still the fashion staple for 1999. Millions o' folk wear jeans. 60% o' the men in this country, an' 46% o' the weemen. An' ye ken me, Bunty. I canna help bein' a slave tae high fashion.

Oh sure. If wearin' a pair o' 30-year-auld jeans that hardly buckle in the middle an' the backside's hingin' oot o' them adds up tae bein' a fashion icon, then OK, you're Naomi Campbell. Fit I canna get ower is that it wis something I said a' that years ago that made ye buy 'at jeans in the first place.

Aye — fit wis it again?

Fan we moved intae this hoose 30 years ago — the first time we'd hid wir ain gairden — you said your faither hid been a great gairdener, so you micht turn oot tae be a gairdener an' a'. An' I said, "Oh, I hope so. Let it be in the genes."

An' I thocht ye winted tae see me gairdenin' in a pair o' ticht-fittin' jeans 'cos 'at wid turn ye on. So I bocht this jeans.

So fit ye're sayin' is 'at jeans wis ticht 30 years ago. Fit on earth hid the mannie Hutchison thocht o' them the day?

Ach, he never noticed them Bunty. He wis ower busy boastin' aboot far they're ga'n' for their holidays.

Oh? Far are they ga'n'?

China. He says tae me, "We're ha'ein' a change this year." And I says, "A change fae yer usual days here an' there?" An' he says, "Yes, we're ga'n' tae China." An' I said, "By slow boat, I hope." Waggishly ken? An' he says, "No, we're flyin'."

An' fit'll they dae fan they get there?

I asked him that, an' he said: "It's a' arranged. We'll be ga'n' tae the Great Wall, the underground Terracotta Army, the Forbidden City in Beijing, an acupuncture centre somewye an' Hong Kong." I says, "Oh lovely. A kind o' days here and there."

I wis readin' aboot 'at flights tae China. Ye can leave fae Aiberdeen noo.

'At's richt. I says til' 'im, "At sounds great. As lang as ye watch fan ye come back that ye dinna arrive in Aiberdeen efter half past 10 at nicht, or they'll pit ye a' the wye back tae China."

'At's nae richt, is it?

Of course it's nae, but it fair wiped the smile aff his face.

Weel deen, Dod. Ye've fair earned yer efterneen at Pittodrie.

Thanks Bunty. There's still a bittie left tae dae in the gairden. Div ye think you could manage it? I'll lend ye my jeans, ye can wear yer Comic Relief T-shirt, an' ye'll look like Aiberdeen's answer tae Charlie Dimmock.

Fa's he?

No, no. Charlie Dimmock's a she. I'm surprised you hinna heard o' 'er, Bunty. She's in a' the papers. She's on the TV every wik in a gairdenin' programme. Ground Force.

Nuh. I've never heard o' 'er. I dinna watch gairdenin' programmes. Though I did used tae like the Beechgrove Gairden. This Charlie that ye're spikkin' aboot — is she onything like George Barron?

In one respect only, Bunty. George Barron didna wear a bra either.

Saturday, May 8, 1999

> **'Election nicht fairly put Aiberdeen on the map.'**

FAR's the paper?

I've got it here. Ken 'is? I fell asleep readin' it. I'm still catchin' up on my sleep efter Election nicht.

I ken the feelin'. But I'll get a chunce tae catch up on MY sleep at Pittodrie this efterneen, if the match is onything like last wik's.

Election nicht fairly pit Aiberdeen on the map, though, did it?

Aye, it wis a proud nicht for us, 'cos it wis there for a' tae see: fit's harder than gettin' blood oot o' a steen? Gettin' votes oot o' an Aiberdeen ballot box.

Aye, far else but in the hi-tech ile capital o' Europe wid ye open a ballot box wi' a crow-bar?

I predicted the new votin' system wid lead tae confusion. But I thocht the punters wid be strugglin' tae get their votes INTAE the richt ballot box. I didna think the returnin' officer wid be strugglin' tae get them OOT.

> CELTIC Park looked more like Culloden battlefield than a showcase stadium.
> Referee Hugh Dallas was left bleeding after being struck by a missile thrown from the seething Celtic crowd, police poured into the ground as stewards fell injured in tussles with fans

Onywye, Donald Dewar said: "Scotland is now a different place". Div you agree wi' that?

Weel, I dinna feel ony different mysel' An fan I saw mysel' in the mirror this mornin'. I didna LOOK ony different.

Fa did ye think ye wid look like? Robert the Bruce? William Wallace? Mel Gibson? I should be so lucky.

No. Mind you, fan I looked in the mirror, I saw a man in his 60s, tall, weel-built, mouzer, baldie-heid, fit hair he's got's ga'n' grey — fa's that a description o'?

Weel, 'at's you.

I'm glad ye said 'at Bunty. 'Cos 'at's also a description o' Sean Connery. We're very alike, me an' Sean. There's nae difference.

Awa' ye go. Ye missed oot "sex-appeal". At's far the difference is.

Oh, I think ye're bein' unfair tea Sean. He's got sex appeal an' a'.

Onywye I think Thursday WIS a great day for Scotland.

Nae as great as the previous Wednesday fan we beat Germany 1-0.

I could hardly believe that result. Fit a shock.

I'll say it wis a shock. It wis ower much for Alf Ramsey.

An' there wis anither proud day for Scotland on Monday fan Stephen Hendry won the snooker. There wis a nice picter o' him efter the final wi' his wife Mandy an' their wee loon Blaine.

I suppose it wis a' richt takkin' a bairn there. Wi' a' that powerful lichts on it hid been warm enough for 'im. 'Cos fit wid ye hiv ca'd 'at wee loon if he'd been cauld?

I dinna ken.

A chill Blaine. Get it, Bunty? Ha, ha!

For ony sake. I think 'at's yer worst joke ever.

Spikkin' aboot things-bein' the worst ever, I think last wik's match at Pittodrie must be in the rinnin' for 'at accolade. Mind you, it did ha'e a couple o' redeemin' features. We got three points at the end o't an' the referee finished the game uninjured.

Yon wis a disgrace fit happened at the Celtic-Rangers

game. Some hooligan throwin' a coin at the ref. Wid ye ever get 'at kind o' thing at Pittodrie?

Fit? Aiberdonians throwin' coins awa? Ye're jokin'.

An' 'at same ref is ga'n' tae referee the Cup final atween Rangers an' Celtic. Div you think 'at's a good idea?

Weel, I dinna think they should ha'e a ref at a'. Jist let them get on wi't. In fact, efter five minutes I would tak' awa' the ba', an' see foo lang it is afore they notice.

Onywye, ye're awa' tae Pittodrie this efterneen, are ye, for mair torture? Wid ye like a cup o' tea afore ye ging?

No, thanks. I'd better nae ha'e onything tae drink afore the match. 'At's fit the problem wis last wik in Glesca. Mind you, it wis either Sky TV's fault for insistin' on a five-past-six kick-off, or the fitba' administrators' fault for agreein' til't jist for the money. It left the peer fans wi' naething tae dae on a Sunday efterneen but get stoned oot o' their skulls. But it's them that gets a' the blame. I mean, blamin' the crowd trouble on the crowd! There's nae justice.

Spikkin' aboot justice, will justice ever be done tae Mallory?

Fa?

Mallory.

CAPTAIN Mallory? The Dad's Army mannie?

Nae Mannering. Mallory.

Oh, the boy that wis lost on Mount Everest in 1924. An' his body's jist been found?

Aye. Will justice ever be deen tae him? If he did reach the tap will it ever be proved? 'Cos 'at wid mak''im the first tae reach it.

If he did reach it, he did it in a tweed jacket an' hob-nailed beets — a triumph of British amateurism, Bunty.

Mind you, if he hidna been sic an amateur, he micht hiv come doon again.

Onywye, the spirit o' Mallory wis abroad in the early hoors o' Friday mornin', efter the Labour Party post-election thrash in the Richard Donald stand. Frunkie Webster hid hid a good skite, an' he says, "I'm ga'n' tae climb the Broad Hill." "Why?" says Anne Begg. An' Frunkie says, "In the words of Mallory, 'because it's there'".

An' did he climb it?

No. He couldna find it. Did I mention that he'd hid the odd drink? Weel, I'm afraid, Bunty, that the man that set oot tae climb the Broad Hill because it wis there, gave up fan he got tae far he thocht it wis an' found it WISNA there.

'Ye ken me – I'm nae a vindictive man'

FAR'S the paper?

Here it is. Mair speculation aboot fa's ga'n' tae be the Dons' new manager. Ye're nae ha'ein' a go for it yersel' this time, are ye?

Nae fear. I applied for it fan Fergie left, mind? An' I never even got an acknowledgement. So they hid their chunce. An' they didna tak' it. It's their ain fault if things his went doonhill ever since Fergie went awa'.

Fit wye div ye think ye never even got an acknowledgement?

'Cos they didna think I wis good enough, so they gi'ed me the go-by. An' look fit happened. Serves them richt.

For ony sake, ye're soundin' like Dennis Canavan.

I mean, ye ken me — I'm nae a vindictive man. I'm nae a man tae nurse a grudge. But if I wisna good enough 14 years ago, they needna think I'm ga'n' tae come back like a knight in shinin' armour tae rescue them noo. Stewartie Milne can get doon on his knees tae me if he likes — he can plead, he can prig, but he can stuff his job. I'm nae ga'n' tae tak' it. The directors may very weel see me as the saviour o' the club, but...

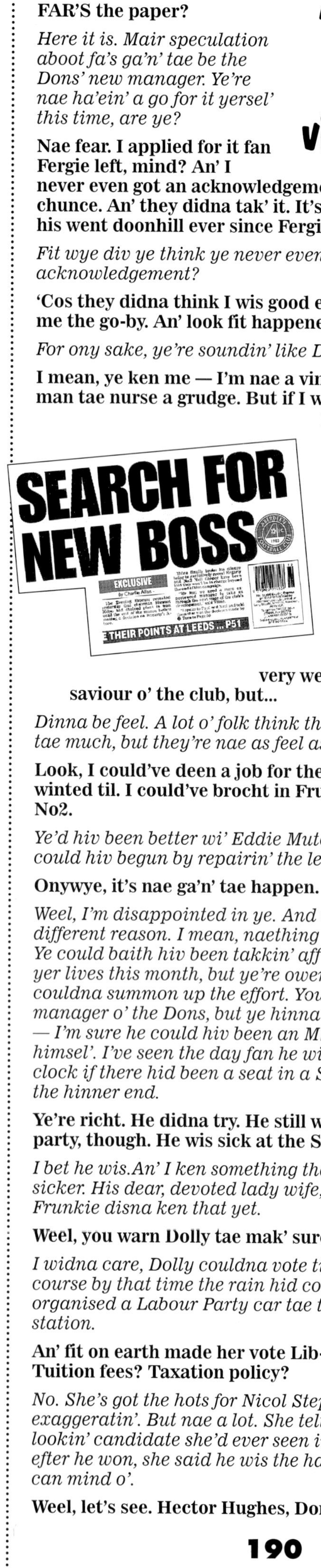

Dinna be feel. A lot o' folk think the directors is nae up tae much, but they're nae as feel as that.

Look, I could've deen a job for them at Pittodrie if I'd winted til. I could've brocht in Frunkie Webster as my No2.

Ye'd hiv been better wi' Eddie Mutch. He's a plumber. He could hiv begun by repairin' the leaks in the defence.

Onywye, it's nae ga'n' tae happen. I'm nae ga'n' tae apply.

Weel, I'm disappointed in ye. And in Frunkie, for a different reason. I mean, naething venture naething win. Ye could baith hiv been takkin' aff in a new direction in yer lives this month, but ye're ower idle, the pair o' ye. Ye couldna summon up the effort. You could hiv been the manager o' the Dons, but ye hinna applied. An' Frunkie — I'm sure he could hiv been an MSP if he'd bothered himsel'. I've seen the day fan he wid hiv worked roon' the clock if there hid been a seat in a Scottish Parliament at the hinner end.

Ye're richt. He didna try. He still worked hard for the party, though. He wis sick at the Sooth Aiberdeen result.

I bet he wis. An' I ken something that'll mak' him even sicker. His dear, devoted lady wife, Dolly, voted Lib-Dem. Frunkie disna ken that yet.

Weel, you warn Dolly tae mak' sure he never dis.

I widna care, Dolly couldna vote till the evenin', an' of course by that time the rain hid come on, so Frunkie organised a Labour Party car tae tak' her tae the pollin' station.

An' fit on earth made her vote Lib-Dem? Wis it Kosovo? Tuition fees? Taxation policy?

No. She's got the hots for Nicol Stephen. Oh. I'm exaggeratin'. But nae a lot. She telt me he wis the best-lookin' candidate she'd ever seen in 40 years o' votin'. An' efter he won, she said he wis the handsomest MP that she can mind o'.

Weel, let's see. Hector Hughes, Donald Dewar, Iain

Sproat, Gerry Malone — the competition's nae exactly fierce. But come on, Bunty. The good looks or otherwise o' the candidates — it's hardly a major political issue tae feel really strongly aboot.

It is for Dolly. In fact it's the strongest she's felt aboot onything since Frunkie inveigled her intae politics. I mean, Nicol Stephen is her new idol. An' it couldna hiv happened at a better time, 'cos she's jist lost her favourite film star, Dirk Bogart.

Bogarde.

There's nae need tae be vulgar, Dod.

But fit ye're tellin' me is crazy, Bunty. It's like fan the suffragettes wis fechtin' for the vote. Their opponents said the flappers widna ken fit tae dae wi't — they wid jist vote for the best-lookin' candidate.

Weel, it's as good a reason as ony tae vote for somebody. It's a lot better than listenin' tae fit a politician SAYS. Ony politician.

But the Scottish Parliament's ga'n' tae be different, Bunty. I'm gettin' quite excited aboot it. I find mysel' thinkin' aboot it. I never think o' the Westminister Parliament noo. Nae much, onywye.

I never did think much o' the Westminister Parliament.

But ye're happy enough wi' the Scottish Parliament? I mean, ye ken fit's ga'n' on. Ye ken the wye it works?

Aye. I'm happy enough. I'm nae keen on a' that new initials, though.

Initials? Fit initials?

Weel, a member o' the new parliament is an MSP. A Scottish Nationalist member is an SNP MSP. A 70-year-auld Scottish Nationalist member is an OAP SNP MSP. An' if he's a former general practitioner, he's an XGP OAP SNP MSP. An' if—

A'richt, a'richt! Is there onything else botherin' ye?

Aye. Fit wye wis there sae few Labour candidates got in? I mean, they hid 53 oot o' the 73 first-past-the-post seats. But they didna finish up wi' a majority. They only got three seats aff the top-up list. Fit wye dis 'at second vote work?

I've nae idea, Bunty. An' I dinna ken onybody that dis.

Somebody must ken. I mean, Tony Blair — HE must ken.

Bunty, I dinna think he dis. 'Cos if he hid kent he wid hiv nipped the 'hale thing in the bud, an' fit happened last wik wid never hiv been allowed tae happen. I bet there's never nae second votes in England.

Saturday, May 22, 1999

'Kevin's got a short fuse at the best o' times.'

FAR's the paper?

Here it is. It looks as if I've got awa' wi't.

Got awa' wi' fit? Fit ye spikkin' aboot?

The incident last Sunday, fan Mrs Robb next door thocht there wis something terrible happenin' in oor hoose an' phoned for the bobbies.

Oh that, Dinna worry aboot it, Bunty. It's a' past an' deen wi'.

It micht hiv got intae the paper, ye ken. Fit an affront 'at wid hiv been.

Weel, it HISNA got intae the paper. An' if it hisna got in by this time, it's never ga'n' tae be in. So ye can forget aboot it, Bunty. Mind you, it'll maybe be a lesson tae ye.

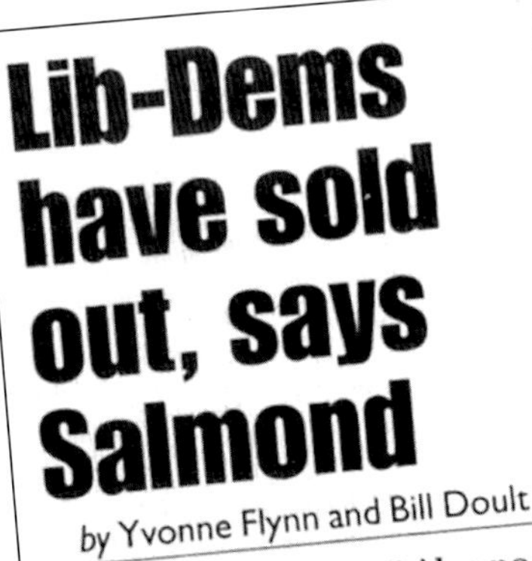

Lib-Dems have sold out, says Salmond

by Yvonne Flynn and Bill Doult

LABOUR and Liberal Democrats today signed a historic coalition to govern Scotland.

But before the ink was dry on the history-making document the deal was condemned as "a stitch-up".

Oh, it will, it will. I promise.

I mean, I've warned ye afore, ye get ower involved in yer soap operas. Coronation Street's only a story.

I ken. But on Sunday, fan 'at nesty Greg Kelly wis huddin' Sally an' her bairns hostage, I couldna help mysel'. Sally wis bein' sae feel. She jist needed tae unlatch the front door an' Kevin wid hiv got in an' wiped the floor wi' Greg Kelly.

Weel, Kevin's got a short fuse at the best o' times, I'll grant ye that. But there wis nae pint in you shoutin' at the TV set. Sally couldna hear ye. But ye were makkin' sic a racket, the wifie Robb could year ye. An' nae wonder she wis alarmed. Through a' the yellin' an' screamin' she could hear your voice shoutin', "Open the door! Open the door! 'Ken 'is, Sally, ye're hopeless. I could murder ye." 'At's fit ye said, Bunty. An' 'at's fit Mrs Robb heard.

Weel, I wis really annoyed wi' Sally. She can be richt feel sometimes.

Maybe so. But the result is we're the spik o' the steamie: "Did ye hear aboot Dod an' Bunty? It must've been pretty bad. Shoutin' an' screamin'. The bobbies up an' a'thing." An' of course, it's me that's the prime suspect. A' the boys at the Bilermakkers' hid heard aboot it an' they widna believe me fan I telt them it wis a' Sally Webster's fault.

Weel, I'm jist gled it hisna been spashed a' ower the papers.

Bunty, the papers hiv got far mair important stories tae print — like the new Scottish Cabinet a' comin' fae the central belt.

I ken. Fit's Frunkie Webster sayin' aboot 'at?

Weel, he's a bit disappointed —

Dis he approve o' Donald Dewar's coalition wi' the Lib-Dems?

Weel, he disna mind 'at. He says it'll help tae move the Government tae the left. Bein' a' Leninist-Trotskyite by philosophy, 'at suits him.

Did ye like Alex Salmond's crack aboot Jim Wallace sellin' oot for a deputy's star.

Nae bad. Mind you, I dinna think it's richt for the leader o' Scotland's party tae imply that the Scottish Parliament is a cowboy outfit.

I'll tell ye I'm gled David Steel's Presidin' Officer. I've aye liked him. Mind you, on the openin' day I didna like the shirt he wis wearin'.

The imperial purple wi' the white collar?

Aye. 'At kind o' shirt went oot o' fashion years ago.

I ken. Mind you, it wis maybe a link wi' history, Bunty. That kind o' shirt is 'at much oot o' date, it could well hive been the kind o' shirt that wis worn by the Presidin' Officer fan the Parliament was adjourned in 1707.

I wis readin' that Tony Blair's quite happy wi' the wye things are ga'n' in Scotland. He said Donald Dewar wis a "safe pair of hands". Fid dis 'at mean?

It's a cricketin' metaphor, Bunty. But 'at's typical Tony Blair. All things to all men. He spends two minutes declarin' the cricket World Cup open an' suddenly he kens a' aboot it.

Did Tony Blair declare open the cricket World Cup?

Aye. I mean, for once we'd hiv been better wi' John Major.

It's great Scotland bein' in the cricket World Cup along wi' a' the big teams, is it? It must be a great experience for the Scottish lads. But did ye see the mither' of the Scottish cricket captain wis really annoyed — weel, she wis flamin' actually — 'cos fan Scotland wis playin' Australia there wis a lot mair coverage o' the ither match that wis on, an' her son played a good innin's but she never sa' neen o't.

The same thing happened tae my mither the very first time I played cricket for the 45th BB at the Stewart Park. I opened the battin' but she wis five minutes late for the start o' the match, an' she missed the 'hale o' my innin's.

Foo mony did ye mak'?

Three. I wis top score, though. She wis able tae bask in the reflected glory o' that. We were a' oot for 12, an' the match wis a' ower in half an hoor. It wis the first game o' cricket my mither hid ever seen an' she wis delighted. She'd already seen me playin' fitba' for the school, an' she said tae my da later, "I prefer cricket tae fitba' — it disna lest near as lang."

George Salmond.

Eh?

George Salmond. 'At's his name. The Scottish cricket captain.

Salmond? So that's twa Scottish leaders ca'd Salmond.

Spikkin' aboot names, ye ken fan we were spikkin' aboot Coronation Street. I said Sally Webster could be richt feel sometimes?

Aye.

D'ye think she's maybe related tae Frunkie?

Saturday, May 29, 1999

'Am I gain' tae renew my season ticket?'

FAR's the paper?

Oh, ye ARE awake, are ye? Ye've been sittin' there for the last five minutes starin' intae space, nae sayin' a word.

I've been thinkin', Bunty. I've been ponderin' the great unanswerable question o' the universe.

Fit — the meanin' o' life? Fit's it a' for? Is there a God? Is there a life hereafter? That kind o' thing?

Naething as simple as 'at. My problem is — am I ga'n' tae renew my season ticket at Pittodrie next season?

Ah, weel. There's a lot o' folk in Aiberdeen wonderin' aboot 'at. A lot mair than there is wonderin' aboot the meanin' o' life.

Weel, there's fower or five o's ga'n tae be meetin' at Matt Sinclair's hoose this efterneen tae hammer oot wir policy for next season.

An' it jist so happens Matt's got Sky TV, so ye can watch the Cup Final.

We're nae ga'n' tae watch it, Bunty. We're ga'n' tae leave the TV switched aff. We'll be sittin' lookin' at a blank screen as a gesture of protest.

A protest at Aiberdeen nae bein' in the Cup Final?

A protest at Aiberdeen lookin' as if they'll never be in the Cup Final again. It's a pretty futile gesture, 'cos naebody can see us. I mean, we're a' still loyal. We're desperate tae dae something tae help, but we jist feel helpless. An' things is really bad, Bunty. We've jist finished the season wi' a 5-2 home defeat, morale's at an all-time low, an' there's nae manager in post tae try an' start plannin' the recovery.

ALEX Ferguson admitted nothing can top the Treble after Manchester United won a sensational Champions' League Final to make football history.

United scored twice in stoppage time to beat Bayern Munich 2-1 in the Nou Camp in one of the most dramatic finishes to a game of football.

United are the first English side to win the Champions' League, Premiership and FA Cup in one season and boss Ferguson admitted they will never better this achievement.

But surely it's nae a' gloom an' doom. Stewartie Milne wis sayin' in the paper that progress is bein' made. An' wis last Sunday at Pittodrie nae a good day oot? Ye came hame an' said the sun hid been shinin', the Don wis in their new designer strip, there wis a pipe band, there wis young lassies daein' their cheer-leader routine, there wis a penalty shoot-out for young loons at half-time, an' there wis a prize draw wi' a chunce o' a bike or a thoosand quid. 'At a' sounds great. Is 'at nae progress?

Bunty, ye can keep a' that rubbish. Jist gi'e me a cauld rainy day an' the Dons playin' in ony auld strip an' winnin' 1-0 wi' a last-minute own goal. Now that wid be progress.

Dod, ye've got tae move wi' the times. Modernisation's the name o' the game.

No, Bunty. FITBA's the name o' the game. We a' ken we canna expect tae get back tae the glory days o' the 80s —

Ach, you're aye harkin' back tae the past. Fit wis sae special aboot the 80s?

We won the League three times, the Scottish Cup fower times, the European Cup winners Cup an' the European Super Cup.

But APART fae that?

Bunty, that's a joke in very poor taste. Ye're spikkin' tae an eence proud man that's in the final stages o' physical an' spiritual decline.

Maybe things'll improve at Pittodrie fan the new chief executive's appointed. Did ye see the advertisement in the paper?

Aye. Fan I read the floo'ry description o' the job an' the 'hale rigmarole o' personal qualities that the guy they're lookin' for his got tae ha'e, my first reaction wis: "They're ower late. Churchill's deid." They're nae tryin' tae win the Third World War. They're jist tryin' tae win a few games o' fitba. An' maybe sneak the odd draw against the likes o' Brechin City in the Scottish Cup.

Fit's Frunkie Webster sayin' aboot the advert? His he spoken aboot it?

Aye. "See that advert?" he said. "It's a load o' waffle. Slicin' through the jargon an' the management speak. I wid say they're jist lookin' for somebody tae dae a bit o' spin-doctorin' an tak' the weight aff Stewart Milne. Ken fit I think, Dod? You an' me should write in an' say we're prepared tae accept the post on a job-sharin' basis."

'At wis a good idea. I mean, Frunkie's got a track record o' success as branch secretary — 'at wid be the kind o' leisure-related experience they're lookin' for. An' you've aye funcied yersel' as a spin doctor.

The Alistair Campbell o' the Bilermakkers, Bunty. Onywye, that's fit we did. We wrote in gi'ein' them a' wir details an' suggestin' the job-sharin' idea. An' I'll tell ye, this Melville Craig Group that's handlin' the appointment — they move fast, 'at lot. The day efter Frunkie posted wir application, he got a phone call invitin' us baith tae Pittodrie.

An' did ye ging?

Aye, we went. An' fan we arrived at Pittodrie, a boy in a smart blazer met us an' said: "We don't quite see the two of you as chief executive material, but we're very interested in your job-sharing idea, and have another post that would be suitable for that kind of appointment. If you'd like to take a seat, the present incumbent will come and speak to you."

Very good. An' did he?

Aye, he did. An' fan we saw 'im — fit a bloomin' insult!

Fit wye? Fa wis he?

Angus the bull.

Fit a great idea! Things seem tae be lookin' up at Pittodrie already. An' I've jist hid a great idea mysel. Now that Fergie's won the treble, he's got naewye else tae ging wi' Manchester United. He could come back tae Pittodrie an' ha'e a gentle finish tae his career, managin' the Dons again.

Na, na. Bunty. He's nae up til't. Turnin' roon' this Aiberdeen team wid be a lot mair difficult than winnin' the treble.

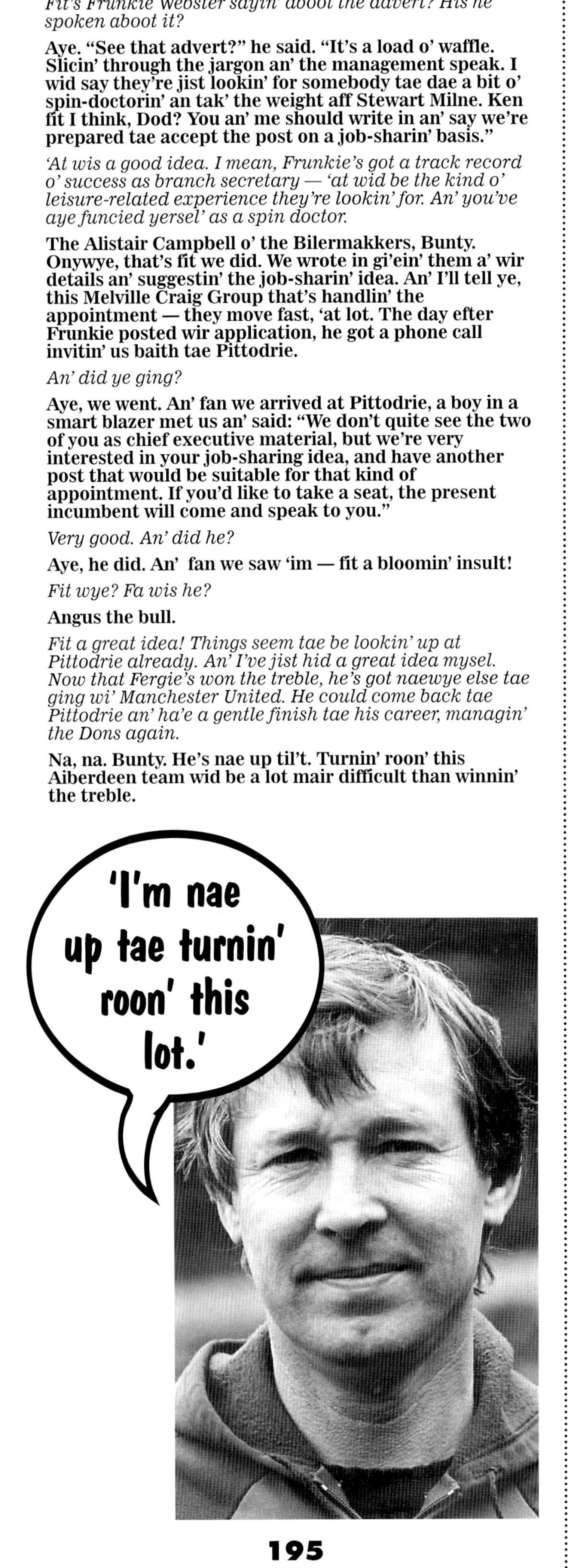

'Schmeichel wid pey for himsel' in nae time at Pittodrie.'

FAR'S the paper?

Here it is. There's some mair aboot the new manager, Mr Skovdahl. Fit wye div ye pronounce his first name? It's spelt E-B-B-E.

Me an' Frunkie Webster hiv formed a view on that. We've decided it must be "Eb", as in "Eberdeen". So 'at's a good omen.

Onyweye, it says the day that it wis him that helped tae launch Peter Schmeichel's career.

I never kent 'at. 'At's brilliant, 'at. I mean, 'is could be the first step in the Dons' revival, Bunty. We a' ken Schmeichel's played his last game for Manchester United. If Ebbe's an aul' freend, fit's tae stop 'im phonin' up Schmeichel an' signin' 'im on for the Dons. 'At wid be a terrific move in his new job. At one stroke we wid ha'e the best goalie in the world an' wir defence wid improve an' a'.

Filling in fans on Skovdahl

WHO IS EBBE SKOVDAHL? The 53-year-old Dane, boss of Danish cracks Brondby.

LEAGUE RECORD? Not bad. Led Brondby to five league titles and three Danish cups.

EUROPEAN FORM? He reached the last eight of the European Cup in 1987 and the UEFA Cup 10 years later. His side were knocked out of the Champions' League group stages this season but not before a stunning 2-1 win over eventual runners-up Bayern Munich.

ABERDEEN CONNECTIONS? Steered Brondby to a 2-0 win over the Dons at Pittodrie in the 1996 UEFA Cup. Later sealed the victory with a 0-0 draw back in Denmark. He was linked with the boss' job at Aberdeen when Alex Miller quit.

CELEBRITY CHUMS? Uncle of Danish football's famous Laudrup brothers, reportedly mates with Rangers manager Dick Advocaat and helped to launch Manchester United hero Peter Schmeichel's career.

Fit wye?

'Cos they'd be feart tae mak' the kind o' mistakes they made a' last season. Schmeichel used tae gie the Manchester United defence an affa rollickin'. Hiv ye noticed watchin' Manchester United on the TV' at loon Gary Neville aye looks...

Apprehensive?

Nae sae much apprehensive. Mair scared stiff. At's 'cos he eence got a row fae Schmeichel for unnecessarily gi'ein' awa' a throw-in.

Ye're haverin' as usual, Dod. Aiberdeen could never afford Schmeichel.

Of course they could. He wid pey for himsel' in nae time. If we hid Schmeichel, it wid double the gates for a start. Weel, I wid stop MY ditherin'. I wid certainly renew MY season ticket.

Awa', ye ba'-heid. Trust you tae come up wi' some wild hare-brained idea that's never ga'n' tae get aff the grun'.

Look, in the modern game ye've got tae thing big. Fit wye d'ye think Alex Ferguson's been sic a success?

Richt enough. I see there's some word o' Tony Blair wintin' Fergie tae help the Labour Party in the European elections. Fit d'ye think o' that?

I dinna think Fergie should jist HELP. I think he should be in complete charge — o' the 'hale country. He should jist say tae Blair: "Move ower, Tony. Mak' wye for somebody that kens fit he's daein'."

Look, can we spik aboot somethin' else? We seem tae spik aboot naethin' but fitba' these days.

Fair enough. Fit'll we spik aboot? Cricket? Scotland lestin' one day langer than England in the World Cup?

No, no. Nae fitba'. Nae cricket. Ye've never really telt me aboot the experience you an' Frunkie hid in Belmont Street last Friday.

Weel — thanks for remindin' me, Bunty. Last Friday me an' Frunkie Webster wis walkin' alang Belmont Street...

Fit wis ye daein' there?

Weel, there wis a rumour ga'n' aboot that Ma Cameron's wis fa'in' doon. Can ye imagine? Ma Cameron's, a hostelry steeped in history, the venue o' Frunkie's feet-washin'? Weel, we thocht there micht be a closin' doon sale o' the stock at bargain prices, but it wis a false alarm — it's nae fa'in' doon, it's ga'n' tae be a' richt.

Onywye, there we were, Frunkie an' me, in Belmont Street on wir wye tae Ma Cameron's fan we spotted this blokie lyin' face doon on the pavement in the poorin' rain.

Oh aye, I read aboot 'at in the paper.

I says tae Frunkie: "Div you see fit I see?" An' he says: "Aye". An' I says: "Fit'll we dae?" An' he says: We're nae ga'n' tae dae naething. I ken 'at boy. He's an Evening Express reporter. An' ye ken fit journalists are like. They a' tak' a helluva bucket. It's fit's ca'd an occupational hazard. I wid say 'at boy is quietly recoverin' fae an' almighty thrash tae celebrate the end o' a particularly powerful piece o' investigative journalism. So I dinna think we should disturb 'im. I've heard that a sleepin' Evenin' Express reporter is like a sleepin' tiger. They can baith be really vicious if they're suddenly wakkened up."

So ye jist walked past 'im.

Nae only that. We warned a'body else that wis walkin' in Belmont Street nae tae ging near 'im in case he turned nesty. So the Evenin' Express's conclusion aboot Aiberdonians bein' callous an' uncarin' wis a wee bittie wide o' the mark.

I dinna think it's richt for the paper tae set up a thing like 'at. In a wye they were tryin' tae entrap the Aiberdeen public intae a display o' callousness in the same wye as the News o' the World entrapped the English Rugby captain. Fit's his name again? Doolally.

No, no. Is Doolally nae the cloned sheep that's growin' auld afore her time? The name you're lookin' for is Dallaglio.

Eh?

The England Rugby captain. He's Dallaglio. He's nae Doolally.

Weel, he certainly wis fan he wis spikkin' tae that reporter dame. I mean, that things that he telt her he hid deen — if he did dae them, he's a crook; if he didna dae them, an' he wis jist braggin', he's feel.

But it's affa fit the tabloids get up til. If ye're a celebrity an' they're oot tae get ye, ye've nae chunce. I mean this past wik wis a field day for the tabloids. Dallaglio, Sophi Rhys-Jones, Lenny Henry, Ian Botham — it's nae a' fun being' a celebrity.

Aye, if ye're a real celebrity. It's nae sae bad if ye're an ordinary person gettin' yer regulation 15 minutes of fame.

Aye, like the Aiberdeen boy that wis fined five hunner quid, twa or three wiks ago, for attackin' Andy Cameron fan he wis singin' tae the Rangers fans at Ibrox. Of course I think he wis badly advised, 'at bloke. A' he needed tae dae wis say he wis a music-lover, an' tryin' tae stop Andy fae singin' — weel, ONY music-lover wid hiv deen the same.

FAR'S the paper?

Here it is, There's a page that says: "European election reports." Fit's a' that aboot?

Weel, it's a' the results in the European election that we hid on Thursday.

An election on Thursday? Fit ye haverin' aboot?

'Frunkie thocht he wid cheer up the officials wi' a wee joke.'

Last Thursday, Bunty, the 10th of June, 1999, the people of this great democracy had the opportunity tae exercise their right tae vote — a right that wis focht for at great personal cost by Mrs Pankhurst and ithers — on this occasion tae return representatives tae the European Parliament.

Weel, naebody telt me.

For ony sake, Bunty.

Wis there onything in the paper aboot it?

● LONE VOTER: There was no rush to the polls today at Broomhill School, Aberdeen. *Picture by MIKE STEPHEN*

EU voting fails to set N-east alight

Onything in the paper aboot it? Of course there wis. Weel, I think there wis. Or wis there? If there wis, I canna mind fit it said exactly.

But you kent aboot it?

Aye, Frunkie Webster spoke tae me aboot it.

Weel, he wid. He's a political animal, Frunkie.

Mind you, even Frunkie didna ha'e a lot tae say aboot it, but at least it wis enough tae let me ken aboot it. So I went alang an' voted afore I went awa' on the veterans' bools an' darts outin' tae Macduff.

An' afore ye left ye never thocht tae remind me tae ging an' vote? Thanks very much.

I did remind ye. Jist as I wis leavin' the hoose. I shouted back tae ye: "Dinna forget tae vote."

Oh, I thocht ye said: "Dinna forget yer coat," an' I thocht tae mysel', "Aw he kens I'm ga'n' oot later an' he's seen the weather forecast. He really dis care aboot me." I should've kent better. Mind you, if I HID kent aboot the election an' I'd went tae vote, it disna sound as if there wis much danger o' me bein' knocked ower in the rush.

Nae danger at a', Bunty. Weel, fan I went intae the pollin' booth, the wifie that hands ye yer ballot paper an' the boy that scores yer name aff the roll wi' his ruler were baith sleepin'.

Sleepin'?

Aye. Business hid been 'at slack, they'd dozed aff. I hid tae chap on the table an' say: "Shop!"

An' did 'at dae the trick?

Aye. They baith woke up, an' they were very apologetic. "Sorry, sir" says the boy. "My colleague, Mrs McPherson and I, we baith hid tae be up affa early this

mornin' tae get here in time, and' we hinna hid nae customers for the last 40 minutes. So it's nae surprise we fell asleep." I says til 'im: "Weel, dinna let it happen again. It widna look good if een o' that tabloids got tae hear aboot it. I can jist see the story noo: "Election officials discovered sleeping together in polling station!"

Did 'at pit the wind up them?

Nae really. The wifie says, "Wid ye hurry up an vote. Us fa'n' asleep his been a real disaster. We're 10 minutes late for wir tea break."

Weel, fae fit the paper says, 'at pollin' station wis fairly typical.

Aye. Fan Frunkie Webster arrived at HIS pollin' station, there wis nae ither voters there, so Frunkie thocht he wid cheer up the officials wi' a wee joke.

The mind boggles. Fit did he say?

He says: "Bonjours, messieurs. Est-ce que je suis arrivé à l'election Européen?"

I didna ken Frunkie could speak French.

Weel, he canna really. But he picked up a smatterin' o't years ago, fan he wis a regular patron of the aul' Playhoose Cinema in Union Street, in the days fan it showed minority continental art movies.

Ye mean mucky foreign picters? So fit did the mannies in the pollin' station say fan Frunkie spoke tae them in French?

Weel, pit it this wye, their response indicated fit ye wid hiv expected — that Frunkie's attempt at a witty sally hidna cut nae ice wi' them. Een o' them said: "I'm sorry, sir, neen o' the pair o's understands ye. But if ye hud on, we'll get the jannie — he speaks Gaelic."

Onywye, there wisna muckle interest at' at pollin' station, either?

No. I mean, there wisna muckle interest onywye. In fact here's a riddle, it's a multiple choice question. In which of the following events do the British people have the LEAST interest? — (a) the European election, (b) the Edward-Sophie wedding, or (c) the Lib-Dem leadership battle.

Oh, 'at's nae fair, Dod. 'At's far ower difficult. I mean there's naething in it. I wid say it wis a deid heat.

Which is the richt answer. Weel deen, Bunty. Move up two places.

Gettin' back tae yer experience in the pollin' station, did the hard-pressed officials get their tea?

They got mair than their tea. The boy says, "We're nae busy. We're nae even steady. I think I'll nip across tae the corner shoppie for twa butteries." An' I said — my voice heavy with sarcasm — "I think ye should. I mean, it IS you that's responsible for the electoral rolls."

Saturday, June 19, 1999

'Fit wye should you get the good o' Faither's Day, Bunty?'

FAR'S the paper?

Here it is. Ha'e a look at the restaurants that are advertisin' a special lunch deal for father's day an' decide fit een ye wint tae ging til. The bairns hiv been in touch — they're ga'n' tae club thegither the morn an' tak' us oot.

Tak US oot? Are you gettin' yer lunch as weel? Fit wye should you get the good o' Father's Day? You're nae a faither.

No, an' it widna bother me if I didna get nae lunch. But it's nae often I get the chunce tae see baith the bairns thegither nooadays.

Bairns! They're nae exactly bairns, Bunty. Gary's 40 this year, an' Lorraine's 37.

They're still MY bairns. Even though they've got bairns o' their ain noo.

Correction, Bunty. Lorraine's got bairns o' her ain — Elspeth an' Bobby. Gary's got a bairn o' his ain — Tracy Regina.

Ah, but 'at's the ither bit o' family news, Dod. Michelle's pregnant again. Her an' Gary are ga'n' tae he' anither bairn. Early next year.

Never! Michty, 'at's a shock! I mean, I'm delighted, but it's a bit o' a stammygaster. Tracy's 13 past her birthday in April. There'll be nearly 14 years atween her an' the new bairn. Gary an' Michelle dinna hing aboot, div they? I hope this een's a loon.

It is.

Eh?

It IS a loon. Michelle's hid a scan.

Is 'at richt? An' fit can ye see in a scan?

Ye can see enough tae ken this bairn tak's efter his granda.

A TRIUMPHANT William Hague today warned the Labour party to take heed of last night's devastating European election results and stop trying to "bounce" the British people into ditching the pound.

An' ye said it wis ga'n' tae be early next year. Div ye mean VERY early next year? I mean VERY, VERY early next year, like the first o' January? Is it ga'n' tae be a millennium baby?

Weel, it could be.

'At's fantastic. So he could be the first bairn born in Aiberdeen in the year 2000. I wonder if they'll ca' him efter me. 'Cos then he wid ha'e exactly the same name as me, an' my name wid be the first new name in Aiberdeen in the next millennium.

Sorry, Dod. He's nae ga'n' tae be ca'd efter you, an' it's yer ain fault. It wis you that took Gary tae Pittodrie every wik fan he wis a young loon. He's even mair Dons daft than you, so it's nae surprise he's ga'n' tae ca' his loon efter a Pittodrie legend. They're ga'n' tae ca' 'im William.

Fair enough. But I hope there's room tae pit in his birth certificate that he's ca'd efter Willie Miller an' certainly nae efter William Hague. Did ye see he's hid a redd-oot o' the Shadow Cabinet? He's promoted a few new hard men.

Like Ann Widdecombe? Ken 'is Dod? I read the names o' a' the new boys in the Shadow Cabiner — an' I'ver never heard o' neen o' them.

Weel, ye canna get much mair Shadowy than that. They're a' shadowy figures, an' maist o' them are Uro-septics.

Oo, 'at sounds nesty. Should they nae be seein' aboot

that?

So its a' been comin' thegither for wee Hague this wik. 'Cos the Tories hid a triumph inthe European elections, by focusin' on a single issue — do we want to save the pound?

Weel, 'at disna really affect me. We've never managed tae save ONY pounds.

No. We've never even managed tae tak' care o' the pence.

So did you say the Tories hid a triumph in the European election? Wis there onything aboot it in the paper?

Weel, there wis. Roon' aboot page 9 on Monday nicht.

Election results on page 9? Fit kind o' election wis that?

Weel, exactly. 'At wis the problem aboot the European election. There wisna muckle coverage AFORE it. There wisna muckle coverage EFTER it. An' there wisna muckle interest DURIN' it.

I ken. Even Tony Blair seemed tae be chappin' on this een. He'll be bringin' back Peter Mandelson tae rin the show next time.

Yes, Bunty. Apathy ruled. Fan it comes tae Europe, I think of the immortal words of George Gershwin:

"It's very clear

Apathy's here to stay

Well, this year it is.

Not for a year

So foo lang then?

But ever and a day

Next time I think we'll see Tony

Gi'e Mandy a phony

And say: "Peter, show the way.

Or — apathy's here to stay."

Hud on, Dod. Did you say: "The immortal words of George Gershwin?

Aye

Weel, ye're wrang. I wis readin' a magazine in the hairdresser's — it wis last year's an' there wis an article aboot George Gershwin in it cos last year wis his centenary. An' George Gershwin wrote the music. It wis Ira that wrote the words.

Of course. Stupid of me. Ye're absolutely richt, Bunty. A wonderful song-writin' team, the Gershwins — George and his lovely wife Ira.

Ira wis George's brither, ye dumplin'.

Is 'at richt? Weel, ye're aye learnin'. I aye thocht the Gershwins wis a happy mairried couple. Like wirsels. Ken? Dod'n'Ira.

Saturday, July 3, 1999

FAR's the paper?

Dinna ask me. Ye'll ha'e tae find it yersel'. I'm settlin' doon tae watch the tennis.

I can see that. That's fairly a Wimbledon special take-away ye've got there: a plate o' stra'berries an' cream, an' — oh, but I'm nae sae sure aboot the corned beef sandwich.

> **'I widna be surprised if I wis big-brained.'**

Fit's wrang wi' the corned beef sandwich? This could be a lang match.

I ken, but — weel, it's jist that I dinna associate the Duchess o' Kent wi' a corned beef sandwich, and as a regular Wimbledon-goer she wid ken the form. She should be yer model, Bunty.

> ANDRE Agassi today predicted Pete Sampras can continue winning Wimbledon titles for as long as he feels like it.

Weel, I like the Duchess o'Kent, she's aye sae immaculate, is she? But we canna be sure she hisna got a corned beef sandwich in her handbag. An' even if she hisna, I've made mysel' een, an' hey — naebody's ga'n' tae see me eatin' it.

Fair enough, Bunty. I wis jist anxious ye didna commit ony social gaffes. Wimbledon's got its ain rules, ye ken.

Thanks very much. I've noticed you've been watchin' mair o' Wimbledon this year than ye usually div. Of course, it's maistly the weemen's matches you've been watchin.

Aye, weel the men's matches are a' crash, bang, wallop, wi' the big service dominatin', ken? The weemen's game is mair skilful, mair graceful, mair...

Sexy? Dinna tell me ye hinna liked some o' the outfits.

Bunty, I've scarcely noticed them.

Weel, there's nae a lot o' them tae notice in some cases. But maybe the men's game'll be mair entertainin' eence they start usin' the new kind o' ba's.

New kind o' ba's? Fit d'ye mean?

Weel, somebody's invented a new kind o' tennis ba'. Apparently it's jist that bittie lighter than the present een, an' it'll tak' some o' the steam oot o' the big serves. 'Cos ye're richt, it dis get a bittie monotonous if the big serve dominates a' the time.

D'ye mind awa' back fan we wis young an' we played tennis at the Westburn Park. The service wis a'-important fan oor crood played tennis.

'At's richt. Except it wis the opposite o'Wimbledon. Wi' us, naebody could get their service IN. The service WIS all-important — faever wis servin' LOST the game. If ye managed tae hud on tae yer service once, that usually meant ye won the set.

Happy days, Bunty. I used tae enjoy the apres-tennis as weel. Nae a' the love games at the Westburn Park wis played on the tennis courts.

Dod! Behave yersel'!

Ah, so you mind an' a'.

Fit d'ye mean?

You jist said: "Dod, behave yersel." That wis the cry that frequently rang oot in the Westburn Park. An' nae jist fae you, Bunty. But I'm glad that you remember it fondly as weel.

For ony sake. If ye ask me, you've got 'at kind o' thing on the brain.

Weel, there's plenty room for it. I reckon I've got a big brain. I wis readin' somewye that Einstein's brain wis preserved efter he dee'd, an' they've examined it recently an' discovered it wis a lot bigger than the average human brain. I widna be surprised if I wis big

brained an' a'.

Big brained? You? Big heided, mair like.

Einstein wis a genius. But he couldna coont his change, ye ken.

Weel YOU canna coont YOUR change. Fan it suits ye. Like last wik, fan I sent ye oot wi' a tenner for twa fish suppers, an' fan ye came hame, ye gi'ed me 50p back.

Sorry, Bunty. My only excuse is I wis workin' oot my change by applyin' Einstein's famous equation $E=MC^2$, an' it's nae easy, especially fan een o' yer haddocks is standard size an' the ither een's large. I'm nae surprised Einstein hid problems wi' his change. Of course, he wis a keen white puddin' man. sometimes wi' nae chips. He wid hiv needed tae be a genius tae get his change richt every time.

A'body tells ye Einstein wis a genius. I'd be interested tae ken — wis he an only child?

No. He'd a brither. The brither wis a really nesty bit o' work. In fact, he wis a monster.

Fit wis his name?

Frank

Frank Einstein?

I telt ye he wis a monster. Ha, ha! Got ye there, Bunty.

Ye chikky article. But you div seem tae ken quite a lot aboot Einstein. Far aboot did ye pick it up?

I hiv tae confess, I saw a TV documentary aboot 'im. It wis really good. Say fit ye like aboot the TV, it can give you a window on the world.

Oh, aye. I wid never knock the TV. It can be entertainin', it can be educational —

Exactly. It can be educational. Like 'at programme I saw aboot Einstein. I mean, 'at wis a real heavyweight programme. Unfortunately we're gettin' fewer an fewer heavyweight programmes.

I ken, Well the Vanessa Feltz shows been ta'en aff for a start.

Saturday, July 10, 1999

FAR'S the paper?

I've got it here. I'll gi'e ye it in a minute. Here's something for ye tae read in the meantime. It's a postcard fae Lorraine. Fae Greece.

Michty, 'at's quick work. She must hiv bocht it an' sent it as seen as they arrived.

'In some things, Socrates hid the edge on David Beckham.'

Weel, Lorraine an' Alan are very good 'at wye. Very organised. They aye get their postcards deen early. Then they can enjoy themsel's. An' of course the bairns are gettin' aul' enough tae write their ain postcards. They've baith written a bittie on this een.

Let's see. Now is this bittie fae Elspeth or fae Bobby?

It's fae Elspeth.

Fit's she sayin'? "Dear Gran and Grandad. I'm having a lovely time watching Daddy looking at old Greek buildings. Grandad, you once said if you won the Lottery you would take Bobby and me to Disneyland. Keep buying the tickets, Grandad." The peer sowels! Fit a holiday they must be ha'ein'.

> GRANDAD Alfie Tough hit the right note with fellow students when he started university — at the grand old age of 76.
>
> The sprightly fresher decided to start his degree course more than a decade after he retired.
>
> And the now 80-year-old former principal music teacher saw four years of hard work pay off when he graduated with honours from Aberdeen University.

They'll be daein' a' richt. Alan's hired a car an' there's a bonny beach nae far fae their self-caterin' apartment.

Nae far fae far?

Nae far fae far they're bidin'.

I see the picter on the postcard is o' een o' the aul' buildin's Alan enjoys lookin' at. It says it's a temple in the Doric style o' architecture. Built in the 5th Century BC, an' nearly a' the columns are still intact.

It IS very impressive.

Aye. Built twa an' a half thoosand years ago, an' still standin' for the maist pairt. Of how many Stewartie Milne starter homes will that be said in 4,500AD?

Of course the ancient Greeks wis a clever lot, wis they?

Oh, yes. Great men, all of them. Pericles, Aristotle, Socrates —

I thocht Socrates played for Brazil. It couldna hiv been the same een. A son maybe, or a grandson?

Different branch o' the femily a'thegither, Bunty. The Greek Socrates that I'm spikkin' aboot wisna much o' a fitba' player.

Ye mean he wisna exactly the David Beckham o' the Apocalypse?

No, but in some respects, like for example his intellect — and in view of your new-found Manchester United leanings you may find it hard tae believe — Socrates hid the edge on David Beckham.

Did ye read a' aboot the Beckham-Posh Spice weddin'? The thrones, the doves, the icin' figures on the cake, the velvet napkins, the naked statues. If ye could find one word tae sum the 'hale thing up, fit wid it be?

Pass. I've nae idea. But Socrates could've telt ye, 'cos nae doot the Greeks wid hiv hid a word for it.

Hiv ye finished spikkin' aboot the ancient Greeks? Cos if ye hiv, I'll gi'e ye the paper? But tak' care o't. Cos I've promised tae let Dolly Webster ha'e it eence we're finished wi' it.

Fit wye? The Websters get the Evenin' Express.

Nae ony langer they dinna. Frunkie stopped it. 'Cos somebody telt 'im Margaret Thatcher wis ga'n' tae be writin' in it. Every week.

No, no. Nae Margaret Thatcher. Margaret FARQUHAR. Ken 'is? If there's a wrang end o' a stick, Frunkie'll get hud o't. But I applaud the Evenin' Express for gettin' Margaret Farquhar on tae their squad. I hope the Dons seen get somebody as good.

I feel the same. It's ga'n' tae be something worth readin'. I mean, there's some affa stuff in the paper nooadays. Did ye see the bit aboot Malcolm Bruce's new wife. Apparently she wis interviewed in some magazine or ither an' she gi'ed awa' a' the secrets o' their sex life.

I spotted that, Bunty. An' I reflected that Malcolm Bruce wis standin' for the leadership o' the Liberal Party, an' I thocht 'at wisna the kind o' revelation ye wid hiv got fae Mrs Gladstone.

I thocht it wis terrible. Fa wints tae read aboot 'at kind o' stuff? She should be ashamed o' hersel'. Even though she wis complimentary tae Malky.

Complimentary? Patronisin', I wid hiv said. I widna funcy you spillin' the beans aboot my love-makkin' technique tae ony magazine.

Fit magazine wid be interested? Except maybe the Dandy — did ye see it's noo the world's longest-rinnin' comic?

So ye think the Dandy micht rin the story o' oor love life?

They micht.

An' fit wid they ca' it?

Desperate Dod.

I still think the Bruces' love life is their ain business. Naebody's wintin' it splashed a' ower the paper. The paper should stick tae printin' nice stories like 'at boy Alfie Tough gettin' an honours degree at the age o' 80.

Yon wis a lovely story. Apparently he hid been a music teacher at Hilton School. 'At must've been jist efter oor day. I mean, WIS there music at Hilton School in oor day.

Of course there wis. Mony's the time I found mysel' in the heidie's room facin' it.

Hiv ye finished wi' Lorraine's postcard? I wint tae pit it up on the mantelpiece. That aul' Greek temple will gi'e the livin' room a touch o' class.

Aye, here ye go. I see it's postmarked last Setterday, an' they'd jist seen 'at temple. I wis jist thinkin' Alan an' Lorraine micht as well hive been in Aiberdeen. 'Cos there they were, on a Setterday efterneen, ha'ein' a look at a Doric column.

'Patsy Sinclair's aye fancied Ryan Giggs.'

FAR's the paper?

Here ye go. Ye're welcome til't. I've got my OK! magazine tae read.

Ye're nae readin' 'at again, are ye? Ye were readin' it maist o' last nicht.

I wis not. I wis watchin' the Twa Ronnies last nicht.

I didna mean yesterday EVENIN', I meant last NICHT. In yer bed. Ye were still readin' 'at magazine fan I fell asleep. Fit time wis it fan ye pit the licht oot?

I'm nae sure. But the birds were singin' an' I'd jist heard the milk bein' delivered.

For ony sake. An' a' because ye're that ta'en up wi' the Beckham weddin'. I'm surprised at ye Bunty — throwin' yer money awa' on 'at magazine.

I didna throw MUCH o' it awa! The ladies at the boolin' club decided tae ha'e a kitty so's we could buy one copy atween us an' pass it roon'. I got this fae Sadie Mackenzie yesterday, an' I've take pass it on tae Ina Wilson at seven o'clock the nicht.

Michty! It's nae often your boolin' club shows that amount o' plannin' an' organisation. I mean d'ye mind last year's outin' tae Aboyne? On the first Setterday in June? Except fan ye arrived it turned oot ye shouldna hiv went on the first Setterday, it wis the first Sunday.

LAWYERS acting for Scotland football coach Craig Brown were later today expected to serve a £500,000 defamation writ on a Sunday newspaper over allegations he is a religious bigot.

The papers were set to be served on the News of the World, which on Sunday claimed he sang the anti-Catholic song Billy Boys in a message left on the answering machine of a woman friend, Lynda Slaven.

Oh, 'at's richt. Fit an affront!

An' it wisna June ye should've been there, it wis July.

'At's richt. An' worst of a' — which I never let on tae you — it wisna Aboyne, it wis Alford. apart fae that, the organisation wis spot on.

Onywye, nae sic problems wi' the weddin' photies o' the year. Fit wis yer favourite feature o' the nuptials, Bunty?

Weel, first of a' I think they were very wise jist tae ha'e a quiet family weddin', ken? But I did like the burnished thrones they sat on at the reception. 'At wis a nice touch. Unusual, ken?

'At thrones sparked aff an interestin' debate at the Bilermakkers'. Matt Sinclair said: "See 'at thrones they were sittin' on? Fit a nerve they've got. Ye'd think they were royalty". Weel, Frunkie Webster leaps in, full o' egalitarian zeal, an' he says: "I dinna object tae them ha'ein' thrones. OK, they're nae royalty, but they've got far they are by their ain efforts. 'At's mair than ye can say for ony o' the royal family". He wis quite steamed up aboot it.

Hud on. Are you tellin' me the boys at the Bilermakkers' wis discussin' the weddin' photies? Dinna tell me THEY hid a whip-roon' tae buy a copy o' the magazine.

We didna need til. Patsy Sinclair's in your boolin' club, right?

Aye.

Weel the day it wis her shottie tae get the magazine hame, she made the mistake o' leavin' it lyin' aboot far Matt could snaffle it. He whips it doon tae the Bilermakkers' an' we a' get a look at it.

So that's the wye Patsy's wintin' anither shottie o't efter it's been roon a'body. I thocht maybe she wis developin' an unhealthy obsession wi' the young Beckhams. Or maybe wi' somebody else that wis AT the weddin'. She's aye funcied Ryan Giggs. Mind you, sae div I for that matter,

That mak's three o's. Except I funcy 'im playin' on the left wing for Aiberdeen.

No, no, Dod. Nae "on the left wing". Ye mean "wide on the left".

Michty! It's like ha'ein' yer tea wi John Motson. Ken 'is? It's amazin' — nae only did a'body in the country see the European Cup Final, or at least the last three minutes o't — a'body in the country is now an expert on fitba! I mean I'm the een wi' 60 years' experience o' fitba', but overnicht you're the een that's the expert on a' the mair obscure facets o' the game.

I widna claim tae be an expert. But I div ken there's nae sic a thing as a left wing nooadays.

Weel, nae since New Labour got in there's nae. Thought John Prescott's daein' his best, gi'e 'im his due.

I dinna ken aboot New Labour, but Prescott could dae wi' a new haircut. His hair's an affa sicht.

Bunty, to coin an old adage: "haircuts do not a politician make". In ither words, folk are nae pit aff a politician jist because he's got a feel haircut.

Mair's the peety. If folk in Germany hid been pit aff by yon feel forelock o' Hitler's, he maybe widna hiv deen sae muckle damage.

Spikkin' aboot Hitler, fit div ye think aboot the Craig Brown question?

Weel, the question is: dis singin' 'at sang — IF he sang it — mak' Craig Brown a bigot? Fit's 'at got tae dae wi' Hitler?

Weel, durin' the War I learned a sang which suggested that Hitler an' the rest o' the German high heid yins wis a', in one wye or anither, genitally challenged. Ye ken the een — "Hitler has only got — "

I ken the een. Ye sang it at Andy an' May Sharp's golden weddin' last month.

In honour of Andy havin' served wi' Monty in the desert an' May havin' served in the British Restaurant in the New Market. Weel, dis the fact that I'm still singin' that wartime ditty mak' me an anti-German Euro-septic in 1999. I think not, Bunty. I rest my case.

Look, wid ye stop haverin' an' let me get on wi' my magazine. Michty me! Half a million quid 'at weddin' cost. Far did they get 'at kind o' money?

Weel OK! paid them a million for the exclusive on the picters.

An' far did OK! get that kind o' money?

Fae the punters that bocht the magazine. So ye see, it wis ladies' boolin' clubs a' ower the country that footed the bill for Posh an' Becks' happy day.

'There's nae fear o' an Obi-wan Gerrard.'

FAR'S the paper?

Hud on, I'm tryin' tae find the birth announcements. Lorna Gerrard hid her baby last Sunday, an' I wint tae see if the announcement's in yet.

For ony sake, Bunty, if ye ken she's hid the bairn, fit d'ye need tae see the announcement for?

I wint tae see if they've decided on a name yet. I ken it's a wee loon.

Weel, as lang as they dinna gi'e him the name o' a Star Wars character. Moreen Simpson hid a very good article aboot 'at last wik.

Aye. I read that article. But I'm sure Lorna an' Sandy hiv mair sense. I'm sure there's nae fear o' an Obi-Wan Gerrard.

Obi-Wan! Oh, be quiet, mair like. I've nae intention o' ga'n' tae see 'at picter., Bunty. Weel, wi' feel names like 'at. It's nae a real picter at aa' — it jist sounds like a comic strip.

Dolly an' Frunkie Webster went tae see it last wik. The nicht they were in wis the nicht the blokie wis spotted walkin' alang the prom wi' nae claes on.

Oh aye. I read aboot 'at.

An' jist for a laugh, the next day I said tae Dolly: "Hey, you were doon aboot the beach yesterday. Wis 'at Frunkie that wis wanderin' aboot doon there in the nuddy?"

Frunkie in the nude? That WID hiv been a comic strip.

I wis thinkin' aboot Frunkie fan I read the terrible story aboot John Prescott fa'in' oot wi' his faither. 'Cos Frunkie fell oot wi' HIS faither, didn't he?

Aye. Mind you, Frunkie's fa'n oot wi maist folk in his day, so there wis naething special aboot him fa'in' oot wi' his auld man. But it WIS a sad experience for Frunkie. It wis very LIKE the Prescott case — mair ideological than personal, ken?

No, I dinna ken. Explain it tae me.

Weel, Frunkie's faither, aul' Davy Webster, wis an estate worker for Lord Cowdray at Dunecht, an' he enjoyed it fine. He aye voted Tory, an' fan Frunkie began tae develop socialist tendencies, Davy wisna pleased at aa'. But the real crunch came fan Frunkie wis elected oor actin' branch secretary. Weel! Fan Davy learned that his loon wis a major left-wing figure, high up in the councils o' the Trade Union movement, he wis furious.

He saw reid, did he?

He did. Weel, he pit up wi't for a whilie, but ae nicht fan Dolly an' Frunkie were oot at Dunecht for their tea, Davy took Frunkie tae the windae an' pinted oot ower the estate. "Look at that," he said tae Frunkie, "one day all of this could hiv been yours. I never thocht a son of mine wid forget his upper class roots."

It's a funny thing, class, is it?

Aye. An' it'll aye be with us, Bunty. Despite fit John Major AND Tony Blair hiv said aboot wintin' a classless society. Nae a hope. Did you see the picter that wis in aa' the papers recently o' the Queen ha'ein' her fly cup in a hoose in Castlemilk?

Aye. There they were, Mrs McCarron o' Castlemilk, her loon, the Queen an' the lady-in-waitin'.

Aye. We're maybe aa' Jock Thamson's bairns, but there wisna muckle sign o' a common ancestor in that picter.

I ken. Supposed tae be an informal moment — jist a cuppie o' tea in her hand.

An' it WIS jist a cuppie o' tea that the Queen wis hae'in. I thocht she micht hiv ta'en een o' Mrs McCarron's chocolate biscuits efter she'd went tae the bother o' gettin' them oot o' the tin an' settin' them oot. Did ye notice fit kind they were?

I think they were Hobnobs.

Weel, mak' a note tae avoid them if the Queen ever comes HERE for her tea.

I widna gi'e her chocolate biscuits if she came here. I wid dae a bakin'.

Wid ye? Weel, ye wid ha'e tae gi'e the Palace prior warnin' o' that, so that the Royal Food Taster could be brocht alang.

Ye devil! I've never notied YOU huddin' back ony time I dae a bakin'.

No. Fair do's, Bunty. I aye enjoy yer bakin'. I wis hopin' ye wis maybe ga'n' tae dae a bakin' last nicht fan ye went oot o' the sittin' room efter Coronation Street — at's usually fan ye dae a bakin' — so I wis a bittie disappinted fan ye came back cairryin' a great heap o' my socks.

Aye, they're nae sae tasty as my rock cakes. Actually I'd been readin' aboot Bruce Grobbelaar's wife testifyin' that she'd eence found thirty thoosand quid in een o' his socks. Weel, I kent it wis a lang shot, but I thocht I wid jist check oot yours.

Very amusin', Bunty. I tak' it ye didna find ony money in my socks.

No. Very nearly, though. There wis een o' them hid a hole in it the size o' a half-croon. 'At wis the closest I came tae findin' ony money.

It's a funny name, Grobbelaar, is it? Now — gettin' back tae fit we were spikkin' aboot — IT sounds like something oot o' Star Wars.

Ah! Here it is.

Here fit is?

Aw, very nice. The Gerrards' birth announcement. An' they hinna gi'en the loon a Star Wars name. I should've guessed. I mean, ye ken fit Sandy's greatest passion is, an' the bairn wis born last Sunday.

So? Fit hiv they ca'd him?

Paul Lawrie Gerrard.

Saturday, July 31, 1999

FAR'S the paper?

Oh, me. I hid it a minute ago. Far is it? There it is, ower there. An' 'at's wir lottery tickets lyin' on top o't. Watch an' nae loss them. I've a feelin' Aiberdeen's due for a lucky wik. An' it could be YOU-hoo. Or better still, it could be ME-hee.

'At wis a stroke o' luck nae winnin' the lottery.'

Na, na, Bunty. Aiberdeen's jist HID a big win...£3.3million for yon Mrs Emily Low. Lightnin's nae ga'n' tae strike in the same place again. The Berryden bingo brigade hiv hid their quota o' luck.

No, ye're wrang there, Dod. There's jist as much chunce o' somebody fae Aiberdeen winnin' the lottery this wik as there wis afore Mrs Low won it. It's like that auld puzzle: if ye toss a penny a hunner times an' it comes doon heids every time, fit are the chunces o'it comin' doon tails the next time? Weel, it's still 50-50. It disna maitter fit's happened afore. So it's the same wi' the lottery. It disna maitter fit happened last wik or the wik afore. I've still got the same chunce as I ayewis hid.

Luxury cruisers left high and dry

WINDY weather today left Peterhead's Sail of the Century all at sea.

Heavy swells meant that the captain of the QE2 refused to let his 1,500 passengers ashore.

Aye. Nae chunce.

No, no. I've got as much chunce as the next person.

Weel, look fa the next person is. It's me. An' I hinna got nae chunce either.

Ach, Dod, ye're a richt pessimist. I've got a feelin' in my bones this could be oor lucky wik. Fit wid you dae if WE won £3.3million?

Bunty, ye've asked me that question at regular intervals ever since the lottery started.

Weel, you aye tell me it's important tae plan ahead.

Aye, but fan yer basic plannin' assumption is that you an' me are ga'n' tae be three million quid better aff at 8 o'clock the nicht, it kinda tak's the urgency oot o' gettin' crackin' wi' the detailed plannin', ken?

It's nae three million we're spikkin' aboot, it's £3.3million. It's mair urgent than you think.

For ony sake, Bunty!

I ken fit I wid dae if I won the lottery. An' I've changed my mind fae the last time I thocht aboot it. Mind? Fan I said I wid buy a nice hoose in Fountainhall Road. I mean, if we HID deen 'at, fit problems we'd be ha'ein' noo wi' the Park an' Ride. So 'at wis a stroke o' luck nae winnin' the lottery fan 'at wis fit I wis ga'n' tae dae wi't.

Bunty, we could SELL the hoose in Fountainhall Road. An' maybe mak' a profit on it. So dinna worry aboot the Park an' ride. It's nae problem.

'At's typical o' you. I mean, it wis me that wid hiv hid aa' the work tae dae fan we flitted intae the hoose in Fountainhall Road. An' noo we're nae seener intil't but fit you wint tae move tae somewye else, an' I'll hae aa' the work tae dae again.

Bunty, we hinna made the FIRST move INTAE Fountainhall Road, so stop thinkin' aboot the next move OOT o't.

Aa' richt. Onywye, I've changed my mind. I'm nae GA'N' tae buy a hoose in Fountainhall Road. So we winna be movin' oot o't. So 'at's me loused. Nae flittin's, nae work tae dae.

Give me strength!

I wis jist aboot te tell ye fit I WID dae fan we win the lottery.

FAN we win it? I think ye mean "IF we win it".

There ye go again. Pessimistic tae the last. Ye've got tae think positive. Ken fit I wid dae? I wid ging for a cruise on the QE2.

Weel, if ye wint tae spend 20,000 quid on gettin' tae Peterheid, that's your privilege as one of the idle rich. But spik aboot "Easy come, easy go".

Dinna be feel. Ye dinna jist ging tae Peterheid. Onywye, the QE2 passengers didna get in tae Peterheid.

Weel, there ye go. Nae only wid it be marginally cheaper than 20,000 quid tae ging tae Peterheid on the Alexander's bus — the bus wid actually get ye IN tae Peterheid.

It wis a shame the sea wis sae choppy that day. But it wis still a gala day in the Blue Toon. The passengers fae the QE2 maybe didna get ashore at Peterheid, but it didna diminish the local folk's enjoyment.

I bet it didna diminish the PASSENGERS' enjoyment. It widna hiv diminished mine, nae gettin' aff at Peterheid.

So are you like me? Wid you enjoy a cruise on the QE2?

I wid love it. 'Cos I used tae love 'at scene in the auld Hollywood movies — ken the een? — far there wis a big ocean-goin' liner jist aboot tae leave port an' ye could see aa' the tiny figures wavin' doon fae the rail on the upper deck. Weel, we could be twa o' that tiny figures, Bunty, wavin' doon tae the folk that hid come tae see us aff. Then it's "All ashore that's goin' ashore," an' we're aff. Magic. An' six days later —

Weel? Six days later, far are we?

Weel, we're nae stuck ootside Peterheid, that's for sure. We're passin' the Statue o' Liberty, 'at's far we are.

An' then wid we ging intae New York?

Weel, if ye pass the Statue o' Liberty, ye hinna muckle choice.

I dinna think I wid like tae bide in 'at bit o' America. There's ower much violence. I wis watchin 'at new programme aboot the New Jergy Mafia that ye get on Thursday nichts noo. Yon's affa violence.

I'm surprised you watch 'at kind o' thing, Bunty.

Weel, I didna ken fit it wis ga'n' tae be aboot. It's ca'd The Sopranos. I thocht it wid be few sangies fae the likes o' Julie Andrews an' Moira Anderson.